SANTA FE: TERRITORIO Y DESARROLLO

Mario Lattuada
María Elena Nogueira
Juan Carlos Porstmann
Marcos Urcola

Santa Fe: territorio y desarrollo

Un estudio de trayectorias regionales asimétricas

Tomo 1

Colección UAI – Investigación

Santa Fe: territorio y desarrollo: un estudio de trayectorias regionales asimétricas / Mario Lattuada ... [et al.]. - 1a ed. - Ciudad Autónoma de Buenos Aires: Teseo; Ciudad Autónoma de Buenos Aires: Universidad Abierta Interamericana, 2019. v. 1, 330 p.; 20 x 13 cm.
ISBN 978-987-723-208-0
1. Santa Fe. 2. Desarrollo Regional. I. Lattuada, Mario
CDD 343.0746
ISBN de la obra completa: 978-987-723-207-3

© UAI, Editorial, 2019
© Editorial Teseo, 2019
Teseo - UAI. Colección UAI - Investigación
Buenos Aires, Argentina
Editorial Teseo
Hecho el depósito que previene la ley 11.723
Para sugerencias o comentarios acerca del contenido de esta obra, escríbanos a: **info@editorialteseo.com**
www.editorialteseo.com

ISBN: 9789877232080

Las opiniones y los contenidos incluidos en esta publicación son responsabilidad exclusiva del/los autor/es.

Autoridades

Rector Emérito: Dr. Edgardo Néstor De Vincenzi
Rector: Dr. Rodolfo De Vincenzi
Vice-Rectora Académica: Dra. Ariana De Vincenzi
Vice-Rector de Gestión y Evaluación:
Dr. Marcelo De Vincenzi
Vice-Rector de Investigación: Dr. Mario Lattuada
Vice-Rector de Extensión Universitaria: Ing. Luis Franchi
Vice-Rector de Administración: Dr. Alfredo Fernández
Decano Facultad Ciencias Económicas:
Dr. Fernando Grosso

Comité editorial

Lic. Juan Fernando ADROVER
Arq. Carlos BOZZOLI
Mg. Osvaldo BARSKY
Dr. Marcos CÓRDOBA
Mg. Roberto CHERJOVSKY
Dra. Ariana DE VINCENZI
Dr. Roberto FERNÁNDEZ
Dr. Fernando GROSSO
Dr. Mario LATTUADA
Dra. Claudia PONS
Dr. Carlos SPECTOR

Los contenidos de los libros de esta colección cuentan con evaluación académica previa a su publicación.

Presentación

La Universidad Abierta Interamericana ha planteado desde su fundación en el año 1995 una filosofía institucional en la que la enseñanza de nivel superior se encuentra integrada estrechamente con actividades de extensión y compromiso con la comunidad, y con la generación de conocimientos que contribuyan al desarrollo de la sociedad, en un marco de apertura y pluralismo de ideas.

En este escenario, la Universidad ha decidido emprender junto a la editorial Teseo una política de publicación de libros con el fin de promover la difusión de los resultados de investigación de los trabajos realizados por sus docentes e investigadores y, a través de ellos, contribuir al debate académico y al tratamiento de problemas relevantes y actuales.

La *colección investigación* TESEO - UAI abarca las distintas áreas del conocimiento, acorde a la diversidad de carreras de grado y posgrado dictadas por la institución académica en sus diferentes sedes territoriales y a partir de sus líneas estratégicas de investigación, que se extiende desde las ciencias médicas y de la salud, pasando por la tecnología informática, hasta las ciencias sociales y humanidades.

El modelo o formato de publicación y difusión elegido para esta colección merece ser destacado por posibilitar un acceso universal a sus contenidos. Además de la modalidad tradicional impresa comercializada en librerías seleccionadas y por nuevos sistemas globales de impresión y envío pago por demanda en distintos continentes, la UAI adhiere a la red internacional de acceso abierto para el conocimiento científico y a lo dispuesto por la Ley n°: 26.899 sobre *Repositorios digitales institucionales de acceso abierto en ciencia y tecnología,* sancionada por el Honorable Congreso de la Nación Argentina el 13 de noviembre de 2013, poniendo a disposición del público en forma libre y gratuita la versión digital de sus producciones en el sitio web de la Universidad.

Con esta iniciativa la Universidad Abierta Interamericana ratifica su compromiso con una educación superior que busca en forma constante mejorar su calidad y contribuir al desarrollo de la comunidad nacional e internacional en la que se encuentra inserta.

Dra. Ariadna Guaglianone
Secretaría de Investigación
Universidad Abierta Interamericana

Índice

Siglas

AACREA Asociación Argentina de Consorcios Regionales de Experimentación
ACA Asociación de Cooperativas Argentinas
ACMAS Asociación Civil Mesa Azucarera Santafesina
ACSOJA Asociación de la Cadena de la Soja Argentina
ADELCO Liga de Acción del Consumidor
ADR Agencia de Desarrollo Regional
AFA Agricultores Federados Argentinos
AFAMA Asociación de Fabricantes de Muebles y Aberturas de Avellaneda
AFIP Administración General de Ingresos Públicos
ALOP Asociación Latinoamericana de Organizaciones de Promoción
APPA Asociación para la Promoción de la Producción Algodonera
APROCABOA Asociación de Productores de Carne Bovina Argentina
ARGENTRIGO Asociación Argentina de Trigo
ASAGIR Asociación Argentina de Girasol
ASPA Asociación Santafesina de Productores de Arroz
ASSAL Agencia Santafesina de Seguridad Alimentaria
BID Banco Interamericano de Desarrollo
CAPIR Cámara de Pequeñas Industrias de Rafaela
CARCLO Confederación de Asociaciones Rurales Centro y Litoral Oeste
CARZOR Confederación de Asociaciones Rurales de la Zona Rosafé
CECMA Clúster Empresarial Cideter de la Maquinaria Agrícola
CEDI Cámara de Empresas de Desarrollo Informático

CePRoNat Centro de Protección a la Naturaleza
CFA Consejo Federal Agropecuario
CFI Consejo Federal de Inversiones
CGT Confederación General del Trabajo
CIMAE Cámara de Industriales Madereros y Afines de Esperanza
CNA Censo Nacional Agropecuario
CNPyV Censo Nacional de Población y Vivienda
CONICET Consejo Nacional de Investigaciones Científicas y Técnicas
CONINAGRO Confederación Intercooperativas Agropecuarias
CORENOSA Consejo Regional del Norte Santafesino
CRA Confederaciones Rurales Argentinas
CRECENEA Comisión Regional de Comercio Exterior del Noreste Argentino
CRPE Consejo Regional de Planificación Estratégica
EAP Explotación Agropecuaria
EBT Empresas de Base Tecnológica
EFA Escuela de Familia Agrícola
EPE Empresa Provincial de la Energía
FAA Federación Agraria Argentina
FACA Federación de Cooperativas Argentina
FAO Organización de Naciones Unidas para la Alimentación y la Agricultura
FeCeCo Federación de Centros Comerciales
FECET Federación de Centros Tamberos
FISFE Federación Industrial Santa Fe
FOCEN Fondo de Convergencia Estructural del MERCOSUR
FUNDAPAZ Fundación para el Desarrollo en Justicia y Paz
FVSA Fundación Vida Silvestre
INDEC Instituto Nacional de Estadísticas y Censos
INTA Instituto Nacional de Tecnología Agropecuaria
IPAS Instituto Provincial de Aborígenes Santafesinos

IPCVA Instituto de Promoción de la Carne Vacuna Argentina
IPEC Instituto Provincial de Estadísticas y Censos
MAGIP Ministerio de Agricultura, Ganadería, Industria y Producción
MAGyP Ministerio de Agricultura, Ganadería y Pesca de la Nación
MAIZAR Asociación de Maíz y Sorgo Argentino
MINCyT Ministerio de Ciencia y Tecnología
MIPyME Micro Pequeña y Mediana Empresa
ONCCA Oficina Nacional de Control Comercial Agropecuario
PEA Población Económicamente Activa
PEI Población Económicamente Inactiva
PB Producto Bruto
PBG Producto Bruto Geográfico
PEP Plan Estratégico Provincial
PROINDER Proyecto de Desarrollo para Pequeños Productores Agropecuarios
PROSAP Programa de Servicios Agrícolas Provinciales
PyME Pequeña y Mediana Empresa
RENAPA Registro Nacional de Productores Apícolas
RIOD Red Internacional contra la Desertificación
RTRS Mesa Redonda de Soja Responsable
SANCOR SanCor Cooperativas Unidas Limitada
SD Siembra Directa
SENASA Servicio de Sanidad Animal
SRA Sociedad Rural Argentina
SEPyME Secretaría de la Pequeña y Mediana Empresa de la Nación
UAA Unión Agrícola de Avellaneda Cooperativa Limitada
UOCB Unión de Organizaciones de Pequeños Productores de la Cuña Boscosa Santafesina y Bajos Submeridionales
VAB Valor Agregado Bruto

Introducción

La noción de "desarrollo asimétrico" se ha generalizado a partir de la teoría de Schumpeter (1944) y seguidores, entendida como el desarrollo desigual de sectores económicos o países en relación directa al desarrollo tecnológico de los mismos.

Esta línea de pensamiento se inserta en la tradición de la denominada *escuela alemana* donde a partir de los trabajos de Von Thünen (1826) en adelante, y en contraposición de la escuela neoclásica anglosajona, la localización y las circunstancias de la producción se traducen en diferencias importantes para la generación de riqueza.

Posteriores desarrollos conceptuales han complejizado y enriquecido el debate con los aportes de los enfoques de los *polos de desarrollo*, la *acumulación flexible*, la *escuela francesa de la regulación* y la denominada *nueva geografía económica* surgida desde la academia norteamericana.

Como sostiene Moncayo Jiménez (2000, 2002), de acuerdo a las distintas corrientes teóricas los determinantes del desarrollo regional suelen ser considerados de muy diferente naturaleza, pero a su vez pueden agruparse en dos grandes conjuntos. Por una parte se encuentran aquellos factores espaciales propuestos por las disciplinas vinculadas a la geografía con énfasis en los aspectos físicos, económicos o tecnológicos asentados en el territorio (Von Thünen, 1826; Isard, 1956; Perroux, 1955; Boudeville, 1966; Rostow, 1962; Martin, 1999). Por otro, los enfoques económicos que derivan de modelos generales de crecimiento económico adaptados a la región y en los que progresivamente se incorporan aspectos espaciales (Marshall, 1920; Myrdal, 1957; Kaldor, 1970; Benko y Lipietz, 1994;

Krugman, 1999). Estas dos vertientes, *espacial* y *funcional*, confluyen en una concepción integral del territorio a partir de las nuevas corrientes de la geografía socio-económica para explicar el desarrollo territorial integrando variables que, además de la perspectiva de la economía, incluyen y articulan las dimensiones sociales, culturales y políticas (Boisier 1994, 1999; Coraggio, 2004).

En los últimos años, en el marco de los procesos de globalización y su relación con lo local, las variables espaciales asociadas a la localización de la producción, los flujos de comercio y los aspectos sociopolíticos y culturales han sido incorporados con mayor énfasis en el análisis de los factores condicionantes del desarrollo.

Álvarez García y Rendón Acevedo (2010: 58) sostienen en esta línea que *los territorios no son un factor de competitividad en sí mismos, sino que cuentan con potencialidades que pueden o no ser aprovechadas según las decisiones políticas que se adopten* y –agregamos nosotros con el fin de no acotarlo a una cuestión voluntarista– las condiciones técnicas y sociales de organización de la de producción que en determinado contexto histórico constituyen sus condiciones de posibilidad.

En consecuencia, los territorios en sus diferentes escalas geográficas de análisis se constituyen en un exponente de las desigualdades sociales y económicas generadas por esos procesos, a nivel de países o conjuntos de países, como también a nivel subnacional entre regiones, provincias, departamentos, ciudades o unidades de menor dimensión como pueblos y barrios.

A ello se agrega el desplazamiento del centro de las preocupaciones en la *nueva geografía económica* a las profundas disparidades que existe en el desempeño económico de las distintas regiones de un mismo país. Un ejemplo en este sentido es el estudio de Niembro *et al.* (2016)

quienes han realizado un diagnóstico *multidimensional* de las desigualdades socioeconómicas a nivel provincial y regional en Argentina, y un análisis integral del marco de políticas públicas en función de las competencias de intervención para la reducción de esas desigualdades.

En una escala menor, el territorio de la provincia de Santa Fe expresa en su interior un *desarrollo asimétrico* histórico entre el norte y el sur provincial que no ha podido ser revertido hasta la actualidad. Distintos diagnósticos y propuestas han sido realizadas en el último medio siglo con diferentes enfoques y dimensiones de análisis para revertir estas trayectorias asimétricas del desarrollo provincial -Jones (1970), Cerana (1987), Ceconi (2000), CORENOSA (2004), Cáceres (2005), Fundación Vida Silvestre Argentina y FUNDAPAZ (2007), Gobierno de Santa Fe (2008, 2012), INTA (2013)-, pero sin resultados efectivos hasta el momento.

La Provincia de Santa Fe cuenta con una superficie de 133.007 km2, cuenta con el 8% de la población total de la República Argentina y la participación relativa del Producto Bruto Geográfico (PBG) provincial al Valor Agregado Bruto de la Nación se ubica en torno al 8% con $200.722 millones para el año 2012, siendo la segunda provincia en importancia del país después de la provincia de Buenos Aires.

El PBG de la provincia se compone, aproximadamente, del siguiente modo: 8% de agricultura, ganadería, pesca, caza y silvicultura, 19% industria manufacturera, 16% comercio, 8% transporte, almacenamiento y comunicaciones, y 49% corresponde al resto de servicios. Las exportaciones de la provincia en 2012 han sido equivalentes a 16.765 millones de dólares, equivalente a un quinto del valor total de las exportaciones nacionales. Estas se componen un 12% de Productos Primarios, 65% de Manufacturas de Origen Agropecuario, 22% de Manufacturas de Origen Industrial, y solo 1% de Combustibles y Energía.

Santa Fe cuenta con 12.970.000 ha con potencial uso agropecuario, de las cuales 10.787.942 ha se encuentran distribuidas en 26.551 establecimientos agropecuarios de acuerdo a los registros provisorios del Censo Nacional Agropecuario de 2008. Esta situación no ha variado sustancialmente respecto de la observada en el Censo Nacional Agropecuario (CNA) del año 2002. El 20% de las explotaciones agropecuarias (EAPs) menores a 50 ha dispone del 1% de la tierra; el 6% de mayores a 1.200 ha controla el 50% de la superficie productiva, mientras que los establecimientos de los estratos entre 50 y 1.200 ha concentran el 74% de los establecimientos y el 49% de la superficie restante. El 67% de los establecimientos se encuentran bajo tenencia en propiedad, mientras que en el 23% restante lo hace bajo el sistema de arredramientos de tierras. Solo el 46% de los productores y de la superficie se explota en forma exclusiva dentro de tierras en propiedad. Las características de los suelos y el pobre drenaje que posibilita su encharcamiento generan diferencias zonales importantes en cuanto a la disponibilidad de tierras productivas y el tipo de actividades económicas posibles de emprender.

La provincia puede dividirse en dos regiones claramente diferenciadas por sus tipos de suelo y clima: la *Chaqueña* al norte y la *Pampeana* al sur. Esto ha contribuido a la conformación histórica de tres grandes zonas productivas diferenciadas que, a grandes rasgos, pueden caracterizarse del siguiente modo: el *Sur* con producciones agrícolas extensivas pampeanas (soja, maíz, trigo) aporta el 50% del PB sectorial; el *Centro* con actividad de tambo, ganadería de cría e invernada y en menor medida cultivos agrícolas, con un aporte del 30% del PB sectorial; y el *Norte* y noreste (donde se encuentran ubicados los *Bajos Submeridionales* y la *Cuña Boscosa*), dedicados a la cría de ganado vacuno y producciones regionales tales como algodón, caña de azúcar, arroz, forestal y cultivos agrícolas con un aporte aproximado del 20% del PB sectorial. Debe tenerse en cuenta que este esquema ha sufrido modificaciones durante la última década, a partir de la expansión de la frontera agrícola hacia el norte con el cultivo de soja.

Los centros de acopio y transformación de las principales cadenas agroalimentarias se distribuyen territorialmente en función de la importancia de la concentración de la producción y la accesibilidad a las vías de comunicación nacional e internacional. Las estructuras más importantes en granos y aceites y la industria frigorífica se asientan en el sur de la provincia privilegiando la ubicación sobre el río Paraná, mientras que la industria láctea lo hace en el centro, oeste y sur de la misma.

La diferenciación del territorio provincial excede, sin embargo, el criterio estrictamente geográfico para comprender también, desde una perspectiva territorial[1] el modo en que se asientan los procesos sociales, económicos, culturales y ambientales que allí tienen lugar. En este sentido, y como podrá comprobarse en el desarrollo del libro, esas diferencias se expresan en la mayoría de los indicadores de orden económico y social.

En la Provincia de Santa Fe, de acuerdo a los últimos datos censales provistos por el Instituto Provincial de Estadísticas y Censos (IPEC), viven 3.194.537 personas. De ellas, solo el 11,8% reside en los 6 departamentos del norte provincial (9 de Julio, Vera, General Obligado, San Cristóbal, San Javier, Garay). Estos departamentos han demostrado una variación intercensal 2001-2010 sustancialmente

1 En este sentido, la delimitación de los límites del territorio y los criterios empleados generan intensos debates académicos (véase Linck, 2006: 130).

más baja que el promedio provincial (4,9% sobre 6,5%), profundizando la tendencia de su menor crecimiento y radicación de población en comparación con el promedio provincial.

De los 6 departamentos de la región norte, 5 tienen la más baja densidad de población de la provincia (entre 1,8 a 10 habitantes por km2), con la excepción del departamento de General Obligado que se encuentra en el rango inmediatamente superior (de 10 a 20 hab/km2), aunque inferior a los 24 hab/ km2 del promedio provincial.

Del total de la población de la provincia, se estima que el 93% vive en zonas urbanas (localidades de más de 2.000 habitantes) y solo el 7% en zonas rurales. De estas últimas, los 6 departamentos del norte provincial concentran un porcentaje de población rural (23%) que triplica el promedio provincial. En otras palabras, estos departamentos poseen una mayor proporción de población rural y se encuentran menos urbanizados.

Pero, además, estos departamentos concentran los indicadores más atrasados del desarrollo social y económico: menor crecimiento relativo y expulsión de la población, mayor porcentaje de analfabetos y de deserción escolar, un número superior de situaciones irregulares en la posesión de tierras y viviendas, y una incidencia superior de necesidades básicas insatisfechas (NBI), sanitarias y de infraestructura inadecuadas.

La provincia de Santa Fe ha disminuido el porcentaje de hogares con NBI en 2010 pasando del 24,5% al 9,4%. No obstante, las diferencias entre el norte y el sur mantinen una brecha histórica hasta ahora irreductible. Mientras que el norte se registra un 16,8% de hogares con NBI, en el sur el porcentaje se reduce a la mitad con un 8,4% de hogares en esa condición.

La segunda provincia del país en cuanto al aporte al Producto Bruto Geográfico presenta en la actualidad un desarrollo polarizado y asimétrico entre una región norte preponderantemente rural y pobre y un centro-sur urbanizado, industrializado y desarrollado en términos comparativos, que indican con claridad las prioridades regionales, sociales y económicas que deben asumir las políticas de desarrollo futuro.

Este trabajo se propone exponer el proceso histórico a través del cual emerge y se consolida este *desarrollo asimétrico* a partir de la convergencia y evolución de diferentes variables (físicas, ambientales, económicas, políticas y culturales), así como las diferentes propuestas que en diferentes etapas se propusieron para revertirlo.

Las causas de este *desarrollo asimétricos* e encuentran en la articulación de factores físicos y geográficos del territorio con procesos económicos y políticos, los que cristalizaron en el actual estado de asimetrías que permanecen irreductibles.

El objetivo del presente estudio consiste en describir y analizar la evolución de estos factores y procesos y sus consecuencias en un *desarrollo asimétrico* entre la región norte (departamentos: 9 de Julio, Vera, General Obligado, San Cristóbal, San Javier, Garay) y la región centro-sur (departamentos: Las Colonias, La Capital, San Justo, San Martín, San Jerónimo, Belgrano, Iriondo, San Lorenzo, Rosario, Constitución, Caseros y General López) de la provincia de Santa Fe. Adicionalmente, el trabajo se propone identificar los principales problemas actuales que caracterizan la región norte, así como exponer las diferentes propuestas e iniciativas que existen para su desarrollo con el fin de reducir las asimetrías existentes.

El trabajo fue realizado a partir de una rigurosa y crítica revisión de fuentes primarias y secundarias, históricas y actuales, y se compone de esta introducción, siete capítulos, una sección final de conclusiones. Además se incluyen una extensa sección con la diversidad de fuentes y bibliografía utilizada para su elaboración. Lamentablemente, las estadísticas nacionales y provinciales en algunos rubros dejan mucho que desear respecto de sus actualizaciones, y en algunos casos cuentan con un retraso de una década o más, situación que no ha sido revertida ni compensada por otras fuentes hasta el momento de escribir estas líneas.

El Capítulo I da cuenta de la construcción de las diferentes regiones a partir de una descripción del proceso histórico de la evolución de la estructura agraria y productiva provincial desde la colonización agrícola hasta la actualidad, en el que las características físicas y ambientales del territorio actuaron como condicionantes sobre el desarrollo de la infraestructura ferroviaria, vial y portuaria que tuvieron un profundo impacto en el modelo asimétrico regional de asentamiento de la población y desarrollo de las fuerzas productivas.

El Capítulo II muestra, con datos actuales, las principales características físicas y socioeconómicas de la provincia, su aporte al PBI nacional y la composición del mismo, las diferencias ambientales, productivas, de infraestructura y servicios, y de población de las cinco grandes regiones que integran el territorio provincial.

El Capítulo III describe y analiza los principales sistemas productivos y cadenas de valor que se desarrollan en la provincia indicando la mayor o menor presencia de cada una de ellas en las respectivas regiones.

El Capítulo IV aborda el resultado del peso diferencial de estas cadenas de valor en los territorios y regiones expresado en una serie de indicadores económicos, demográficos y sociales relevantes, cuya evolución en el período intercensal 2001-2010 confirma la cristalización de las tendencias históricas asimétricas de desarrollo entre el norte y el sur provincial.

El Capítulo V describe la estructura del Estado provincial luego de reformas recientes, con especial atención a las agencias con competencia en el desarrollo productivo y territorial, el plan estratégico provincial, las políticas sectoriales y de apoyo al desarrollo, y los diferentes espacios de articulación público-privados como los Consejos Regionales de Planificación Estratégica, los Consejos Económicos por Cadena de Valor, las Asociaciones para el desarrollo Regional, las Agencias para el Desarrollo, y el Comité Intraprovincial de Cuencas de los Bajos Meridionales.

El Capítulo VI caracteriza a los principales actores socioeconómicos y de representación de intereses de la sociedad que participan en el territorio provincial, especialmente en su región norte, focalizando en aquellos con compromiso y potencialidad en la construcción del capital social necesario para el desarrollo del territorio del norte provincial.

El Capítulo VII identifica y analiza tanto el diagnóstico como las propuestas que agencias públicas (Gobierno provincial y nacional, INTA) como organizaciones de la sociedad civil (CORENOSA, FVSA y FUNDAPAZ) realizan sobre los problemas que caracterizan el bajo desarrollo de la zona norte de la provincia -con especial referencia a los Bajos Submeridionales y la Cuña Boscosa- y las propuestas e iniciativas que existen para superarlos.

Por último, el trabajo concluye con una revisión de las principales cuestiones que actúan como limitantes al desarrollo del norte provincial, y rescata las coincidencias de las diferentes iniciativas que, asimismo, contribuirían a un efectivo desarrollo del territorio, siempre y cuando se tomen las decisiones políticas y se dispongan los presupuestos y recursos económicos para hacerlo realidad.

El libro aborda una problemática que no pretende ser original porque, como se ha mencionado, existen numerosos estudios y propuestas desde hace más de medio siglo con diferentes enfoques y dimensiones que la abordan. Su principal aporte radica en una actualización del tema desde una perspectiva multidimensional e histórica, y advertir sobre la necesidad de tomar las decisiones políticas y de inversión que posibiliten revertir definitivamente las condiciones asimétricas de desarrollo del territorio provincial.

1. Evolución de la estructura agraria y socioeconómica santafesina (1850-2014)

1. Breve introducción y contexto general

La economía provincial se encuentra históricamente, al menos desde la formación del Estado nacional, condicionada a las fluctuaciones de los mercados internacionales, en particular los de bienes primarios y a las condiciones de su territorio para generar las ventajas comparativas y competitivas requeridas. Más allá de la integración de Santa Fe a las políticas de carácter nacional, sus atributos económicos como gran productora de este tipo de bienes desde finales del siglo xix en adelante, orientan en forma definitiva su organización productiva y articulación con otras economías domésticas e internacionales.

Tal como indica Videla (2006), el siglo xx ha dado cuenta de momentos clave de la historia de la provincia –que aquí se intentará reseñar brevemente– a partir de una esquema general de diferenciación regional "norte-sur" que asume una mayor complejidad a partir de fenómenos de carácter social y económico, las especificidades de las políticas provinciales y la persistencia de disputas en el territorio.

Para dar cuenta de la historia socio-económica provincial, se hará uso de una periodización construida sobre la estructuración de estrategias de acumulación[2] (Torrado,

2 Aunque el concepto de régimen social de acumulación acuñado por Nun (1987) permite una mayor complejidad de análisis, para esta descripción de la estructura socioeconómica santafesina consideramos la noción de estrategia ya que interesa contextualizar las diferentes coyunturas nacionales y, cómo se enmarca en ellas, una historia socioeconómica de la provincia.

2007), considerando que estas dan cuenta de los modos en los que es posible acumular capital e invertir a partir de la configuración de diferentes prácticas políticas e instancias institucionales, de carácter público (estatal) que permiten y garantizan tal acumulación. De acuerdo a esta definición general, es posible describir y caracterizar las transformaciones de los aspectos socio-económicos de Santa Fe, a lo largo de diferentes estrategias de acumulación. Para esto, y en términos generales, se tomarán en cuenta períodos históricos diferenciados a partir de acontecimientos que resultan puntos de inflexión en ese proceso: (1850-1890) período de la colonización agrícola; (1890-1930) consolidación del Estado nacional y la estrategia agroexportadora; (1930-1976) diferentes fases de la industrialización sustitutiva; (1976-2001) ajuste durante la dictadura militar y la recuperación democrática; y (2002-2011) un *nuevo* patrón de crecimiento.

Asimismo, y considerando esta periodización[3], se desarrollarán aquellos aspectos más relevantes de la estructura agraria de la provincia y sus transformaciones hasta la actualidad en función de la dinámica de ocupación del territorio, las políticas públicas, el avance tecnológico y la organización social de la producción. Este análisis resulta central, en la

---

3 En términos de la estructura agraria, diferentes autores coinciden en periodizar las transformaciones del agro pampeano en cuatro grandes etapas: 1) entre 1850 y 1930 que corresponde al modelo de ocupación del territorio y acumulación agroexportador argentino hasta la gran crisis mundial, basado en la expansión de la frontera agrícola; 2) entre 1930 y 1960 se da el denominado período de "estancamiento" agropecuario coincidente con el crecimiento del mercado interno; 3) la década de 1960 hasta mediados de 1970 denominada como una etapa de recuperación y mecanización del agro, 4) desde mediados de 1970 hasta mediados de 1980, donde se inicia una nueva etapa denominada de expansión agrícola y especialización productiva, y 5) desde 1990 hasta la actualidad donde se produce una profundización tecnológica, expulsión y concentración de unidades productivas caracterizado por la expansión de los cultivos transgénicos -especialmente soja- y la siembra directa, un nuevo desplazamiento de la producción ganadera, nuevos actores socio productivos -*pooles* de siembra y pequeños rentistas-. Se tomarán estas coyunturas en el contexto de la periodización general mencionada previamente, para describir el proceso a nivel pampeano y en la provincia de Santa Fe.

medida que el desarrollo agropecuario ha tenido gran influencia en la historia socioeconómica provincial, aunque sin olvidar que la provincia también generó un importante desarrollo industrial y de servicios cuya evolución forma parte del proceso analizado[4].

El proceso que se describe a continuación permite observar cómo -desde el origen- las limitantes físicas y geográficas condicionan el trazado de la infraestructura y la ocupación del territorio, las que combinadas con las políticas de colonización privada y pública y las posibilidades de mercado, definieron -en buena medida- los desarrollos posteriores de sus regiones. Un proceso que, por otra parte, se ha mostrado muy dinámico en el centro y sur provincial, con diferentes actividades productivas y actores que se transforman y desplazan en una constante adaptación a las condiciones de mercados y contextos político-económicos y, en cambio, menos perceptible o menos radicales, en el norte ganadero de la provincia.

2. La colonización agrícola (1850-1890)

Hasta el período 1850-1880, la provincia de Santa Fe era una zona postergada del país. A partir de allí, se inicia en la región una experiencia de colonización agrícola promovida por el Estado pero llevada adelante por el sector privado, que cambiaría radicalmente la situación del agro provincial, convirtiéndola en una de las más dinámicas del país. Distintos autores coinciden respecto de la situación de desolación y estancamiento económico que presentaba

---

4 Cuando las fuentes lo posibilitan, se ha procurado vincular el desarrollo provincial con los procesos observados a nivel nacional y especialmente de la región pampeana, así como diferenciar dentro de la provincia las características que ha asumido en las diferentes regiones.

la provincia para los años de 1850 (Gallo, 2004; Bonaudo y Sonzogni, 1993; Bonaudo y Sonzogni, 2000, Cloquell *et al.*, 2007). En palabras de Juan Álvarez, resultaba una "inhospitalaria región" y una "llanura inmensa y áspera". Esto marcó desde sus inicios la estructura social puesto que, como bien indican Bonaudo y Sonzogni (1993), la organización de la propiedad de la tierra (en el contexto del gran latifundio) y el tipo de relaciones sociales que se generan en su interior, permite el trazado de ciertas características relevantes: el crecimiento de los arrendamientos entre 1887 y 1895 establece diferencias en el modo en el que estos se articulan con la pequeña y mediana propiedad en las colonias por un lado, y el latifundio, por otro.

El Estado provincial y su clase dirigente impulsan, a lo largo de cuatro décadas, un conjunto de medidas que estimularían el crecimiento económico: expansión territorial con el consecuente desplazamiento de la frontera indígena, política de poblamiento que plantea como horizonte la propiedad de la tierra, estímulo de los sistemas financieros y desarrollo de las comunicaciones y el transporte (Bonaudo y Sonzogni, 1990).

Antes de la década de 1850, Santa Fe presentaba los indicadores más negativos de estancamiento económico de la región litoraleña. La despoblación y la amenaza indígena eran los principales obstáculos para el despegue social y productivo de la provincia. Los pilares económicos se asentaban sobre la actividad mercantil y ganadera que eran recurrentemente afectados por guerras civiles y la irrupción de malones (Bonaudo y Sonzogni, 2000). La gran mayoría del territorio provincial escapaba del control de las autoridades gubernamentales. Sucesivas campañas de recuperación de territorios permitieron incrementar cuatro veces el área rural santafesina entre los años 1858 y 1869. Este proceso se vio acompañado por otro, de traspaso de tierras de propiedad del Estado provincial a manos privadas, para cuyo fin se legisló copiosamente en dicho período (Gallo, 2004).

La expansión de la frontera, el traspaso de tierras públicas a manos privadas y generación de garantías jurídicas sobre la propiedad y las transacciones comerciales se dan, entonces, en el marco de una política que privilegiaba la agricultura como forma de poblar y modernizar la actividad rural a través del denominado proceso de colonización agrícola ("el lazo embrutece, el arado civiliza"). Agricultura, propiedad y trabajo familiar eran las bases de la política colonizadora como estrategia para el crecimiento demográfico, social y económico del territorio provincial.

La expansión agraria santafesina, tradicionalmente ganadera, se da a partir de la llamada fiebre del lanar y la colonización agrícola (Basky y Gelman, 2009). Entre 1862 y 1867 se incrementa ocho veces el número de lanares (especialmente en los distritos ubicados al sur de Rosario) y en 1856 se funda la primera colonia agrícola (Esperanza), a la que se agregan doce más en los catorce años siguientes con un paralelo crecimiento de la nueva industria cerealera (inexistente en la provincia hasta entonces).

Gallo indica que los problemas de la campaña santafesina no se solucionaron exclusivamente por la toma de tierras y su posterior traspaso al sector privado. El camino fue garantizar esa propiedad privada, o lo que es lo mismo, seguridad jurídica, a quienes iban a comprarlas, los empresarios colonizadores que hasta en muchos casos "nombraron" a las colonias con nombres propios de sus historias personales. Para la década de 1970 algunos hitos –a los que se volverá– anunciaban el perfil de la provincia: la reactivación comercial de Rosario, los primeros bancos, el ferrocarril, la recuperación ganadera en el sur, la fundación de las colonias agrícolas. No obstante, estos eran avances necesarios pero no suficientes y, además, no afectaban al territorio horizontalmente (Gallo, 2004: 43).

Esta política ofrece un panorama concentrado en cuanto a la posesión de la tierra. La mayoría de las tierras en posesión privada estaban en manos de pocos individuos. Para 1872, el 1% del total de propietarios poseía alrededor del 40% de la tierra que estaba en manos privadas. En el norte, por ejemplo, tan solo un propietario (Mariano Cabal) poseía 2.000.000 de hectáreas. También se destacan en este sentido los grandes propietarios del centro-oeste de la provincia (Armstrong, Lafone. Quintana, Zubelzú y otros), aunque con mayor diversidad por la presencia de colonos hacia el este. En el sur, 1.147.000 hectáreas se hallaban en posesión de 367 propietarios, de las cuales casi el 50% se encontraba en propiedad de tres personas (Gallo, 2004: 53). Si bien para 1872 el 45% de la tierra santafesina era pública, para 1879 el Departamento Topográfico de la provincia estima que tan solo 650.000 hectáreas son fiscales. De este modo, las tierras ganadas a la población aborigen nativa, fueron apropiadas por pocas personas, generando el predominio de la gran estancia.

Al considerar la provincia en términos generales y para trazar las primeras diferencias que ocurren en términos de la construcción territorial, se señala que para 1883 pueden identificarse cuatro zonas: la región norte, donde predominan las grandes propiedades; la región centro y el extremo norte de la región sur, donde las colonias agrícolas comienzan a avanzar sobre el territorio ocupado por las grandes propiedades; la región sur, donde dominan las grandes estancias (pero de menor extensión que las del norte); y la franja este de todas las regiones mencionadas anteriormente (ya poblada desde la época colonial a le vera del río Paraná), donde predominan las estancias medianas y pequeñas que crecen a medida que se aproximan al norte. A pesar de su predominio, entre 1872 y 1883 el peso de la gran propiedad comienza a reducirse por el incremento de estancias lanares de dimensiones medianas y por las colonias agrícolas (Gallo, 2004: 55).

Aunque las colonias fueron variando en sus tipos jurídicos[5], y como podrá observarse, la figura del empresario colonizador era central en el proceso, independientemente del mismo: este se hacía cargo de varios miles de hectáreas con el compromiso de poblarlas con agricultores y entregarles a sus dueños (el Estado o un privado), una parte de la producción agrícola (Kurt, 1952). En cambio, el régimen de arrendamientos fue más extensivo en el sur provincial.

El eje agroexportador comienza a ser el rasgo central a partir de la producción cerealera y esta es la forma productiva que la propiedad de la tierra adquiere en buena parte de la provincia. Por este motivo, Santa Fe comienza a ser una provincia receptora de migrantes, no solo de ultramar, sino también de provincias lindantes (Kurt, 1952: 113).

Entre 1858 y 1895 se fundaron 360 colonias agrícolas que ocupaban el 30% del territorio provincial y un porcentaje mayor de la tierra bajo cultivo de cereales. Dichas colonias agrícolas tuvieron diversos criterios organizativos, pero es el sistema de colonización privado el más utilizado. El Estado provincial carecía de los recursos necesarios para afrontar los costos de trasporte e instalación de los colonos y recurrió a empresas o empresarios privados para que cumplieran esta función (Bonaudo y Sonzogni, 1993). Estos empresarios adquirían las tierras a precio de mercado, las subdividía y vendía al mejor postor. Solo marginalmente se registra la organización de colonias gubernamentales (fundadas por el gobierno nacional o provincial)

---

5 Más adelante se destacarán los tipos en cada caso. Al respecto, véase Gallo (2004: 56-62).

u oficiales (establecidas por empresarios privados bajo el control gubernamental) que remiten a los primeros años de la colonización (1850-1860). Tal es el caso de los colonos del noreste santafesino que, al revés de lo ocurrido en las mejores tierras de la provincia, accedieron a la propiedad de la tierra (parcelas de entre 36 y 72 hectáreas) mediante la cesión de tierras públicas en los primeros años de la colonización (Archetti, 1993).

Tan solo un 5% del total de hectáreas dedicadas a la colonización provino de la actividad gubernamental. Por lo tanto, la gran mayoría de las colonias fue fundada por individuos o empresas privadas. El 20% fueron fundadas por compañías privadas, mientras que el 75% restante por empresarios individuales. El 91% de las colonias se fundó con capitales nacionales (80% de empresas o individuos santafesinos) y solo un 9% con capitales extranjeros (Gallo, 2004: 120).

Esperanza fue la primera colonia santafesina fundada en 1856 y tres años después los asentamientos agrícolas San Carlos y San Jerónimo en la región centro de la provincia (Departamento Las Colonias).

Hasta mediados de los setenta las tres colonias atravesaron momentos difíciles. Por ello, fue a partir de 1865 cuando el proceso de colonización agrícola recibe su mayor impulso con la guerra de Paraguay que permitió la reactivación del puerto de Rosario y el desarrollo de la actividad productiva cerealera al crear un mercado de consumidores a corta distancia de las colonias (Gallo, 2004). Entre 1866 y 1875 se fundan 53 colonias más, ocupando una extensión de 600.000 hectáreas y entre 1881 y 1895 se produce el crecimiento más acelerado con la fundación de 288 colonias que sumadas a las anteriores llegaron a ocupar 3.675.914 hectáreas (Barsky y Gelman, 2009: 198).

Cuadro 1: Fundación de colonias agrícolas en Santa Fe

Período de fundación	Número de colonias fundadas	Extensión en hectáreas
1856-1860	3	32.309
1861-1865	3	27.520
1866-1870	28	297.463
1871-1875	25	241.930
1876-1880	13	188.709
1881-1885	64	831.577
1886-1890	119	1.107.757
1891-1895	105	948.649
Total	**360**	**3.675.914**

Fuente: Segundo Censo Nacional de la República Argentina (1896) en Barsky y Gelman, 2009: 198.

Entre 1887 y 1895 la superficie sembrada con trigo, maíz y lino pasa de 600.000 a 1.600.000 hectáreas. El crecimiento demográfico que promueven las colonias va acompañado de un igual crecimiento económico que posiciona a la provincia como el principal productor de trigo del país aportando la mitad del área sembrada con trigo (Barsky y Gelman, 2009: 151).

Con este proceso colonizador, el acceso a la propiedad de la tierra en Santa Fe fue "secuencial": por un lado se observan ciertos empresarios colonizadores a los que el Estado garantizó tal acceso y, por otro, las formas de tenencia -tipos de arrendamiento, por ejemplo- en las que la inserción en el mercado de trabajo coadyuva a la posterior propiedad (Bonaudo y Sonzogni, 1993). Esto pone de manifiesto la presencia simultánea de chacras propias, habitadas y trabajadas fundamentalmente por inmigrantes y, arrendatarios o medieros con un objetivo final puesto en el acceso a la propiedad de la tierra.

En esta secuencia también tuvieron su impacto los mercados internacionales. La demanda internacional por ganado vacuno de mayor calidad provocó una transformación en los modos de articular la producción a partir de las pasturas para el engorde de los animales. El arrendamiento proveía de un modo de producir maíz, trigo y lino, dejando el campo alfalfado para el engorde (lo que comúnmente se denominaba cultivos combinados). Fue así como hacia la década de 1890 el arrendamiento se extendió como modo de articulación exitoso entre las actividades agrícolas y las ganaderas en detrimento de la fundación de nuevas colonias.

La colonización agrícola basada en la pequeña y mediana propiedad permitió poblar el desértico paisaje provincial de la primera mitad de siglo xix. Estas se concentraron especialmente en la región centro-oeste de la provincia, pero también en otras áreas cercanas al puerto de Rosario y, con tendencia más débiles en el norte y a lo largo de la costa del río Paraná (Bonaudo y Sonzogni, 2000).

En la región centro y sur, los predios entregados a los colonos debían ser destinados a la actividad triguera o cerealera, no obstante todos contaban con algo de ganadería como actividad secundaria o a los fines de autoconsumo. Se promovía así un modelo de explotación agrícola extensiva con actividades de granja para uso doméstico y en algunos casos con actividad ganadera como fuente alternativa de ingresos o pago de deudas. Muchos sostenían que la exclusiva actividad agrícola era insuficiente para afrontar el endeudamiento previo (que les dio acceso a la propiedad de la tierra), la puesta en marcha del proceso productivo y sobrevivencia del grupo familiar, motivo por el cual adoptaban una estrategia de producción mixta, aunque con claro privilegio de lo agrícola sobre lo ganadero (Bonaudo y Sonzogni, 1993).

En el dorsal agrícola oriental del norte de la provincia, las tierras públicas entregadas a los colonos (provenientes de la región italiana de Friuli) debían destinarse principalmente a la siembra de maíz y lino. Estos cultivos presentaban rendimientos por hectárea considerablemente más bajos que los de la pampa húmeda, a los que se agregaba el cultivo de maní. Por tratarse de una planta leguminosa, sus efectos sobre las propiedades físicas y químicas del suelo eran altamente ventajosos. En la localidad de Avellaneda, el maní era procesado para la obtención de aceite, siendo el cultivo preferido de los agricultores por aquel entonces. A la ocupación agrícola de dicho predios, se agrega que casi un tercio de los mismos se destinaba al pastoreo de animales (principalmente bueyes y caballos) (Archetti, 1993: 86).

En la década de 1880, el boom del ferrocarril y la inmigración aliviaron los problemas vinculados con los altos costos del trasporte y la escasez de mano de obra, respectivamente. La aparición de instituciones crediticias que volcaron parte de sus fondos hacia el sector agrícola dio mayor impulso a la actividad cerealera llevada adelante por las colonias. Esta década es conocida como la "edad de oro" de las colonias.

En la región sur, que tradicionalmente había sido dominada por la actividad ganadera bovina y ovina, comenzó a observarse una "invasión" de trabajadores agrícolas que concurrían todos los años a levantar la cosecha de trigo y maíz, conformando una incipiente clase obrera rural que protagonizaría diversos episodios conflictivos a principios del siguiente siglo (Ascolani, 1993; Ansaldi, 1993b y Sartelli, 1993).

Mientras que en el centro y el dorsal oriental del norte de la provincia la expansión agrícola fue llevada adelante a través de las colonias formadas por agricultores propietarios, en el sur, donde predominan las empresas mixtas que combinan ganadería con agricultura, este mismo proceso es llevado adelante principalmente por agricultores arrendatarios.

Los grandes propietarios que en las décadas de 1860 y 1870 estaban dispuestos a parcelar y vender, a partir de la década de 1880 modifican su estrategia y combinan la venta de pequeños predios con la subdivisión de la gran propiedad a fin de arrendarla (Bonaudo y Sonzogni, 1993). De este modo, se inaugura una segunda etapa del proceso de colonización, donde algunos colonos podrán acceder a la propiedad de la tierra y otros, mayoritariamente, lo harán solo en calidad de arrendatarios (Barsky y Gelman, 2009).

Entre 1887 y 1895 se observa un considerable aumento de arrendatarios en la provincia que necesariamente debe ser tenido en cuenta para completar la situación agrícola santafesina de aquel entonces. De acuerdo al censo nacional de 1895, el 51% de los agricultores de la provincia eran arrendatarios o medieros. Como puede observarse en el siguiente cuadro, el número de arrendatarios es poco significativo en los departamentos del norte provincial, mientras que los mismos aumentan en importancia a medida que nos aproximamos al sur, donde los arrendatarios llegan a representar entre el 55 y 78% del total de agricultores. En la región sur, donde el proceso de colonización fue más tardío, tendió a expandirse el arrendamiento como forma de acceso a la tierra (Gallo, 2004).

Cuadro 2: Propietarios, arrendatarios y medieros en Santa Fe (1895)

Departamento	Propietario	Arrendatario	Mediero	Total agricultores
Gral. Obligado	74%	16%	10%	759 (100%)
Vera	62%	38%	0%	36 (100%)
San Cristóbal	80%	7%	13%	899 (100%)
Garay	55%	24%	21%	535 (100%)
San Javier	67%	15%	18%	225 (100%)
San Justo	69%	17%	14%	634 (100%)
La Capital	54%	35%	11%	1143 (100%)
La Colonias	70%	16%	14%	2514 (100%)
Castellanos	61%	20%	19%	2608 (100%)
San Martín	52%	36%	12%	983 (100%)
San Jerónimo	37%	45%	18%	1380 (100%)
Iriondo	42%	45%	13%	961 (100%)
San Lorenzo	45%	47%	8%	1005 (100%)
Caseros	41%	47%	12%	1104 (100%)
Belgrano	22%	59%	19%	688 (100%)
Rosario	25%	70%	5%	2003 (100%)
Constitución	25%	59%	16%	1080 (100%)
Gral. López	29%	64%	7%	1252 (100%)
Total prov.	**49%**	**36%**	**15%**	**19809 (100%)**

Fuente: Segundo Censo Nacional, Tomo III, pp. 100-1, Buenos Aires, 1898, en Gallo, 2004: 72.

Hacia 1895 los agricultores constituían uno de los sectores más significativos dentro de la población económicamente activa de la provincia, especialmente en la región centro y sur donde su número es significativo. El 43% de los agricultores se encontraba asentado en los departamentos de la región central, el 40% en los del sur y el 17% en los del norte.

El Censo Nacional de Población de ese año registra 44.903 agricultores (18% de la población económicamente activa), de los cuales solo 19.809 eran productores que estaban al frente de la explotación como arrendatarios o propietarios y el resto familiares. Entre 1869 y 1895 se observa un aumento de agricultores del 1.845%. De estos agricultores, la mayoría eran inmigrantes europeos, mayoritariamente italianos. Solo el 15,5% eran nacidos en Argentina y es muy factible que los mismos hayan sido hijos de inmigrantes extranjeros.

La región agrícola cerealera fue la que más creció poblacionalmente. Entre 1869 y 1887 las colonias agrícolas presentan un crecimiento poblacional del 859%, mientras que el de las ciudades de Rosario y Santa Fe fue del 95% y del resto de las áreas rurales del 29% (Gallo, 2004: 202).

Los sujetos de esta expansión poblacional vinculada a la actividad agrícola en las colonias fueron, como se mencionó, inmigrantes europeos (en el 96,6% de los casos). En 1869 el 15,6% de la población provincial era extranjera, mientras que en 1895 dicha población llega a representar el 41,9% de la población total de la provincia. Los inmigrantes de origen italiano fueron las más numerosas (65,8%), seguidos en importancia por los españoles (12,7%), franceses (6,1%), suizos (3,3%), alemanes (2,6%), ingleses (1,7%) y austríacos (1,7%) (Gallo, 2004: 203). En departamentos de Castellanos y San Martín de la región centro, los italianos predominaban por sobre los argentinos. Y en los departamentos del sur santafesino, Caseros, Belgrano y Rosario, los italianos llegaban a ser casi tan numerosos como los argentinos. Según el Censo Nacional de 1887 el 60% de los extranjeros se encontraba radicado en la zona de las colonias agrícolas, el 30% en las grandes ciudades y el 10% en el resto de la campaña provincial.

Martirén (2015) en su trabajo sobre la emergencia de un nuevo mercado inmobiliario rural en las colonias agrícolas de la provincia de Santa Fe entre 1860 y 1895 grafica en forma detallada el proceso de asentamiento (ver Figura 1).

Entre 1856 y 1865 se fundan las colonias primigenias, básicamente Esperanza, San Carlos y San Gerónimo, fundadas entre 1856 y 1865 (Serie 1), en el corazón del *hinterland* de Santa Fe, formaron parte de la primera fase experimental del proceso de colonización y, por lo tanto, tuvieron un carácter residual en la estructura económica provincial hasta inicios de la Guerra del Paraguay.

A partir de 1866 y hasta 1874 se extiende el proceso con colonias satélite al *hinterland* de Santa Fe, producto de la expansión económica propiciada por la Guerra del Paraguay, en torno al trazado del Ferrocarril Central Argentino y las aledañas del *hinterland* de Rosario (Serie 2). Se trata de una expansión considerable, a partir de un avance contra la frontera financiado principalmente por terratenientes locales santafesinos -propietarios de tierras aledañas a las colonias primigenias- y dirigido por *brokers* y comerciantes de las propias colonias con destino a una demanda integrada por los nuevos flujos inmigratorios y la segunda generación de colonos de las colonias más antiguas.

Entre 1875 y 1879 se produce el primer desprendimiento de las colonias satélite avanzando hacia el oeste del *hinterland* de Santa Fe y algunas pequeñas colonias fundadas cerca de Rosario (Serie 3), enmarcada en un proceso de mecanización facilitando el aumento de las unidades de explotación y, a la vez, a nuevas inversiones en terrenos hacia el oeste provincial, incluso sin la existencia del ferrocarril en el *hinterland* de Santa Fe.

Figura 1. Evolución de las colonias agrícolas en Santa Fe

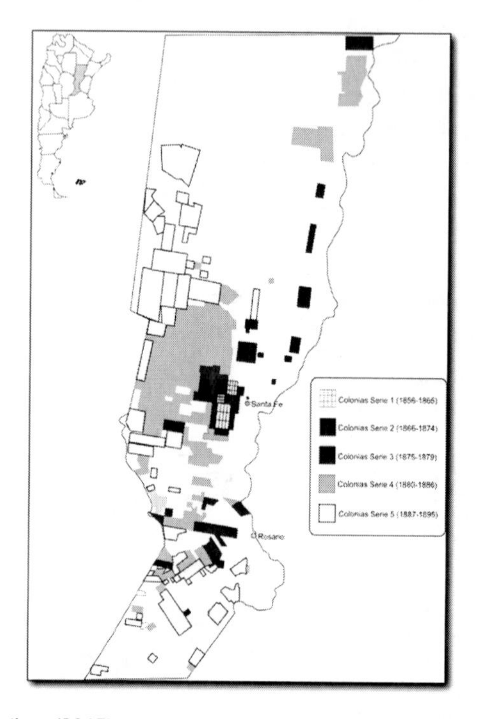

Fuente: Martiren (2015).

A partir de 1880 y hasta 1886 un grupo de colonias se especializaron en la producción triguera y el cultivo en secano a gran escala (Serie 4), en tierras yermas de los departamentos del oeste provincial, en los dos *hinterland* principales.

Finalmente, en el período 1887-1895 se produce la masiva creación de colonias en el oeste y el sur provincial que concluye el proceso colonizador (Serie 5).

Como puede observarse claramente en el mapa consignado, el vacío generado por las condiciones físicas del norte provincial que no fuera compensado por el trazado del ferrocarril delimitó en buena medida el asentamiento del proceso colonizador y con ello sus posibilidades de desarrollo económico y social.

El Estado resultaba el gran agente de enajenación de la tierra pública, considerando la actividad agrícola una verdadera "función civilizatoria" (Bonaudo y Sonzogni, 2001: 14). La cuestión no estaba solo vinculada con el incremento del erario público sino, fundamentalmente, con la conversión de tierra en mercancía. El gobernador de la provincia (Nicasio Oroño), en clara tónica sarmientina, iba tras la búsqueda del "ideal civilizatorio que venza la barbarie". La inmigración de ultramar era considerada el "vehículo de desarrollo y renovación cultural" (Bonaudo y Sonzogni, 2000: 14). En la búsqueda de superar el estancamiento que caracterizaba a la sociedad santafesina de la primera mitad de siglo xix, los sectores gubernamentales y clases dirigentes de aquel entonces pusieron todas sus expectativas en el aporte inmigratorio de ultramar, viendo en este sujeto al portador de sus ideas civilizatorias y protagonista del proceso de transformación productiva que se esperaba (Bonaudo y Sonzogni, 2000).

El origen extranjero de la mayoría de los colonos y agricultores arrendatarios que poblaron el territorio santafesino de aquel entonces cambiaría la estructura social y productiva de la provincia hasta el día de hoy. Tal como lo demuestra el emblemático trabajo de Ansaldi (1993a), este conjunto de agricultores de origen europeo comienzan a formar un grupo particular que se incorpora a la estructura agraria de la región con intereses sociales y productivos propios, aglutinados bajo el nombre de "chacareros" y que se describirán con mayor detalle en el apartado siguiente.

Como síntesis de este período, se puede indicar la coexistencia, sin grandes contradicciones, de la gran propiedad o estancias -basadas en el peonazgo, el arrendamiento y/o mediería- con la pequeña y mediana propiedad o explotación familiar de las colonias agrícolas, basadas en las relaciones entre colonos, empresarios y Estado. Muy esquemáticamente, podría decirse que en el norte provincial predomina la gran estancia ganadera vacuna con algunas colonias agrícolas, en el centro la mayoría de las colonias agrícolas cerealeras y al sur las explotaciones mixtas de diversas dimensiones y formas de tenencia que combinan la actividad ganadera ovina con la agrícola cerealera.

3. La consolidación de la estrategia agroexportadora (1890-1930)

Los primeros momentos del denominado "modelo agroexportador" coinciden con la etapa final de la campaña del desierto del general Roca y el proceso de colonización mencionado. Esta, única alternativa al latifundio como forma de propiedad, tuvo -como se indicó- diversas variedades y auges entre el período que va de 1850 a 1890, particularmente en el centro de la provincia, donde se destaca el ya desarrollado proceso de colonización.

En este momento, preludio de la estrategia agroexportadora que se consolidaría después, Santa Fe se constituyó como un mercado de cereales con la presencia de exportadoras con peso en el mercado bursátil. El modelo agroexportador tuvo como eje central la exportación de granos y carnes, pero también contaba con economías regionales que se constituían como industrias naturales protegidas por el Estado (la azucarera en la provincia de Tucumán, o la vitivinícola en Cuyo). En el Chaco y el norte de Santa Fe se establecen plantas de tanino, a partir de la explotación del quebracho.

El proceso de concentración de la producción de tanino fue rápido a partir de la instalación de The Forestal Land, Timber and Railways Company Limited (La Forestal), empresa de origen inglés con apoyo de capitales franceses y alemanes, que inicia sus actividades en 1872 a raíz de un empréstito que la Argentina obtiene con la empresa Murrieta de Londres. Esta firma logró ser la primera productora de tanino a nivel mundial.

Figura 2. Área de explotación de La Forestal

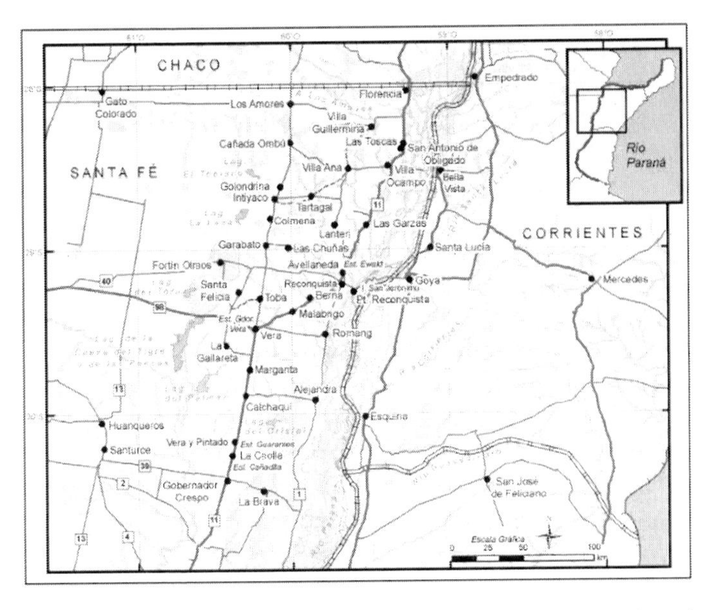

Fuente: www.patagoniarebelde.undav.edu.ar/se-instala-la-forestal-en-el-chaco-santafesino.

La Forestal contaba con más de medio millón de hectáreas de bosques (desaparecidos posexplotación), las cinco plantas de tanino ubicadas en Villa Guillermina, Villa Ana, La Gallareta, Santa Felicia y Tartagal y 400 km de líneas férreas propias, y ocupaba a 20.000 trabajadores entre hacheros y otros obreros de campo. Las plantas se instalaban, igual que los frigoríficos y los ingenios azucareros, con equipos importados y el tamaño de las mismas dependía de la oferta de madera en función de los costos de transporte. Cada una contaba con una usina eléctrica para las máquinas y las viviendas de los trabajadores. Los efectos sociales y demográficos de La Forestal en el norte de la provincia fueron radicales. La necesidad de las plantas en el bosque llevó a la construcción de alrededor de cuarenta pueblos (Schvarzer, 1996). Además de fundar los mencionados asentamientos, la empresa era poseedora de estaciones portuarias y ferroviarias propias (400 kilómetros) y de varias estancias ganaderas donde se producían miles de vacunos para consumo particular, ventas y bueyes que se proveían para los trabajos de acarreo y arrastre, además de una treintena de fábricas. La extracción de rodillos de quebracho pasa de 173.000 toneladas en 1895 a 341.969 en 1910 y la de extracto de quebracho de 400 toneladas a 53.000 en el mismo período (Barsky y Gelman, 2009: 252).

La presencia de La Forestal fue quizá el rasgo más característico de la lógica predominantemente extractiva del modelo agroexportador. En realidad, marcó la lógica asimétrica del desarrollo provincial aunque, como advierte Bonaudo (2006), no necesariamente resultaba un reducto de la "modernidad" litoraleña que implicaba una mayor especialización y diversidad de las actividades y ocupaciones. La actividad del norte provincial era baja en cuanto a su aporte y se concentraba en los departamentos de General Obligado y Vera que absorbían el 30% de la actividad.

El territorio asistió a un proceso de acaparamiento de tierras que, en palabras de Gori (1974), resultó una demora de la economía agraria. La política de La Forestal consistió en el estímulo de alguna actividad agropecuaria no genuina, dado que esta era promovida en parcelas de su propiedad con paso de ferrocarriles construidos o financiados por empresas vinculadas con la compañía y el capital inglés en general, que luego loteaban y vendían, reservándose extensiones favorables para la cría de ganado y el quebracho colorado. Gori sostiene que

> El noroeste del Chaco Santafesino fue así el escenario del más grande usufructo del suelo por parte de una empresa que, cubierta con la apariencia de llevar progreso a esa región, produjo el más grave drenaje de capital argentino entre las compañías que especulaban con tierra, sin que se reinvirtieran en la producción agropecuaria, sino en la estricta medida en que volviesen a redituar beneficios a la compañía. (Gori, 1974: 45)

No obstante las válidas críticas existentes, el vacío dejado por su desaparición no pudo ser compensado por otras actividades e iniciativas[6].

El crecimiento demográfico y productivo generado por el proceso migratorio y colonizador que tuvo lugar en toda la región pampeana Argentina, pero con especial énfasis en el territorio santafesino, cambian radicalmente

---

6 Como se observará más adelante, recién en la década de 1960 se procederá a establecer un Plan de Desarrollo y Colonización de la Cuña Boscosa, con la intención de revertir la devastación generalizada que provocó la expansión de La Forestal. Según los datos provistos por Simonassi (2006), hacia finales de los años de 1940 comenzará el largo proceso de liquidación de las plantas en Santa Fe y Chaco. Entre 1948 y 1963, Colonia Baranda, Tartagal, Villa Guillermina, Villa Ana y La Gallareta fueron cerradas. En palabras de esta autora fue la crisis de las industrias tradicionales en general -y de la producción de tanino en particular- la que llevó a adoptar la decisión del desmantelamiento y clausura de sus instalaciones.

el panorama social y económico del agro nacional, estableciendo el modelo agroexportador de materias primas como modelo dominante.

Además de cubrir gran parte del mercado interno de alimentos, la región pampeana generaba enormes excedentes exportables para cubrir la demanda alimentaria de los países europeos. La diversidad de productos agropecuarios exportables y de mercados donde colocar los mismos fue uno de las características que diferenciaban al país del resto de la región latinoamericana. Para el año 1913, exportaba trigo, lino, centeno, cebada, maíz, carne congelada y enfriada, lana, cueros y derivados lácteos (Barsky y Gelman, 2009: 168). La frontera agrícola creció sin interrupción en este período.

El proceso de colonización santafesino cumplió un rol preponderante en este vertiginoso cambio social y económico que provocó significativas transformaciones en las formas de producir y de los actores involucrados en la agricultura regional. No obstante, cabe destacar que no solo los colonos fueron los agentes de dicha expansión, ya que a ellos debemos sumar a toda la gama de productores arrendatarios y propietarios de diversos tamaños, una gran cantidad de obreros rurales permanentes y temporarios (en tiempos de cosecha) y a una importante red de comerciantes, acopiadores de cereal, transportistas de distinto tipo y capacidad, proveedores de maquinaria, contratistas de maquinaria, agrónomos y agentes financieros (Barsky y Gelman, 2009).

Este proceso se vio consolidado por el desarrollo del sistema de transporte ferroviario y fluvial, donde Rosario se erigió como el puerto principal de la región. Los ramales ferroviarios se extendieron por la provincia sin dejar ninguna explotación agrícola a más de 20 kilómetros de alguna estación y encontrando su límite "natural" allí donde la aridez del territorio permite el asentamiento de las explotaciones menos rentables para el cultivo agrícola. El total de cargas despachadas creció del 0,8 millones de toneladas en 1880 a 12,7 millones en 1900 (Barsky y Gelman, 2009: 171).

La actividad ganadera bovina ganó impulso en la región pampeana en este período gracias a la instalación de frigoríficos especializados en la exportación de carne congelada y enfriada. Esto demandó la transformación de las antiguas estancias de organización tradicional a empresas rurales de alta capacidad y especialización productiva. En Santa Fe, las grandes propiedades de la provincia tendieron al cultivo de la alfalfa y algunas pequeñas también, para abastecer a las estancias. La actividad ganadera vacuna llega tardíamente a la provincia por la primacía de las colonias agrícolas que tienden a especializarse en la producción cerealera. En el sur provincial, la producción agrícola comienza a desplazar a la actividad ganadera, erigiéndose en la zona núcleo maicera del país y en el norte gana preponderancia la explotación del bosque de quebracho colorado para la extracción de tanino, como se mencionó.

Hacia 1914 era posible identificar tres grandes regiones en el territorio provincial: 1) la región agrícola de las colonias en el centro y norte oriental de la provincia; 2) la región del maíz y los alfalfares ubicada al sur de las colonias (con propietarios dedicados al cultivo del maíz y arrendatarios dedicados a la creación de alfalfares mediante el sistema de cultivo combinado); y 3) la región ganadera y de explotación del quebracho al norte de la provincia.

La gran explotación tiene peso relevante en las zonas que agroecológicamente solo permiten la cría de ganado al norte de la provincia, en cambio, en las zonas centro y sur donde predomina la agricultura o la producción ganadera intensiva como el tambo, las unidades se presentan fragmentadas en tamaños vinculados a su actividad. En estas zonas, los arrendatarios y colonos propietarios compartieron con terratenientes y empresarios agropecuarios de gran tamaño el proceso de rápida expansión agrícola experimentada durante este período (Barsky y Gelman, 2009: 233).

Los trazados de las vías, que abrieron las posibilidades de asentamiento poblacional y la puesta de tierras en producción fueron condicionadas por la geografía. En el caso de Santa Fe, el tendido del ferrocarril contribuyó a definir parte de las condiciones del desarrollo posterior de sus regiones. En la imagen que sigue (Figura 3) puede observarse ese trazado ya concluido para el año 1900. Como en el resto del país, el inicio de ese trazado se relaciona con la comercialización y distribución de las materias prima de salida al puerto, por un lado, y de articulación de las economías regionales por otro. El trazado comienza entonces del sur de la provincia, extendiéndose hacia el oeste y hacia el norte posteriormente.

El descenso en el costo del transporte hizo que la producción (cerealera sobre todo) pudiera integrarse al mercado mundial y competir de igual a igual con el resto de los países productores. Si bien el inicio de obras ferroviarias en la provincia data de mediados de la década de mil ochocientos sesenta, es a comienzos de los ochenta cuando se produce la gran expansión en Santa Fe.

Figura 3: Red ferroviaria en la provincia de Santa Fe, Argentina, hacia 1889

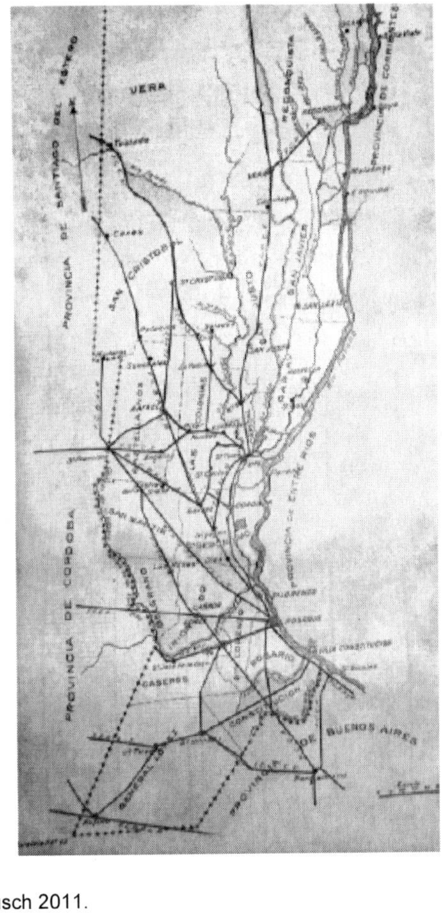

Fuente: Rausch 2011.

Hasta 1880 la provincia contaba con una sola línea que tenía una extensión de 114 kilómetros. En 1881, el comerciante Carlos Casado construyó el Ferrocarril del Oeste de 49 kilómetros, que unió a Candelaria y colonias vecinas con Rosario. En 1885, finalmente, el gobierno provincial llegó a construir 1.152 km de trazados ferroviarios, que unió las colonias del oeste santafesino con la ciudad de Santa Fe y Rosario. Sucesivas extensiones de las líneas establecidas y la incorporación de tres nuevas empresas de capital británico en los distritos del sur ensancharon la red ferroviaria de la región, llegando a 1895 a abarcar 3.300 Km.

El modelo de organización productiva del agro pampeano se apoyó en la gran estancia, la chacra agrícola y la fuerza de trabajo temporaria empleada en la agricultura. El peso significativo de arrendatarios y medieros que cedían excedentes a distintos sectores de propietarios y con obreros rurales que trabajaban en duras condiciones comenzó a generar una serie de conflictos que debelaban problemas estructurales propios del proceso de crecimiento y cambio que experimentaba la provincia y la región (Sábato, 1981).

En 1912 se inicia un prolongado conflicto entre miles de agricultores arrendatarios y propietarios y los terratenientes e intermediarios de la producción agropecuaria al conjugarse un fracaso de la cosecha con los altos costos de arrendamientos e insumos y la brusca caída de precios de los cereales, dando origen al movimiento de protesta conocido como "el grito de Alcorta" y que tuvo especial preponderancia en el sur de la provincia de Santa Fe. Si bien el conflicto estuvo claramente asociado al enfrentamiento entre arrendatarios y terratenientes y empresarios colonizadores por el precio de los alquileres, gran cantidad de colonos propietarios que resultaron fuertemente afectados por la caída de los precios agrícolas y la suba de los costos de mano de obra e insumos participaron del mismo.

La política de inmigración y ocupación productiva del territorio rural iniciada por el Estado durante el período de la colonización agrícola sumado a la serie de conflictos desarrollados en los primeros 30 años de siglo xx, dan cuenta de la conformación y consolidación de una clase específica de actores sociales del agro pampeano con características e intereses propios, identificados como chacareros.

La política colonizadora santafesina que había abierto la posibilidad de un "camino norteamericano" de desarrollo de la agricultura con la creación de una clase *farmers* (inmigrantes a los que se les concede tierra en propiedad) es abandonada por un camino propio que da lugar a la formación de un clase chacarera (inmigrantes a los que se les ofrece tierra en arriendo). El tipo de posesión de la tierra es el criterio de diferenciación entre unos y otros, aunque en la práctica pueden darse situaciones intermedias que complejizan este esquema analítico, tales como el caso de los agricultores que tiene en propiedad parte de la tierra en explotación y otra parte en arriendo o también las estratificaciones (tamaño de la explotación y nivel de capitalización) que pueden encontrarse al interior de los chacareros y colonos (Ansaldi, 1993a). De modo paulatino, entre 1920 y 1950 se empezará a registrar la aparición de un estrato de chacareros que acceden a la propiedad de la tierra sin perder su condición de trabajadores directos, al igual que los colonos (Ansaldi, 1993a).

Por otro lado, los trabajadores rurales de la región pampeana comienzan a ocupar un lugar importante en la estructura socioeconómica paralelamente a la expansión y crecimiento de la agricultura. El trabajo familiar de los chacareros permite afrontar el mantenimiento de la unidad productiva durante buena parte del año, pero en tiempo de cosecha debe contratar inevitablemente fuerza de trabajo temporaria, extrafamiliar y asalariada. Las tareas de cosechas de trigo, maíz y lino se extienden durante seis meses del año (de noviembre a marzo/abril) implican el desplazamiento de gran número de trabajadores de distinto origen (rural y urbano, migración interna provincial o nacional y migración internacional) que incrementan las filas de los que lo hacen en forma permanente. El autor sostiene que en este período se observa una clase obrera rural fracturada en tres fracciones: a) una fracción urbana de obreros con empleo estable en frigoríficos, trasportes marítimos, industria de extracción de tanino, etc.; b) una fracción urbano-rural constituida por el personal de menor calificación industrial y empleo inestable en las ciudades (obras públicas, construcción ferroviaria) y que realiza tareas de cosecha (para colonos y chacareros, comerciantes cerealistas, propietarios de maquinaria agrícola o contratistas y propietarios de los carros o transportistas) y c) una fracción rural empleada en forma permanente en explotaciones ganaderas o agrícola-ganaderas (Sartelli, 1993: 325), y para pequeñas empresa dedicadas a la explotación del quebracho (en el caso santafesino no pampeano).

A pesar del carácter fluctuante y heterogéneo de estos trabajadores rurales, numerosos conflictos se desarrollan en la provincia con especial importancia entre los años 1918 y 1922, tanto en el sector agrícola pampeano como en el de la industria norteña del quebracho. En el sector cerealero, las principales huelgas estuvieron encabezadas por los estibadores, peones de maquinaria y carreros (transportistas), es decir, por los trabajadores más urbanos (radicados en los pueblos) de la cadena (Ansaldi, 1993a y Ascolani, 1993), mientras que las huelgas de La Forestal fueron principalmente encabezadas por los obrajeros encargados de cortar, pelar y acarrear los troncos de quebracho hasta las vías del ferrocarril de la empresa.

Mientras que la conflictividad chacarera (1910-1920) los enfrenta con los terratenientes, los empresarios colonizadores, los comerciantes cerealistas y los propietarios de carros, los conflictos de los obreros rurales (1918-1922) confrontan a los trabajadores agrícolas pampeanos con los chacareros y colonos, los comerciantes cerealistas, los propietarios de carros y de maquinaria agrícola, y a los trabajadores del quebracho con la patronal de la industria forestal y los contratistas asociados a la misma (personas a las cuales se les asignaba una extensión determinada de bosques para su explotación y se encargaba de reclutar a los peones bajo el consentimiento de la empresa). Curiosamente, según Ansaldi (1993b: 18), no se registran conflictos entre los trabajadores de la ganadería en estancias, cabañas y tambos y la conflictividad terrateniente se vincula con el Estado.

La dinámica de consolidación y conflicto de estos actores del agro santafesino estuvo atravesada durante este período por procesos estructurales como fueron el incremento del número de propietarios de la tierra, la desaparición de los medieros y la intensificación del proceso de mecanización de las tareas agrícolas, sobre todo después de la Segunda Guerra Mundial.

El rendimiento del trigo, maíz y lino aumenta como consecuencia del mejoramiento de las semillas y del ingreso masivo de cosechadoras automáticas de granos finos, que abarataron los costos de la cosecha suprimiendo el uso de trilladoras y espigadoras. Se incrementó también la importación de tractores que, además de permitir un mejor trabajo de la tierra, reemplaza a los equinos y permite reasignar tierra hacia la siembra de forrajes.

En este período aumentó el número de propietarios y arrendatarios en la región pampeana con el desplazamiento de tierras ganaderas hacia la agricultura por sus mejores condiciones de rentabilidad (sobre todo al interior de las explotaciones mixtas), junto con la ocupación final de tierras aptas mientras que, paralelamente, prácticamente desaparecen los medieros dedicados a la agricultura para quedar refugiados casi exclusivamente en la producción tambera (Barsky y Gelman 2009: 288).

En el siguiente cuadro podemos observar cómo este crecimiento del número de propietarios y arrendatarios en la provincia de Santa Fe mantiene una tendencia similar al casi duplicar el número de propietarios y arrendatarios pero de un modo menos pronunciado, consolidando una proporción que se mantiene relativamente estable en la estructura agraria (35% propietarios y 65% arrendatarios) con un rol relevante de los chacareros como actor central del desarrollo de la actividad agrícola en la zona del cereal.

Desde la perspectiva de la cantidad y tamaño de las explotaciones, se dio un predominio de las pequeñas y medianas, sobre todo en las agrícolas. Entre los años 1913 y 1925 puede apreciarse el incremento de la cantidad de explotaciones en la provincia, con mayor predominio de las pequeñas y medianas y una disminución de las explotaciones mayores a 300 hectáreas.

Cuadro 3: Evolución de propietarios y arrendatarios en la región Pampeana y Santa Fe en la zona del cereal (1909/10-1925/26)

Provincia y Región	1909/10				1925/26			
	Propietarios		Arrendatarios		Propietarios		Arrendatarios	
	N°	%	N°	%	N°	%	N°	%
Santa Fe	5.914	36	10.681	64	10.952	37	18.697	63
Pampeana	21.337	32	45.559	68	47.833	39	74.614	61

Fuente: Elaboración propia en base a Barsky, 1992: 20.

Es importante señalar en este período la formación de cooperativas agrícola-ganaderas en cuyo proceso participaron los primeros colonos inmigrantes. Estas fueron una respuesta a los movimientos pendulares del modelo agroexportador en términos de precios internacionales y ausencia de mecanismos institucionales adecuados de integración al mercado. En el caso de nuestro país, las primeras cooperativas tuvieron como objetivo cubrir riesgos climáticos o de consumo y aprovisionamiento (Lattuada y Renold, 2004: 24). En el caso provincial, la primera cooperativa se vincula con la producción láctea: la Sociedad Cooperativa de Lechería de Zavalla, fundada en 1918. Como señala Archetti (1988), los colonos santafesinos llegan al año 1930 intentando consolidar las cooperativas de comercialización, de surgimiento muy temprano pero sin capacidad de acumular capital, que el caso del norte provincial contaron con una importante promoción desde la iglesia católica.

Cuadro 4: Número de explotaciones sembradas con cereal y lino clasificadas por escala de extensión en Santa Fe

Extensión	1912/13	1924/25	Evolución porcentual
Hasta 10 ha	1031	3573	247%
De 11 a 25 ha	3828	9307	143%
De 26 a 50 ha	3860	7385	91%
De 51 a 100 ha	4858	7085	46%
De 101 a 200 ha	4687	6353	36%
De 201 a 300 ha	931	1065	14%
De 301 a 650 ha	218	202	-7%
De 651 a 1000 ha	12	6	-24%
Más de 1000 ha	4	2	-50%
Total	**19429**	**34978**	**80%**

Fuente: Nemirovsky, 1933 en Cloquell, 2007: 33.

En cuanto al desarrollo industrial, en 1920 florecieron empresas -en buena parte de capital extranjero- instaladas localmente y dedicadas, en varios casos, a la sustitución de algunas importaciones: las refinerías, fábricas de jabón y alcohol, entre otras. Particularmente, en 1924 comienza sus operaciones un frigorífico de capitales norteamericanos: Swift, que se instala en la orilla del arroyo Saladillo, en Villa Gobernador Gálvez, en el sur de la provincia. La expansión del ferrocarril favoreció, asimismo, a las industrias que elaboraban los productos de consumo masivo sobre la base de productos importados: cigarrería, fábricas de bolsas, lonas y sogas, droguerías industriales y hojalatería.

Santa Fe, además, comenzaba a mostrar su capacidad innovadora en términos de maquinaria agrícola, particularmente en el sur de la provincia, donde habían comenzado a desarrollarse maquinaria agrícola de diverso tipo: trilladoras, segadoras, carros y algunos otros vehículos demandados por la expansión de la agricultura en la pampa húmeda. Esta expansión contribuyó a la reducción de los niveles de conflictividad previos a la gran represión de fines de la década en un contexto en el que ciertos sujetos del agro: como estibadores, carreros y braceros, comienzan a perder su relevancia frente al avance de otras técnicas e insumos productivos.

En síntesis, este período se caracteriza entonces por el crecimiento económico de la provincia, la extensión de la infraestructura del ferrocarril con la consolidación productiva y social de sus áreas geográficas (sector cerealero pampeano en el centro-sur de la provincia y sector ganadero-agrícola y agroindustrial del quebracho en el norte) y los actores encargados de llevar adelante estos procesos (colonos y chacareros, trabajadores temporarios de cosecha en la región pampeana, estancieros y peones ganaderos, empresarios y obreros de la industria forestal en la región chaqueña provincial). El crecimiento económico pampeano provocado por la incorporación de maquinaria agrícola (cosechadoras y tractores), incorporación de tierra y mejores condiciones de rentabilidad de la agricultura cerealera que desplaza a la actividad ganadera, se ven reflejados en un aumento del número absoluto de productores propietarios y arrendatarios en la región pampeana. En la región del norte provincial, dicho crecimiento es provocado por la instalación de la empresa forestal y se ve reflejada en la fundación de pueblos, estaciones ferroviarias y portuarias que dieron vida económica y social a una zona prácticamente desierta y de menor rendimiento productivo en el territorio provincial.

4. La salida del modelo agroexportador: primera parte de la industrialización sustitutiva (1930-1955)

La crisis de 1930, como acontecimiento que marcó la salida de la estrategia agroexportadora, dio inicio a un largo proceso de sustitución de importaciones, por el que algunas industrias locales comenzaron a desarrollarse. Esto representó una oportunidad para la oferta y demanda de la industria manufacturera, natural pero también artificial, que contribuiría a la formación de los mercados locales.

En Santa Fe, los efectos de esta nueva realidad resultaron beneficiosos: "se inició una reformulación regional del espacio económico y social de la provincia" (Videla, 2006: 86). Así como durante el modelo agroexportador La Forestal había dinamizado el norte provincial, la caída de la explotación del tanino genera un empobrecimiento generalizado de los pueblos que estaban directamente vinculados con la empresa. En 1931, se crea una firma bajo las leyes locales con el nombre La Forestal Argentina con el objetivo de no pagar impuestos a Gran Bretaña. Ese mismo año cambió la demanda internacional y bajaron los precios. En 1934 La Forestal adquirió la empresa Quebrachales Fusionados. Por entonces, se hacen efectivos los frutos de *mimosa africana,* cuya explotación estaba a manos de la matriz británica de La Forestal. El avance de la *mimosa* redujo el mercado del tanino, provocó la caída de la producción local a la mitad en la década de 1940. La Forestal desmanteló los bosques del norte provincial, en un claro ejemplo del agotamiento de un recurso natural dejando pueblos y zonas semidesiertas y plantas fabriles moribundas (Schvarzer, 1996: 163).

Con la crisis de 1930, se produce una brusca caída de la producción industrial, crisis financiera, profunda contracción de la agricultura y desempleo. Los países productores de materias primas, como la Argentina, redujeron sus compras de maquinaria y manufacturas al tiempo que entraron en procesos de crisis económicas que los llevaron a devaluar sus monedas (Barsky y Gelman, 2009).

En la región pampeana, la caída de los precios agrícolas durante la crisis internacional provocó la quiebra de miles de unidades agrícolas. En este contexto, muchos colonos se vieron imposibilitados de cubrir sus deudas con comerciantes e intermediarios que les habían dado adelantos para la compra de alimentos e insumos, así como también propietarios de mayor tamaño que tenían hipotecadas sus unidades (Barsky y Gelman, 2009). Dado que la ganadería se vio menos afectada que la agricultura, muchos terratenientes arrendadores reconvirtieron sus establecimientos a dicha actividad. De este modo, la expulsión de arrendatarios y la pérdida de propiedades agrícolas y ganaderas generaron una gran conmoción por aquel entonces, generando procesos de migratorios del campo a la ciudad por parte de agricultores no propietarios y trabajadores rurales que buscaron refugio en la incipiente industria nacional.

Los mecanismos tradicionales de financiación de la producción agrícola se vieron afectados por el retiro de capitales urbanos y bancarios. Los comerciantes, acopiadores de cereal, banqueros y terratenientes fueron disminuyendo el crédito con el que financiaban a los productores.

Las consecuencias de esta crisis mundial que afectó fuertemente a los productores pampeanos entre 1929-1935 revirtió la tendencia de acceso a la propiedad. El nuevo contexto genera las condiciones para acrecentar nuevamente el peso de los arrendatarios en la producción agrícola y ganadera y de los productores propietarios que, además, arriendan y contribuyen a incrementar la presencia del arrendamiento en la región. Según el Censo Nacional Agropecuario de 1937, el número absoluto de arrendatarios crece notoriamente en todas las provincias pampeanas, sin embargo, en Santa Fe este fenómeno se presenta en menor proporción, siendo significativo el crecimiento (del 66%) de arrendatarios ganaderos por sobre los agrícolas (24%). Es decir, de productores que reconvirtieron sus establecimientos a la ganadería como estrategia de permanencia en la actividad (Barsky, 1992). En el norte provincial, los colonos se aferran a la producción de maní y luego en el algodón, dejando el cultivo de cereales como principal estrategia económica de los departamentos del sur provincial (Archetti, 1993; Delssín, 2003).

Los efectos de la crisis de los años de 1930 generaron cambios en el rumbo de la economía nacional y dieron paso a un Estado que inicia un proceso de mayor intervención en la economía. El advenimiento de la Segunda Guerra Mundial fortaleció la tendencia al crecimiento del mercado interno basado en la expansión del proceso de industrialización, pero sin dejar de lado la importancia del sector agroexportador por la generación de divisas que permitía (Cloquell, 2007).

La década de 1940 marca el inicio de profundas transformaciones en la economía pampeana, como consecuencia del aislamiento del país de los mercados internacionales oferentes de maquinarias, repuestos y combustibles y de los demandantes de productos agrícolas hasta 1945 (la producción de trigo, maíz y lino disminuye fuertemente) y por una serie de políticas estatales que disminuyeron la rentabilidad de estos cultivos. La caída de la superficie sembrada se expresó también en una reducción del número de unidades en toda la región pampeana. La cantidad de entre 200 y 250.000 explotaciones en la década de 1930 cayó a fines de 1940 a 170.000 (Barsky, 1992: 29).

4.1. El crecimiento del mercado interno y las transformaciones productivas en el norte santafesino (1936-1960)

Igualmente afectado por estos procesos, el norte santafesino presenta modificaciones significativas de sus relaciones de producción con la introducción del cultivo de algodón a partir de 1936. El Estado nacional, a través del Ministerio de Agricultura, había lanzado un programa de expansión del cultivo algodonero en las regiones subtropicales del país con la creación de la Dirección Nacional del Algodón.

Los colonos del norte santafesino comenzaron a sembrar algodón a partir de la campaña 1935/36 en pequeñas cantidades, al principio, hasta convertirse paulatinamente en el principal cultivo. El cultivo de maní desaparece en 1953 y las cantidades de lino y maíz permanecen en forma insignificante. Con la introducción de este cultivo comienza un proceso sostenido de capitalización de los colonos norteños santafesinos que, en palabra de Archetti (1993), realizan el pasaje de una economía campesina a una de tipo *farmer*.

Como puede observarse en los datos que arroja el Censo Algodonero de 1936, el Departamento de General Obligado es el que cuenta con mayor superficie sembrada y número de chacras dedicadas a este cultivo, superando en cantidad al resto de los departamentos juntos. En dicho departamento la superficie media por productor era de 211 hectáreas y lo sembrado con algodón representaba solo el 1,9%. La actividad ganadera, que en superficie era importante y se desarrollaba sobre pastizales naturales, montes y desperdicios, junto a otros cultivos ocupaba el resto del área (Delssín, 2003: 23).

Cuadro 5: Superficie sembrada con algodón en departamentos del norte de Santa Fe, número de chacras y promedio de hectáreas por chacra

Departamento	N.° Chacras	Área sembrada	Promedio de ha por chacra
Gral. Obligado	581	2310	4
San Javier	69	182	3
Vera	28	91	3
Garay	2	63	32
San Justo	2	2	1
Total	**682**	**2648**	4

Fuente: Censo Algodonero 1935/36, Ministerio de Agricultura, Junta Nacional del Algodón, 1936 en Delssín, 2003: 22.

Durante este período predominaban aún los productores arrendatarios (55%) sobre los propietarios (36%) y otros ocupantes (9%) (Delssín, 2003), cuestión que se revertiría con las políticas de congelamiento de arrendamientos y acceso a crédito durante el período de gobierno peronista descripto anteriormente. En el caso de los productores del norte santafesino estudiados por Archetti (1993: 90), desde el punto de vista de la transformación del excedente generado por la actividad, la estrategia elegida fue la compra de tierras. Hasta 1955 dichos colonos solo pudieron comprar 180 hectáreas en total y para 1965 llegaron a la compra de 1.218 hectáreas. La incorporación de más tierra va a provocar un aumento de las hectáreas para el cultivo y la aparición del girasol como segundo cultivo, luego del algodón.

Al mismo tiempo, se produjo una paulatino descenso de la explotación del tanino y forestal en la región de la dorsal oriental de la provincia que liberó gran cantidad de mano de obra. El efecto sobre la producción de algodón fue directo en esta zona, ya que se pasó de la siembre de 1.400 hectáreas en 1948 a 28.000 al año siguiente y a 40.000 para el año 1958 (Archetti, 1993: 89). A esto debe agregarse que las tierras santafesinas dedicadas al algodón eran considerablemente mejores que las tierras chaqueñas y formoseñas. Dado que la fibra obtenida en el norte provincial era, en promedio, más fina y más larga que en las zonas de secano del país, se obtenían importantes sobreprecios.

Con el crecimiento del algodón se inicia un proceso de crecimiento y desarrollo en la región, cuya principal estrategia se basaba en la agroindustria (oleaginosa y textil) que posibilitaba el agregado de valor de lo producido localmente. La Fábrica de Aceites Wendt en la localidad de Avellaneda que se dedicaba al procesamiento de aceite de maní, incorpora en 1937 las maquinarias necesarias para industrializar la producción de semillas de algodón y girasol. Entre las campañas 1935/36 y 1937/38 se instalan en la región seis plantas desmotadoras de algodón. Estas actividades y las de cosecha ocuparon buena parte de los braceros que permanecían desocupados por la merma de la actividad forestal y revitalizando la actividad económica y social de la región (Delssín, 2003).

El denominado "milagro del oro blanco" estimuló la siembra en alta escala y el proceso de acumulación de muchos colonos. En la década de 1950, las mejoras tecnológicas (mecánicas y químicas) tendrán un gran impacto en la estructura productiva del norte santafesino, como consecuencia del proceso de tractorización. Desde 1952 hasta 1960 la mitad de los bueyes van a sacrificio hasta su desaparición a fines de la década siguiente y el número de tractores patentados en las diferentes comunas se triplica entre 1956 y 1963. Este fenómeno va a traer claras ventajas sobre la productividad del trabajo, pero también la desaparición de las tierras dedicadas al pastoreo que permitían una rotación con las tierras cultivadas (Archetti, 1993: 91).

Será recién a partir de la década de 1960 cuando la introducción de fibra sintética y la caída del salario real provoquen una merma del consumo de fibra de algodón per cápita, cuando se generen bruscas oscilaciones de precios. Durante el período 1960-1965 en la provincia del Chaco desaparecen 4.000 pequeñas explotaciones dedicadas al cultivo del algodón. Sin embargo, en la misma época en el norte de Santa Fe nada de esto ocurre sino que, por el contrario, se consolidan las tendencias de acumulación de capital que se venían observando desde décadas anteriores.

Como puede observarse en el cuadro que refleja los datos del Censo Nacional Agropecuario de 1960, el 93% la superficie cultivada con algodón se encuentra en los departamentos del norte santafesino, siendo General Obligado el principal de ellos (63%). Igualmente llama la atención la gran cantidad de Departamentos del sur y centro de la provincia que registran cultivos de algodón.

La gran mayoría de los productores algodoneros eran pequeños y medianos con un promedio de 12 hectáreas de algodón por chacra. La cantidad de explotaciones algodonera ascendía a 3.352, de las cuales 3.282 eran de hasta 55 hectáreas, 62 eran de entre 56 y 105 hectáreas y 8 de más de 106 hectáreas (Delssín, 2003: 33).

Cuadro 6: Superficie cultivada con algodón por departamentos en Santa Fe

Departamentos	Sup. Sembrada (ha)	%
Gral. Obligado	25611	63,47
9 de Julio	5048	12,51
San Javier	4011	9,94
Vera	2776	6,87
Garay	1352	3,35
San Justo	158	0,39
La Capital	4	0
Las Colonias	4	0
Castellanos	146	0,36
San Martín	59	0,14
Iriondo	69	0,17
San Lorenzo	79	0,19
Caseros	352	0,87
Belgrano	270	0,66
Rosario	107	0,26
Constitución	305	0,76
Total	**40351**	**100**

Fuente: Censo Nacional Agropecuario, 1960 en Delssín, 2003: 32.

Mientras que la región pampeana santafesina presenta un escenario contradictorio de estancamiento de la producción agrícola y desplazamiento hacia la actividad ganadera con posibilidades de acceso a la propiedad para nuevas capas de pequeños productores -como se destacará más adelante-, la recuperación de tierras por parte de antiguos propietarios y la reducción del tamaño de la unidades bajo arrendamiento; la región chaqueña provincial presenta un escenario de crecimiento y desarrollo provocado por la introducción del cultivo de algodón, generando procesos sostenidos de capitalización de los productores (con iguales posibilidades de acceso a la propiedad) y absorción de mano de obra por parte de la agroindustria algodonera y aceitera instalada durante este período.

En síntesis, otras producciones "alternativas" se expandían, también mediadas por la expansión del mercado interno y la sustitución de importaciones que avanzaba, por ejemplo, la producción de algodón en los departamentos del norte provincial, en territorios antiguamente explotados por La Forestal. Un detalle relevante, sobre todo por el desarrollo posterior de la actividad, fue la consolidación de un cultivo central de la industrialización sustitutiva: la producción de caña de azúcar en el norte, particularmente en el departamento General Obligado. El azúcar ya tenía 13.000 ha dedicadas al cultivo para la Primera Guerra Mundial.

En términos políticos, la situación era también compleja. Luego del segundo gobierno de Hipólito Yrigoyen, sucede el golpe de Estado a manos del General Uriburu. El nuevo gobierno *revolucionario* produjo un fuerte impacto, tanto en la organización política provincial y, especialmente, en el movimiento obrero en ciernes sobre el que se tomaron acciones claramente represoras que llegaron hasta la muerte a través de fusilamientos.

Durante los primeros años de contracción de la producción agrícola, la actividad ganadera comenzó a expandirse y, entre 1937 y 1947, aumenta la cantidad global de cabezas en algo más del 50%, aunque con disparidades regionales. La actividad ganadera en el norte, por ejemplo, pierde peso en el total del ganado de acuerdo a su valor residual en términos exportables. Por estos años, el centro de la provincia era considerado el territorio más importante en términos económicos y productivos. Se había expandido la actividad lechera especialmente en el centro, pero también en el sur donde el ganado lechero tiene una participación más relativa que en el centro.

La expansión de la actividad lechera provincial se vincula directamente con la provisión de un mercado interno cada vez más amplio. En 1938 se crea SanCor Cooperativas Unidas Limitadas, como una asociación cooperativa de segundo grado para la producción de lácteos. La actividad se concentraba en los departamentos Castellanos, Las Colonias, San Martín, San Jerónimo y sur de San Cristóbal.

En el sur, se expandía ya tempranamente la producción del girasol, favorecida por la respectiva expansión de la industria aceitera. Como saldo de este cambio en la estrategia de acumulación, la provincia ve modificada su estructura productiva, aprovechando otras actividades y producciones posibles. Sin embargo, como para el Estado nacional, estas estrategias productivas no se consideraban sustentables en mediano y largo plazo, frente a la posibilidad de retorno de los beneficios de la estrategia previa. Esto tiene su origen en la estructura comercial inicial de la provincia y los modos en los que se había realizado la expansión agrícola desde la colonización hasta la fecha.

4.1.1. El peronismo y el desarrollo industrial (1946-1952)

La llegada de Juan Domingo Perón al gobierno de la Nación tuvo su réplica en la experiencia santafesina a partir del gobierno de Waldino Suárez (1946-1949) que sería, de hecho, el primer gobernador peronista de la provincia por el entonces Partido Laborista. Badaloni (2006) destaca que el Plan Trienal de gobierno de Suárez reproduce buena parte del Primer Plan Quinquenal de Perón con un fuerte protagonismo del Estado en términos de gasto público (Simonassi, 2006).

Santa Fe contaba entonces con 1.800.000 habitantes muy desigualmente distribuidos: gran concentración en el centro y el sur y un norte "escasamente poblado y empobrecido". Asimismo, y según la información provista por el Censo Nacional de Población y Vivienda (en adelante CNPyV) de 1947, el 13,4% de la población provincial era analfabeta. Sin embargo, considerando los resultados arrojados por el censo posterior (año 1960) se observa una disminución muy relevante en la tasa de analfabetismo para todo el período intercensal. Para este año, la cifra se había reducido al 8,2% (Badaloni, 2006: 119-120).

La estrategia justicialista –que comprende los años 1946-1955– tuvo como motor de crecimiento a la actividad industrial de mano de obra intensiva. El empleo industrial creció mucho, especialmente entre las clases populares y medias en sus estratos asalariados. Se trató de una industria liviana y de bienes de consumo masivo y semidurables. A partir de la creación del Instituto Argentino para la Promoción del Intercambio (IAPI), se redireccionó parte de la renta agraria al círculo virtuoso que supuso el crecimiento del empleo, de los salarios y del consumo.

Durante buena parte de esta estrategia, el sector agrícola se mantuvo "estancado" especialmente por la retracción de los mercados, mientras se creaban oportunidades de inversión urbana. También se produce una transformación radical en la relación propietario-arrendatario. Se introduce una legislación social para el sector rural: se mantiene la rebaja de los arrendamientos dictada en 1942, la prórroga de los contratos y el congelamiento de los arrendamientos en dinero, se promulgan los estatutos del Peón y del Tambero Mediero. Estas medidas, sumado al acceso a créditos flexibles, permitieron la compra de tierra por parte de chacareros arrendatarios. De este modo se conforma un estrato de "farmers" que bajo estas condiciones pudieron acceder a la propiedad de la tierra. En términos generales y para el período intercensal 1947-1960, el volumen relativo de los propietarios aumenta de 34,3% a 52,6%, mientras que el de los arrendatarios decrece del 44,7% al 21,6%. La concentración fundiaria se reduce levemente pasando a representar las unidades de más de 1.000 ha del 3,9% al 4,5% del total de las explotaciones mientras que concentran del 52,2% al 51,6% de la tierra (Torrado, 1992: 166).

De este modo, la década de 1940 fue abundante en políticas activas dirigidas hacia el agro en el país, aunque sin ser similares entre sí. En este período la pequeña y mediana producción familiar santafesina sufrió transformaciones importantes. Por un lado, encontró dificultades comerciales a causa de un contexto internacional y nacional desfavorable. Las características familiares de la organización del trabajo de los pequeños productores arrendatarios de la provincia se vieron dificultadas por una política que reglamentaba el uso de trabajadores asalariados para determinadas tareas a partir de la sanción del Estatuto del Peón (Mascali, 1986). Pero por otro lado, las políticas de congelamiento y rebaja en los cánones de arrendamiento, la suspensión de desalojos y prórroga de contratos por dos años, la disminución del precio de la tierra y las políticas crediticias destinadas a la compra de tierras (que tuvieron, por primera vez, como destinatarios directos a pequeños productores), se presentaron como aspectos favorables que permitieron el acceso a la propiedad de un gran número de arrendatarios (Lattuada, 1986).

El cambio más significativo entre las décadas de 1940 y 1960 fue el pasaje que se produjo del predominio de unidades productivas en arriendo al de explotaciones en propiedad. Este fenómeno se explica por varios procesos que coincidieron en aquel entonces: el acceso a la posesión de la tierra de nuevos propietarios por medio de la compra, la recuperación de tierras arrendadas por propietarios -a través del desalojo de los arrendatarios- (Slutzky, 1968) y la disminución del tamaño de parte de las unidades arrendadas para poder afrontar la crisis financiera de las explotaciones (Mascali, 1986).

Como puede observarse en el Cuadro 7, este proceso tuvo especial importancia en los departamentos del sur santafesino, donde el porcentaje de propietarios se incrementa considerablemente hasta representar entre el 75 y el 80% de las formas de tenencia en el lapso de 30 años (1947-1974).

Hacia 1950, Coscia (1983 en Barsky, 1992) señala que las unidades familiares de la región maicera tradicional ocupaban extensiones de entre 50 y 80 hectáreas, mientras que las del resto de la región pampeana ocupaban entre 80 y 150 hectáreas, siendo las responsables del 50 al 70% de la producción granífera pampeana. Por estos años, es importante destacar también el inicio de un proceso de cambio tecnológico de la región pampeana (uso de tractores y cosechadoras, variedades mejoradas de trigo y maíz, etc.) que en las décadas posteriores generaría profundas alteraciones de los sujetos sociales de la región.

Cuadro 7: Clasificación de la tierra según forma de tenencia en dptos. de Santa Fe sur (en ha y %)

DEPARTAMENTO	1947	1960	1974
GRAL. LÓPEZ			
Propiedad	41,8	70,9	79,8
Arrendamiento	46,7	22,8	15,7
Mixta	8,5	-	-
Otras formas	3,2	6,3	4,5
Total ha	1110968	1070026	1109395
IRIONDO			
Propiedad	28,6	59	78,7
Arrendamiento	54	33,8	19,6
Mixta	8,6	-	-
Otras formas	7,8	7,2	1,6
Total ha	288789	306532	291743
CONSTITUCIÓN			
Propiedad	21	51,9	76
Arrendamiento	59,3	36,4	21,3
Mixta	8,6	-	-
Otras formas	11	11,7	2,7
Total ha	30426	304431	294627
SAN JERÓNIMO			
Propiedad	33,9	56,7	80,8
Arrendamiento	41,5	30,4	16,5
Mixta	14,5	-	-
Otras formas	10,1	12,9	2,5
Total ha	325310	367336	373485

Fuente: Censo, 1947; Censo, 1960; Empadronamiento Nacional Agropecuario y Censo Ganadero, 1974, en Cloquell y Devoto, 1992: 31.

Para finalizar, se advierte que, por estos años, Santa Fe mostraba algunas diferencias territoriales de importancia que se irán consolidando a través del proceso histórico. Kurt (1952) destaca que la zona netamente agrícola de la provincia había quedado marcada por los siguientes departamentos: Constitución, Caseros, Rosario, Iriondo, San Lorenzo y Belgrano. Por su parte, General López, en el extremo sur de la provincia ocupaba una zona de médanos en la que se extendía la ganadería de cría[7]. Subiendo hacia el norte, crecen los cultivos forrajeros. Al oeste, en aquellos departamentos que estuvieron muy influenciados por el proceso de colonización, las explotaciones originalmente agrícolas se dedicaron a tambo y la industrialización de los productos lácteos, tal como se mencionó previamente. En Garay y San Javier se extendió el cultivo de arroz mientras que la región de la costa noroeste tuvo un estancamiento producto fundamentalmente de la falta de vías de comunicación.

Después de San Cristóbal, San Justo y San Javier, se extiende el "norte", que abarca el 60% de la provincia y donde, para CNPyV de 1947, se radica el 17% de la población total. La parte oriental, el departamento General Obligado y buena parte de Vera, se encuentra vinculada con la producción forestal, y se destaca, además, la caña de azúcar y el algodón. En cambio, al oeste de Vera y el este de 9 de Julio, solo se cría ganado en fincas de propiedad estatal. El oeste presenta diferencias: en San Cristóbal y 9 de julio (en su mayor extensión herederos de la colonización) predominan el tambo, algo de trigo, lino y maíz. Hacia el este, los cultivos se reemplazan por campos de pastoreo, tratándose de uno de los centros de invernada de mayor importancia. Kurt advertía que

---

7 El autor menciona que, al sur de Rosario, en las barrancas del Paraná, había plantaciones de vides y, en San Lorenzo, de arroz.

> la evolución de Santa Fe en su conjunto está subordinada a la realización de obras que no pueden ser encaradas por la iniciativa privada solamente y a una paulatina subdivisión de sus tierras, a medida que el crecimiento de la población y sus necesidades económicas justifiquen la inversión de capitales y energía en esta gran zona que se halla aún en una posición fronteriza. (1952: 243)

5. La estrategia desarrollista y la apertura al capital extranjero (1958-1976)

Una serie de cuestiones económicas pero, esencialmente políticas, provocaron un golpe militar que impidió la continuidad del segundo gobierno de Perón. El 23 de setiembre de 1955, el General Lonardi se presentó en Buenos Aires como el presidente provisional de la Nación en el marco de la autodenominada Revolución Libertadora, luego reemplazado por Pedro Eugenio Aramburu.

Aunque el segundo Plan Quinquenal de Perón ya incorporaba la apertura de la economía, el gobierno de la Revolución Libertadora creía necesario "modernizar y adecuar la economía, transformar el aparato productivo" (Romero, 1994: 181). La modernización y el desarrollismo llegaron después, y el posterior gobierno –elegido en las urnas ya disuelta la proscripción al peronismo y ejecutado el Pacto de Caracas que desvío los votos peronistas a quien resultaría presidente electo en 1958: Arturo Frondizi– de corte desarrollista e inspiración cepalina trajo nuevas modificaciones a la realidad provincial.

Frente al supuesto del deterioro en los términos del intercambio, muchos de los gobiernos latinoamericanos de finales de los años de 1950 y principios de los sesenta implementaron estrategias modernizadoras y desarrollistas. El objetivo consistía en alcanzar una industrialización, no de bienes de consumo masivo que el país producía desde la década de 1930, sino de bienes intermedios e insumos para la industria. Pero esa industria requería inversiones que requería el ingreso de capitales. La vía de atracción del capital extranjero para su inversión en el país se consideraba como una estrategia que actuaría como un factor dinamizador del sector.

En Santa Fe, el desarrollismo se expresó en la figura del gobernador Sylvestre Begnis, "uno de los más fieles ejemplos de la aplicación del proyecto frondizista en el marco de la gestión provincial" (Armida y Filiberti, 2006: 165). En este sentido, las autoras sitúan en la incorporación de las siguientes empresas en la estructura productiva de la provincia: Química Duperial (con capitales de Chemical Industries de Inglaterra), John Deere (con capitales estadounidenses) y Marathon Argentina (planta de aceros finos y metales especiales mixta: con capitales de Acindar y de la Deutsche Edelstahwerke). Estas industrias, que se sitúan en el cordón industrial entre Puerto San Martín y Villa Constitución, en el sur de la provincia son ejemplo de un proceso de *metropolización* de las ciudades que se ve favorecido por el aumento del flujo de los migrantes internos desde el norte de la provincia y otras provincias, sobre todo de la región pampeana, que siguen radicándose en las ciudades de tamaño mediano/ grande, fuera de la ciudad de Buenos Aires, tal es el caso de Rosario. El auge de la modernización urbana quizá queda mejor expresado en la firma de un acuerdo para poner en práctica un proyecto de vieja data: la conexión de la ciudad de Santa Fe con la vecina de la provincia entrerriana: Paraná, que sería inaugurado varios años después, en 1969.

De las discusiones centrales que tuvieron lugar en el marco del gobierno de Frondizi, también en Santa Fe se desató la polémica en cuanto a la educación "laica o libre".

La Universidad Nacional del Litoral se manifestó a favor de la primera y a diferencia del rector de la Universidad de Buenos Aires, Risieri Frondizi, que, como es sabido, argumentaba a favor de la "libre".

Aunque el Producto Bruto Industrial creció mucho por estos años, la estructura productiva del país seguía teniendo fuertes déficits. Las inversiones extranjeras se dieron de un modo anárquico, especialmente las vinculadas con el petróleo y los problemas económicos se sumaron a la intensa inestabilidad política con el expresidente Perón fuera del país y el Ejército dividido. En este contexto, Frondizi tuvo 38 planteos militares. En las elecciones siguientes, el presidente electo resulta Arturo Illia, candidato de la Unión Cívica Radical del Pueblo (UCRP) con el 25% de los votos, mientras el voto en blanco presentó un 21% del total válidamente emitido. Otro radical, Aldo Tessio, era por entonces el gobernador de Santa Fe. Considerando el proceso de industrialización pesada, por estos años -en 1964- se pone en marcha la primera planta de Petroquímica Argentina Sociedad Anónima (PASA), que venía instalándose. En palabras de Arditti y Filiberti, la instalación de esta planta "profundizó el perfil del cordón industrial extendido desde Puerto San Martín hasta Villa Constitución" (2006: 186), lo cual también tuvo efectos en la conformación del movimiento obrero y sus acciones en un momento de altísima inestabilidad política.

El breve interregno radical a partir de la presidencia de Illia quedó anulado por un golpe militar de nuevo tipo caracterizado por su carácter autoritario y modernizador. Era el momento del autoritarismo burocrático (O´Donnell, 1972). La autodenominada Revolución Argentina suspendió, entre otras cosas, los gobiernos provinciales constitucionalmente elegidos. En Santa Fe, el general Eleodoro Sánchez Lahoz derrocó al gobierno de Tessio. Durante estos años, se radicalizó la presencia de capitales extranjeros que contribuyó específicamente a exaltar las disparidades regionales.

El trazado industrial en la provincia se generaliza en el sur, especialmente en el ya constituido Gran Rosario y alrededores, en tanto en el norte se alejaban a pasos agigantados de la condición de "desarrollo". Aunque las denuncias de las condiciones de vida y de trabajo de los hacheros, empleados y obreros de La Forestal fueron denunciadas en numerosas ocasiones pero desoídas por los sucesivos gobiernos. Como se mencionó, el proceso de liquidación había comenzado en los años de 1940. Se debía tratar la condición de alrededor de 2.100.000 ha de tierras propias y arrendadas para la explotación del quebracho colorado. En el año 1963 se creó una Comisión Especial en la Legislatura Provincial con los objetivos de investigar la paralización, el trato de los obreros, y proyectar un plan de desarrollo y reactivación económica (Acevedo, 1983).

Aunque todo el territorio del norte santafesino se vio afectado por la situación de La Forestal, debe mencionarse que el departamento más afectado fue Vera, en palabras de Acevedo, "un departamento subdesarrollado" (1983: 12). Allí, la inexistencia de alternativas produjo despoblación. El descenso fue "vertiginoso", llegando al 50% (Simonasi, 2006). Debe considerarse además que La Forestal era un verdadero "urbanizador" en cuanto manejaba, por ejemplo, la provisión de agua o las vías del ferrocarril. El desmantelamiento de estas vías dejó aislados a los pobladores del norte. Vera fue el mayor afectado, dado que en General Obligado existían mayores opciones vinculadas con procesos de industrialización.

Los tan mentados proyectos descentralizadores no fueron suficiente: lograron una colonización de 160.000 ha compradas a La Forestal (se recuerda que la compra original a la provincia era de 1.804.563 ha), y fueron entregadas a los colonos en 1969, los cuales se dedicaron a la producción de leña, carbón y postes y a la actividad ganadera (Simonasi, 2006).

Como se mencionó, el tipo de industria del período es diferente a la que se desarrolló durante la estrategia justicialista. Es una industria de capital intensiva, con menores requerimientos de mano de obra pero con mayores calificaciones. Los diferentes proveedores de las industrias ya consolidadas fueron los mayores generadores de empleo, provocando eslabonamientos como proveedores de insumos. Las industrias más relevantes en términos de mano de obra ocupada fueron las metalúrgicas, pequeñas y medianas, que reclutaban alrededor del 80% del total.

En 1968 se dicta una ley de promoción industrial provincial que facilitaba la llegada de las inversiones extranjeras. Esta concentración territorial se observa también en términos de la estructura productiva, orientándose el 80% de las inversiones a la industria química y petroquímica.

Durante estos años, algunas transformaciones se establecen como indicadores del desarrollo desigual entre el norte y el sur provincial. En este sentido, la creación de los cordones industriales es una nueva clave para comprender esta afirmación. De hecho, la zona sur de la provincia, especialmente el cordón industrial del Gran Rosario resulta el principal destino de las inversiones del período. Aguilar (2006) destaca que esto, lejos de atenuar las desigualdades regionales, las acentuó, como lo demostraba el censo de 1960: más del 60% de los establecimientos industriales se concentraban en el sur: Rosario, San Lorenzo y Villa Constitución, representaban el 11% de la superficie territorial, el 60% de la población y el empleo industrial y el 70% del producto industrial de la provincia.

Los años del desarrollismo dejaron su impronta institucional también a nivel provincial, con la creación de algunos espacios propios tales como el Instituto de Fomento Industrial con el fin de estudiar y promover la radicación de capitales orientados a la industria. Esto, en el marco de un proceso de gran interés en incentivar la rama secundaria de la economía, a creación de incentivos para la radicación y la formación de recursos humanos con el fin de expandir las actividades de este tipo.

Al comenzar la década de 1970 -y con motivo de la recuperación de la producción agrícola que había alcanzado los niveles de producción previos al "estancamiento" a partir de una corriente tecnológica modernizadora, como se verá en el punto siguiente- se reestructura el Puerto de Rosario, incrementándose las exportaciones que pasaron, en términos totales, de 3.981.610 toneladas en 1969 a 5.320.480 en el año siguiente (Armida y Filiberti, 2006). Asimismo, en estos años se orienta la actividad productiva en otra franja del río Paraná que va desde San Nicolás en la provincia de Buenos Aires a San Lorenzo. Este es un antecedente de peso considerando la estructura económica actual del país. Buena parte de las exportaciones de granos del último tiempo tienen salida por este lado del río, consolidándose allí un conjunto de empresas -fundamentalmente de capitales internacionales- que, en algunos casos, tienen vigencia hasta hoy: Celulosa Argentina S. A., Sulfacid S. A., Duperial, DEMPA y Bunge y Born Ltda. S. A., entre otras.

En términos de la estructura agraria, ya a partir de 1960 el sector se recupera a través de un importante avance en la "tractorización" y en la masiva difusión de insumos agrícolas (plaguicidas, fertilizantes, semillas genéticamente mejoradas, etc.) y maquinarias, entre las que se destaca la cosechadora de maíz que produjo un gran impacto en el desplazamiento de mano de obra rural. El proceso de mecanización de la cosecha elimina operaciones como la recolección manual, el embolso, el transporte y la estiba de bolsa, profundizando el proceso de expulsión de mano de obra en el sector, que ya venía de décadas anteriores, y generando una gran reducción en los costos de producción y el tiempo de realización de las tareas.

Para Murmis (en Barsky *et al.*, 1988: 326), el cambio tecnológico modifica la integración del agro pampeano en el circuito del capital, haciendo a cada productor más dependiente del sistema de aprovisionamiento de insumos y maquinarias, generando también modificaciones en cuanto al sistema de almacenamiento y transporte por la expansión en los volúmenes de producción. Esta dependencia al acceso de capital ligada a la incorporación de nuevas tecnologías se da en paralelo con el aumento en la importancia del capital privado y multinacional en el sector.

En el trabajo de Archetti y Stölen (1975) sobre los colonos de la zona de Avellaneda en el norte de la provincia, se destacan los cambios productivos y sociales que genera la introducción de nuevas tecnologías en las explotaciones familiares, indicando como el pasaje de la tracción animal a la mecánica permitió liberar hectáreas para cultivo, mejorando la productividad del trabajo y la capacidad de ahorro de los colonos a partir de sus mayores ingresos. Asimismo, señalan cómo esos cambios inciden en la menor contratación de mano de obra asalariada y en la disminución de miembros de la propia unidad doméstica necesarios para las labores productivas. Al eliminarse muchas de las tareas que tienen que ver con la producción para el autoconsumo de la unidad doméstica, las mujeres también cambian su rol y papel laboral dentro de la explotación. Según los autores, estas situaciones crean las condiciones para el éxodo rural hacia los centros urbanos y generan nuevas relaciones productivas y familiares (organización y división del trabajo, transmisión de la herencia, etcétera).

En este sentido, a mediados de la década de 1970 se destacan dos hechos centrales: la introducción de las semillas mejoradas de trigo, maíz, sorgo granífero y girasol, y la difusión masiva del cultivo de soja, todo lo cual implica la adopción de un complejo paquete tecnológico para su producción adecuada. La introducción del cultivo de soja en forma masiva (gracias a su fuerte demanda internacional) significó un cambio en las formas de producir, en la utilización del suelo y en los resultados económicos de la producción agrícola pampeana. Dichos cambios generaron un vuelco hacia la actividad agrícola, en desmedro de la ganadera, y profundas mutaciones en los modos de producción, así como también en la dinámica de la estructura agraria (Barsky y Gelman, 2009: 432-433), el corrimiento de la frontera y aumento constante de la productividad agrícola. La extensión de este cultivo modifica radicalmente el perfil productivo de la provincia, acentuando, nuevamente, las disparidades territoriales norte-sur. Algunos autores señalan que, previo a la incorporación de la soja, las producciones agrícola-ganaderas estaban "relativamente equilibradas" entre la agricultura y la ganadería. La soja, en el sur especialmente, desplazó a la ganadería y el girasol. Necesariamente, esta estructuración económica tuvo efectos en la estructura social y la conformación de determinados lazos de solidaridad en las diferentes localidades subyacentes que crecieron en población y deben su dinamismo (o no) a la actividad agrícola.

La especialización productiva en torno a la soja se concentra en la región pampeana en la denominada "zona núcleo", donde los productores de granos y oleaginosas no se encuentran integrados a la cadena productiva de abastecimiento del mercado interno, sino a la venta de su producción al exterior en forma directa o por medio de acopiadores, cooperativas o industrias.

La zona núcleo es la principal área productiva de la Argentina y comprende el sur de la provincia de Santa Fe, el centro-este de Córdoba y el centro-norte de la provincia de Buenos Aires. Dicha zona era tradicionalmente maicera, combinada con la actividad pecuaria (aunque en forma secundaria). A partir de 1970 se expande la producción agrícola por sobre la ganadera en la región, pero en función de la soja que desplaza al maíz. Así, se da el proceso de "agriculturización" de la región pampeana que desplaza 5 millones de hectáreas dedicadas a la ganadería en función de la expansión productiva encabezada por la soja (Barsky y Gelman, 2009). Este proceso se basó en la denominada "doble cosecha agrícola anual" que, en vez de alternar la producción agrícola con la ganadera lo hace con el doble cultivo de trigo-soja, y utiliza un "paquete tecnológico" centrado en agroquímicos y nuevas formas organizativas de la producción.[8]

Los altos niveles de rentabilidad de este cultivo y las posibilidades que brinda el "paquete tecnológico" a él asociado comienzan a generar la expansión del mismo en

---

8 A estos se sumarían más adelante los avances tecnológicos relacionados con la siembra directa (SD) y el uso de semillas transgénicas en la década de 1990. "La siembra directa, desarrollada sobre la base de la rotación trigo/soja, utilizaba las sembradoras tradicionales. La línea que estaba destinada a la siembra de soja era anulada en el momento de la siembra del trigo, de manera que en el lugar no había rastrojo (resto de cosecha), lo que permitía a una máquina de uso corriente hacer una siembra correcta sin necesidad de órganos especiales de penetración en el terreno para depositar la semilla. (...) Desarrollos posteriores de máquinas sembradoras especiales para siembra directa van reduciendo las distancias entre líneas; se mejoran los órganos de penetración para poder trabajar con mayor cantidad de restos vegetales en superficie. Paulatinamente, aumenta el ancho de trabajo, el peso de las sembradoras, y, en consecuencia, estas demandan mayor potencia de tracción. La siembra directa se transforma así en una práctica que exige inversiones de importancia" (Boy, 2005: 92).

regiones no pampeana. En el norte santafesino, el cultivo de algodón deja de ser el principal, para ser superado por el girasol y la soja. Recién entre las décadas de 1980 y 1990 la actividad algodonera recibe un nuevo impulso de la mano de la innovación tecnológica (cosechadora de algodón, nuevos insecticidas, fertilizantes y estrategias de control de cultivo) y la demanda internacional (principalmente brasileña) (Delssín, 2003). Aunque la evolución de Santa Fe en la participación nacional descendió comparativamente con otras provincias productoras, como Santiago del Estero o Chaco, la superficie sembrada pasa de 65.000 ha en 1969/70, 50.000 ha en 1990/91 según los datos propuestos por el Ministerio de Agricultura, Ganadería y Pesca (MAGyP) analizados por el mismo autor.

La mecanización y los procesos de tractorización iniciados en la década de 1960 se profundizan en la región pampeana, permitiendo un mejor manejo del suelo y la disminución de los tiempos de siembra y cosecha, así como también de los riesgos climáticos y costos e inversiones de capital. Las exigencias tecnológicas vinculadas a la producción de soja hicieron que los productores recurrieran al asesoramiento técnico agropecuario, lo que dio lugar a grandes cambios en materia de prácticas culturales.

Estos procesos enfatizaron también los cambios que venían observándose en torno a las formas de vida de los productores agropecuarios, generando renovados estilos de vida rurales y urbanos a la vez. En la región pampeana y el centro y sur de la provincia gran parte de las familias que habitaban en las chacras, haciendo de ellas una misma unidad doméstica y de producción, comienzan a abandonar las viviendas rurales y a mudarse a los pueblos y ciudades intermedias desde donde podían seguir atendiendo las tareas vinculadas con la producción. La división entre lugar de residencia y de trabajo es facilitado, a la vez, por la mejora de los caminos, la difusión de vehículos utilitarios que les permitía desplazarse hacia las explotaciones y a los centros urbanos de servicios (educativos, sanitarios, comerciales y financieros) (Balsa, 2006; Cloquell, 2007 y López Castro y Privadera, 2010).

Con los avances tecnológicos en materia de mecanización de las tareas agrícolas e inversión de capital en las mismas, comienzan a terciarizarse muchas actividades dejándolas a cargo de contratistas y ocupándose el productor de algunas tareas específicas en la dirección y organización general del proceso productivo y la posterior comercialización. El contratista comienza a surgir como un actor central a partir de este período, especialmente los propietarios de cosechadoras y los que ofrecen servicios de labores como siembra y otras prácticas culturales. Muchos de estos eran productores capitalizados que accedieron a la compra de maquinaria expandiendo sus posibilidades productivas fuera de sus predios. Aparece también una capa de arrendatarios dueños de maquinaria que comienzan a tomar tierras mediante el pago de una renta especial (conocidos bajo el nombre de "tanteros"). De este modo, se puede dividir a los contratistas entre los propietarios de cosechadoras, los contratistas de labores (siembra y labores culturales) y los contratistas tanteros por cosecha o anuales, que en realidad son arrendatarios que utilizan los predios por períodos menores a un año y que pagan en dinero o porcentaje de la producción.

Estos actores develan como el proceso de especialización agraria no se circunscribe solo a una rama productiva (agrícola o ganadera), sino también a determinadas tareas y labores específicas dentro del proceso productivo. En el sur santafesino, los productores familiares fueron abandonando paulatinamente las estrategias de diversificación productiva y producción para autoconsumo con la separación entre unidad doméstica (en el pueblo) y unidad productiva (en el campo), disminuyendo el número de miembros del grupo familiar que participa del proceso productivo y modificándose la división del trabajo por sexos y edades (Cloquell *et al.*, 2007).

El trabajo realizado en el sur de la provincia de Santa Fe por Mascali (1992) describe las estrategias socio-productivas que caracterizan a los colonos de la zona. Indaga sobre el contratista típico del sur de la provincia de Santa Fe, es decir, sobre el "productor propietario que a la vez toma tierras", bajo el supuesto de que "a mayores recursos de fuerza de trabajo familiar corresponde mayor superficie en explotación" (*idem*, 44). Esta estrategia permite preservar el modelo familiar de las explotaciones, ocupando a la mayoría de sus integrantes mediante la toma de tierras de terceros para ampliar la producción y sostener las unidades domésticas y el proceso de acumulación. El modelo contratista-colono se consolida a partir del hecho de que "todos los productores que salen a tomar tierras son de tipo familiar" (*idem*, 51). En las unidades donde hay escasez de fuerza de trabajo familiar, se observa una estrategia diferente que es la de ceder el campo a un contratista.

Como señalan Cloquell y Devoto (1992), la información censal de 1974 permite observar la significativa disminución del arrendamiento tradicional en la provincia de Santa Fe, claramente reemplazado por otras estrategias de articulación entre productores propietarios y productores propietarios de maquinaria tomadores de tierra.

En cuanto a la evolución de la distribución de la tierra, la región pampeana presenta un importante proceso de desconcentración de la propiedad en la región pampeana. A pesar de ello, esto no se ve igualmente reflejado en las unidades de producción, debido a las estrategias de los propietarios que incorporan tierras mediante el arriendo y cristalizan así formas de concentración en la esfera de la producción. De este modo se pone en discusión la tradicional visión construida desde el ámbito académico que asociaba la propiedad con la gran explotación y al arrendatario con la pequeña producción agrícola de los chacareros (Barsky y Gelman, 2009).

Cuadro 8: Forma de tenencia de la tierra en Santa Fe, 1988

Formas de tenencia	%
Propiedad	60,5
Arrendamiento	5,9
Aparcería	0,9
Contrato accidental	3,7
Ocupación	0,5
Otros	0,1
Combina propiedad con arrendamiento	14,6
Combina propiedad con otras formas	13,3
Otras combinaciones	0,5

Fuente: Elaboración propia en base a CNA, 1988 en Slutzky, 2008: 77.

En el período anterior pudimos señalar la notable reducción del sistema de arrendamiento tradicional con el crecimiento de las explotaciones trabajadas por propietarios, a los que se puede agregar la de los propietarios que además acceden a tierras bajo diferentes formas de tenencia. En el período 1947-1969 los propietarios puros aumentan un 49% y los mixtos un 30%, en cambio, los arrendatarios caen un 53% y los medieros y tanteros un 42%; mientras que en el período intercensal 1960-1988 la categoría de propiedad sube un 22% en la región pampeana y la suma de arrendatarios y aparceros había bajado un 25% (Barsky y Gelman, 2009: 415, 460).

En las formas de tenencia que refleja la información censal de 1988 para la provincia de Santa Fe, se observa esta misma tendencia regional. Los propietarios representan el 60% de los casos y casi un 30% combina propiedad con arrendamiento u otras formas de acceso a la tierra, mientras que las diversas formas de arrendamiento ocupan un lugar marginal de alrededor del 10%.

La intensificación productiva de las unidades agropecuarias que se registra en este período sobre la base de un uso más intensivo del capital (en tierra, maquinarias y/o financiero), dio como resultado un importante proceso de concentración de la producción en unidades de mayor tamaño. Especialmente, se aprecia un incremento de los estratos de pequeños y medianos de productores de entre 50 y 500 hectáreas (63%) y el escaso peso de las grande unidades de más de 1.000 hectáreas (5%).

Cuadro 9: EAP por tamaño Santa Fe, 1988

Tamaño	EAP	%
Menos de 10 ha	1.968	5,4
Entre 10 y 25 ha	2.756	7,5
Entre 25 y 50 ha	4.695	12,8
Entre 50 y 100 ha	7.934	21,5
Entre 100 y 200 ha	8.496	23,0
Entre 200 y 500 ha	6.936	18,8
Entre 500 y 1.000 ha	2.176	5,9
Entre 1.000 y 2.500 ha	1.363	3,7
Entre 2.500 y 5.000 ha	350	0,9
Entre 5.000 y 10.000 ha	129	0,3
Más de 10.000 ha	59	0,2
Total	**36.862**	**100,0**

Fuente: Elaboración propia en base a CNA, 1988.

Si tomamos la división de la provincia por zonas agroecológicas establecida por Scalerandi (2011)[9], esta permite observar las diferencias que se observan en cuanto a tamaño y número de EAP en Santa Fe. Para 1988 el 50% de las explotacio-

[9] Las zonas agrícolas son aquellas en la que la agricultura ocupa 66% o más de la superficie bajo uso rural. La zona mixta del centro comprende los distritos que ni la agricultura ni la ganadería alcanzan a ocupar dos tercios de la superficie rural o con distritos ganaderos con agricultura importante localmente y donde la aptitud de las tierras permite suponer que se puede producir un mayor avance. La zona ganadera y mixta del norte es predominantemente ganadera, pero la agricultura tiene importancia local y la aptitud de las tierras, en algunos sectores, permite suponer que se puede producir un mayor avance. La zona ganadera agrupa sectores en los que predominan distritos dedicados al uso ganadero de dos tercios o más de la superficie rural, en los que la agricultura es muy subordinada y, además, no es previsible un avance importante de la misma (Scalerandi, 2011: 1).

nes de la provincia se concentran en los departamentos agrícolas del sur, el 24% en los de la zona mixta del centro, el resto en las zonas ganadera-mixta (18%) y ganadera del norte (8%). La mayor concentración de unidades en el centro y sur de la provincia se corresponde con la menor superficie promedio por explotación de las mismas que ronda en las 200 hectáreas, mientras que en el norte provincial tienen una superficie promedio de 500 hectáreas en la zona mixta y de 800 en la ganadera.

Cuadro 10: Cantidad y superficie promedio de EAP según zona productiva, Santa Fe 1988

Zona productiva	EAP	%	Sup. promedio (ha)
Agrícola (1)	18.438	50	174
Mixta del centro (2)	9.061	24	217
Ganadera-mixta del norte (3)	6.491	18	540
Ganadera (4)	2.872	8	834
Total Santa Fe	**36.862**	**100**	**300**

Fuente: CNA, 1988 en Scalerandi, 2011: 2.
(1) Departamentos Constitución, Rosario, San Lorenzo, Gral. López, Caseros, Belgrano, Iriondo, San Martín y San Jerónimo
(2) Departamentos Castellanos, La Capital, Las Colonias y San Justo
(3) Departamentos 9 de Julio, San Cristóbal y Gral. Obligado
(4) Departamentos Garay, San Javier y Vera

En cuanto al tamaño de las unidades, podemos observar que el 70% de las explotaciones de la provincia de Santa Fe son de hasta 200 hectáreas, el 25% son de entre 200 y 1.000 y el 5% restante son de más 1.000 hectáreas. En este caso, los departamentos agrícolas del sur y mixta del centro concentran el 81% de las pequeñas explotaciones de hasta 200 hectáreas, mientras que los departamentos ganaderos del norte concentran el 70% de las unidades de más de 1.000 hectáreas. Las explotaciones de mayor superficie cobran importancia a medida que nos acercamos al norte provincial, ocupando casi el 50% de las explotaciones en dichos distritos.

Cuadro 11: Cantidad de EAP según zonas y tamaño en Santa Fe, 1988

Zona productiva	Hasta 200 ha	Entre 200 y 1.000 ha	Más de 1.000 ha
Agrícola (1)	14.357	3.713	312
Mixta del centro (2)	6.564	2.257	233
Ganadera-mixta del norte (3)	3.477	2.252	762
Ganadera (4)	1.451	890	523
Total Santa Fe	**25.849**	**9.112**	**1.830**

Fuente: CNA, 1988 en Scalerandi, 2011: 2.
(1) Departamentos Constitución, Rosario, San Lorenzo, Gral. López, Caseros, Belgrano, Iriondo, San Martín y San Jerónimo
(2) Departamentos Castellanos, La Capital, Las Colonias y San Justo
(3) Departamentos 9 de Julio, San Cristóbal y Gral. Obligado
(4) Departamentos Garay, San Javier y Vera

La especialización productiva algodonera de los establecimientos del norte santafesino tiende a reducirse a medida que crece el tamaño medio de los establecimientos y los cultivos de girasol y soja. En la zona núcleo algodonera de la provincia (Avellaneda y Reconquista), predominan establecimientos comprendidos entre las 10 y 50 hectáreas y entre las 50 y 100 hectáreas con superficies promedio de 31,7 y 76,9 hectáreas respectivamente (Delssín, 2003).

Este período se caracteriza por el abrupto crecimiento de la actividad agrícola pampeana propiciada por los avances tecnológicos en mecanización y biotecnología (semillas, herbicidas y fertilizantes) y la aparición de nuevos actores (contratistas tanteros y de servicios) y estrategias de acceso a la tierra. Dichas transformaciones propiciaron un proceso de concentración productiva en unidades de tamaño medio, que se acentuaría con mayor profundidad en las décadas siguientes. El norte de la provincia presenta estos mismos procesos pero con un mayor peso de las unidades medianas y grandes, donde el cultivo de soja tiende a desplazar incipientemente al cultivo de algodón y a la actividad ganadera en algunos casos.

6. El ajuste durante la dictadura militar y la recuperación democrática (1976-2001)

Con la Junta Militar que gobierna el país entre 1976 y 1983 se resiente cualquier ilusión industrialista pendiente del proyecto previo en sus diferentes etapas. Se trató de una "desindustrialización selectiva", puesto que industrias como la aceitera o la automotriz se vieron favorecidas. Sin embargo, la eclosión de toda la trama industrial, la apertura indiscriminada de la economía y la aplicación de políticas aperturistas provocaron la salida de la estrategia de acumulación sostenida en la industrialización.

Este nuevo contexto modificó drásticamente la estructura productiva provincial que, como se viene afirmando, había alcanzado un importante grado de industrialización, sobre todo en el sur con la conformación de los cordones industriales. Es preciso mencionar que este deterioro se acentuará en los años siguientes, ya en democracia, fundamentalmente a partir de la Ley de Convertibilidad de 1991, de manera que los cambios producidos pueden considerarse como una situación estructural de la industria argentina y santafesina en particular.

Durante la década de 1990 se produce en la Argentina un proceso de desregulación económica que cambia las reglas de juego en el sector agrícola y la trama institucional que había posibilitado la coexistencia de la pequeña y mediana explotación con la grande. En noviembre de 1991 se sanciona el Decreto n.° 2.284 que desregula el mercado interno de bienes y servicios, el comercio exterior, los mercados de productos regionales e industrias de capital intensivo y el mercado de capitales. Estas medidas también alcanzaron al transporte, los seguros, los puertos, la pesca, los servicios profesionales y de telefonía. En lo que respecta específicamente al agro pampeano, fue trascendente la disolución de la Junta Reguladora de Granos cuya función era intervenir en la comercialización de granos en apoyo de los precios mínimos para la regulación y control del mercado interno y administrar la red oficial de elevadores; así como para las economías regionales se produce la disolución de los diferentes organismos reguladores (yerba, azúcar, etcétera).

El proceso de liberalización, apertura y desregulación del mercado interno brindó un escenario propicio para la inserción de grandes empresas que comenzaron a expandir su control sobre distintas áreas del sistema agroalimentario, obteniendo una posición dominante en lo referido a almacenaje, procesamiento, comercialización y producción y distribución de semillas e insumos para la actividad agrícola (Teubal *et al.*, 2005).

La eliminación de las barreras proteccionistas colocó a los productores directamente frente al mercado mundial de insumos agropecuarios y en situación de total desprotección en el proceso de comercialización de los productos. En este contexto, la estrategia viable para la perdurabilidad de las explotaciones fue aumentar la escala de los establecimientos y sus rendimientos, elevando los niveles de inversión de capital y disminuyendo los costos de producción para generar adecuadas rentabilidades.

En este sentido, varios estudios realizados durante la década de 1990 demostraron que la escala de producción necesaria para la reproducción de las explotaciones agropecuarias había crecido, mientras que su poder adquisitivo había disminuido y su nivel de rentabilidad no permitía absorber el endeudamiento contraído para la ampliación de la superficie trabajada mediante arriendo y la aplicación del nuevo modelo tecnológico.

La caída de los precios agrícolas fue de tal magnitud que los mayores rendimientos no pudieron evitar la generación de severas pérdidas para una gran parte de productores. A mediados de 1999, el 22% de ellos se encontraba en situación de mora en sus créditos. A raíz de que los gastos fijos en las unidades, incluidos los costos de reproducción de las familias, subieron de manera significativa, la caída de los precios impidió, como décadas anteriores, repliegues de los productores en espera de años mejores. La desaparición de una cantidad importante de unidades fue, entonces, el resultado de esta situación, donde los productores estaban directamente expuestos a las contingencias del mercado internacional de cereales y oleaginosas, que se caracteriza por su extrema movilidad (Barsky y Gelman, 2009: 457).

En 1996 se libera la comercialización del primer cultivo transgénico de "soja RR" (resistente al herbicida glifosato). La articulación de estos dos productos (semilla y herbicida) con el sistema de SD, constituyeron el "paquete tecnológico" que permitió a los productores reducir mano de obra necesaria, insumos (solo se usa el glifosato) y combustible, ya que dicho sistema posibilita realizar tres operaciones al mismo tiempo (preparar la tierra, controlar agentes patógenos y sembrar con una sola vuelta de tractor) (Gras y Hernández, 2009: 18-19).

La incorporación de semillas genéticamente modificadas en soja y maíz permitieron, entre otras cosas, un mejor control de las malezas, transformando las prácticas culturales vinculadas al trabajo de siembra. La combinación entre semillas transgénicas, agroquímicos y sistema de siembra directa aumentó la mecanización de las tareas y la productividad por persona, confeccionando un modelo productivo cada vez más dependiente de insumos y capitales y que tendía a la tercerización de las tareas (en contratistas de maquinarias y labores) de los diferentes momentos del ciclo productivo (siembra, cosecha) y a promover el rol gerencial y profesionalizado entre los productores (Urcola, 2013).

El CNA de 2002 registra las consecuencias de este período, alrededor de 100.000 establecimientos agropecuarios menos (respecto del censo de 1988) y el incremento del 28% de la superficie media de los establecimientos (de 421 a 538 hectáreas) en todo el país (Cuadro 12). En el mismo período, estos aspectos se presentaron con mayor acento en la región pampeana que presentó una disminución del 30% de sus unidades productivas agropecuarias y un incremento del 36% de la superficie media por establecimiento. En la provincia de Santa Fe se registró una disminución de unidades productivas del 24% y un incremento del 33% de la superficie media por establecimiento.

Cuadro 12: Cantidad y superficie promedio de EAP, 1988-2002

	CNA 1988		CNA 2002		Variación EAP %	Variación sup. prom. %
	EAP	Sup. promedio (ha)	EAP	Sup. promedio (ha)		
País	421.221	421	317.816	539	-24	28
Pampeana	196.254	391	136.345	531	-30	36
Santa Fe	36.862	300	28.103	400	-24	33

Fuente: CNA, 1988 y 2002.

En el Cuadro 13 observamos que el 50% de la superficie santafesina se concentra en el estrato de más 1.200 hectáreas que representan el 6,4% de los establecimientos agropecuarios. Los estratos de superficie medios y grandes (desde 250 hasta más 1.200 hectáreas) representan aproximadamente el 33% de los establecimientos y ocupan el 84% de la superficie provincial.

Cuadro 13: EAP y superficie por estrato de superficie en Santa Fe, 2002

Estrato de superficie (ha)	EAP	%	Sup. (ha)	%
Menos de 50	5.729	20,4	138.318	1,2
Entre 50 y 100	4.973	17,7	356.352	3,2
Entre 100 y 250	7.969	28,5	1.275.173	11,3
Entre 250 y 500	4.495	16,1	1.565.070	13,9
Entre 500 y 1.200	3.069	10,9	2.302.549	20,5
Más 1.200	1.780	6,4	5.613.441	49,9
Total Santa Fe	**28.030**	**100**	**11.251.083**	**100**

Fuente: CNA, 2002 en Castignani, 2011: 16.

Según los datos aportados por Scalerandi (2011)[10], en la provincia de Santa Fe los estratos de hasta 200 hectáreas presentan una disminución del 34% en el período

10 No coincidimos con el autor en identificar el tamaño del establecimiento con la dimensión de los productores (pequeños, medianos y grandes) porque, como se verá más adelante, al cruzarlo con las regiones y sus producciones se produce una situación equívoca al considerar pequeño productor a un establecimiento agrícola de 200 ha en la zona núcleo del sur de Santa Fe y gran productor un establecimiento ganadero de 1.000 ha en los Bajos Submeridionales del norte provincial, actividades que por las características de los suelos y sus rentabilidades relativas nos indican una situación inversa. Por este motivo, se han consignado solo las superficies con los datos provistos por el autor y las referencias se realizan en función de esa mayor o menor superficie.

intercensal 1988-2002, los estratos medios de entre 200 y 1.000 hectáreas una disminución de apenas el 4% y los grandes productores de más de 1.000 hectáreas un aumento del 20%.

La década de 1990 se caracteriza por el incremento del proceso de concentración productiva en unidades de mayor superficie de explotación iniciada en períodos anteriores y por la expulsión de unidades productivas que se retiraron de la actividad por pérdida de sus establecimientos o transformándose en pequeños rentistas. En este período surge en la región pampeana una importante capa de pequeños productores que se retiran de la actividad sin desprenderse de la propiedad de sus tierras y se transforman en pequeños rentistas en función de los altos niveles de los arrendamientos y por no disponer del capital y la extensión predial suficiente para alcanzar los niveles de rentabilidad que exige especialmente la producción agrícola extensiva pampeana en centro y sur de la provincia.

Por estos motivos, no es la propiedad rural el mejor indicador para medir estos procesos de cambio. Las diversas formas de acceso a la tierra bajo arriendo, contratos accidentales o aparcería facilitaron a los diversos poseedores de capital, producir en unidades de mayor tamaño. En Santa Fe, la propiedad sigue siendo la principal forma de tenencia, aunque con una disminución del 16% respecto de 1988. Las unidades productivas que combinan propiedad con arriendo y otras formas de acceso a la tierra representan el 33% con un incremento del 18% respecto de 1988, mientras que las unidades arrendadas, bajo aparcería o contratos accidentales alcanzan el 14%, y un aumento del 40% respecto de 1988. Esto permite afirmar que el crecimiento del tamaño de las explotaciones no se realiza por proceso de concentración de la propiedad, sino por la expansión de las diversas formas de acceso a la tierra.

Cuadro 14: Forma de tenencia de la tierra en Santa Fe, 2002

Forma de tenencia	EAP	%	Ha	%
Propiedad	14.031	50,0	5.548.260	49,3
Arrendamiento	2.651	9,5	687.880	6,1
Aparcería	178	0,6	48.321	0,4
Contrato accidental	1.109	4,0	234.103	2,1
Ocupación	342	1,2	146.562	1,3
Otros	97	0,3	45.377	0,4
Combina propiedad con arrendamiento	5.788	20,6	3.028.229	26,9
Combina propiedad con otras formas	3.457	12,3	1.400.785	12,4
Otras combinaciones	276	1,0	106.402	0,9

Fuente: CNA, 2002 en Slutzky, 2008: 77.

La Encuesta de Hogares Rurales de 2010 (Cuadro 15) confirma la estabilidad de la situación de 2008 al informar que el 50% de los hogares rurales santafesinos con producción agropecuaria, trabaja su tierra en propiedad, mientras que un 21% lo hace combinando propiedad con otras formas y un 29% combina diversas formas de acceso a la propiedad sin tener tierra en propiedad (Craviotti, 2011).

Cuadro 15: Régimen de tenencia de la tierra de los hogares rurales con producción agropecuaria en Santa Fe, 2010

Forma de tenencia	%
Solo propiedad	49,1
Combinaciones de propiedad con otras formas	20,8
Combinaciones sin tierra en propiedad	28,5

Fuente: Encuesta de Hogares rurales sobre Nivel de Vida y Producción, 2010 en Craviotti, 2011: 94.

Al desagregar la información censal (CNA, 2002) por región, observamos que en el norte de la provincia existe una menor diversidad de formas de acceso a la tierra, siendo mayoritaria la propiedad (74%) y en segunda instancia el arrendamiento (16%). Si bien en el resto de la provincia la propiedad es la principal forma de acceso a la tierra, se destaca además el mayor porcentaje de arrendatarios en la zona centro y de arrendatarios y contratos accidentales en la zona sur.

Cuadro 16: Régimen de tenencia de la tierra en Santa Fe por Zona, 2002

Zona	Total	%	Propiedad	Sucesión indivisa	Arrendamiento	Aparcería	Contrato accidental	Ocupación	Otros	Sin discriminar
Norte	5.989.584,4	100,0	73,8	4,3	16,3	0,7	0,8	3,2	0,5	0,4
Centro	22.503.306,4	100,0	58,6	2,1	32,4	2,8	2,8	0,8	0,2	0,1
Sur	11.251.653,2	100,0	56,9	2,8	15,2	2,3	21,1	0,9	0,2	0,4
Santa Fe	**11.251.653,2**	**100,0**	**66,3**	**3,4**	**20,1**	**1,6**	**5,8**	**2,1**	**0,4**	**0,3**

Fuente: CNA, 2002.
Norte: Dptos. 9 de Julio, Gral. Obligado, San Javier, Garay, Vera, San Cristóbal
Centro: Dptos. La Capital, Las Colonias, San Martín, San Justo, Castellanos
Sur: Dptos. Belgrano, Caseros, Gral. López, Constitución, Iriondo, Rosario, San Lorenzo

El largo proceso de disminución del arrendamiento tradicional y acceso a la propiedad que se da entre los años 1930 y 1960 fue dando a lugar a partir de las décadas 1980 y 1990 a una estructura agraria en la que se expande nuevamente el arrendamiento, con la diferencia de que los que mayoritariamente toman tierras son también propietarios, o grandes tomadores de tierras que, sin ser propietarios o estar aglutinados bajo la figura de un solo productor, arriendan grandes extensiones en función de la disponibilidad de capital financiero de la que disponen, conocidos bajo la figura del *pool* de siembra.[11]

Algunas empresas mega productoras, como Los Grobo Agropecuaria S. A., han crecido principalmente en la década de 1990, a partir del sistema de arrendamiento y franquicia, llegando a administrar 70.000 hectáreas, en este caso. De ellas, solo 20.000 son de su propiedad y las restantes (el 70%) controladas mediante diferentes formas de arrendamiento y asociación con productores y proveedores (Lattuada y Neiman, 2005: 73). De este modo, la expansión productiva generada por las políticas macroeconómicas fortaleció en gran medida los procesos de concentración de capital.

---

11 Estos constituyen un mecanismo para reunir inversores inversión (de origen urbano y rural) bajo la dirección técnica de un ingeniero agrónomo o algunas empresas con profesionales especializados, para arrendar tierras y sembrar grandes extensiones en diversos campos con tecnología avanzada realizada por contratistas para la obtención de mejores condiciones de rentabilidad. Al trabajar a mayor escala, se abaratan los costos de compra de insumos y logran mejores condiciones de comercialización. Al diversificar la producción en diferentes campos se consigue disminuir los riesgos climáticos. La estrategia no contempla la compra de predios, ya que esto significaría la inmovilización del capital. Según diversas estimaciones nacionales, en marzo de 1996 la superficie sembrada bajo este sistema oscilaba entre 400 y 500 mil hectáreas y en el año 2002 había crecido hasta los 2 millones de hectáreas (Barsky y Gelman, 2009: 499).

A pesar de la generalidad de estos procesos en todo el país y en la provincia, estos no impactaron del mismo modo en todas las regiones o zonas de la provincia de Santa Fe, como puede observarse a partir de la información del cuadro siguiente.

Cuadro 17: Cantidad y superficie promedio de EAP según zona productiva, Santa Fe 1988-2002

Zona productiva	CNA 2002			Variación EAP CNA 1988 %	Variación sup. prom. CNA 1988 %
	EAP	%	Sup. promedio (ha)		
Agrícola (1)	14.157	50	229	-23	32
Mixta del Centro (2)	6.150	22	328	-32	51
Ganadera-mixta del norte (3)	5.155	18	689	-21	28
Ganadera (4)	2.641	10	923	-8	11
Total Santa Fe	**28.103**	**100**	**400**	**-24**	**33**

Fuente: CNA, 1988 y 2002 en Scalerandi, 2011: 2
(1) Deptos. Constitución, Rosario, San Lorenzo, Gral. López, Caseros, Belgrano, Iriondo, San Martín y San Jerónimo. (2) Deptos. Castellanos, La Capital, Las Colonias y San Justo. (3) Deptos. 9 de Julio, San Cristóbal y Gral. Obligado. (4) Deptos. Garay, San Javier y Vera.

Todas las zonas han disminuido la cantidad de unidades productivas y aumentado la superficie promedio de sus establecimientos en el período intercensal 1988-2002, pero la zona mixta del centro de la provincia es la que presenta una variación mayor. En 14 años dicha zona presenta una disminución del 32% de sus establecimientos y un incremento de 51% de la superficie promedio ocupada por los mismos.[12] En el mismo sentido podemos decir que la zona ganadera del norte es la que presenta menor variación intercensal del número de explotaciones (-8%) y superficie promedio (11%).

Al realizar este mismo análisis por zonas productivas de acuerdo al tamaño de las explotaciones, observamos que, claramente, las unidades de menor superficie son las que han sufrido la disminución más importante, especialmente en la zona agrícola del sur y las zonas mixtas del centro y norte de la provincia. A la inversa, las zonas sur y centro son las que presentan un mayor incremento de establecimientos de más de 1.000 hectáreas. De este modo, podemos afirmar que en dichas regiones de la provincia la disminución de pequeñas unidades se da en función del incremento de las grandes explotaciones.

A pesar de la evidente disminución en los establecimientos de menor superficie en la provincia, es importante señalar que estos continúan teniendo importancia en todas las zonas delimitadas, y en especial en las zonas agrícola y mixta del centro que concentran el 80% de las explotaciones de hasta 200 hectáreas en la provincia. En menor medida, pero igualmente importante, el 66% de los establecimientos medianos también se concentra en dichas zonas. En cambio, el 62% de los establecimientos de más de 1.000 hectáreas se radican en las zonas ganadera-mixta y ganadera del norte santafesino.

12 Proceso que se vincula con el avance de la producción del cultivo de soja, la eliminación de tambos y la concentración productiva tambera en unidades de mayor tamaño en dicha región. Para 1998, la producción de soja es de 7.300.000 toneladas en la provincia de Santa Fe y producía en ese momento 2724.82 millones de litros leche. Para la campaña 2002/3, Santa Fe produjo 10.223.500 toneladas de soja, mientras que la producción de leche se redujo de 2523.42 millones de litros en 2002 a 2156.11 millones de litros en 2003 (Nogueira, 2008: 12).

Cuadro 18: Cantidad de EAP según zonas y tamaño en Santa Fe, CNA 2002

Zona productiva	Hasta 200 ha	Variación CNA 1988 %	Entre 200 y 1000 ha	Variación CNA 1988 %	Más de 1000 ha	Variación CNA 1988 %
Agrícola (1)	10.021	-30	3.652	-2	483	55
Mixta del centro (2)	3.732	-43	2.057	-9	356	53
Ganadera-mixta norte (3)	2.157	-38	2.137	-5	825	8
Ganadera (4)	1.165	-20	908	2	541	3
Total Santa Fe	**17.075**	**-34**	**8.754**	**-4**	**2.205**	**20**

Fuente: CNA, 1988 en Scalerandi, 2011: 2.
(1) Departamentos Constitución, Rosario, San Lorenzo, Gral. López, Caseros, Belgrano, Iriondo, San Martín y San Jerónimo. (2) Departamentos Castellanos, La Capital, Las Colonias y San Justo. (3) Departamentos 9 de Julio, San Cristóbal y Gral. Obligado. (4) Departamentos Garay, San Javier y Vera.

Los establecimientos de mayor superficie de estas zonas son los que presentan menores variaciones intercensales, siendo el centro y sur de la provincia los que demuestran las mayores transformaciones a nivel de sus estructuras agrarias.

Sin la presencia de políticas de Estado que regulen el comportamiento del sector, el factor tecnológico pasó de ser un promotor de desarrollo y crecimiento a un elemento de diferenciación entre productores y expulsión de pequeñas unidades productivas en el centro y sur de la provincia que merecen especial mención.

El aumento en la escala de producción y el mayor requerimiento de capitales atentó contra la diversidad productiva y la permanencia de los establecimientos de menores superficies con explotaciones de tipo familiar, puesto que la producción de soja se posicionó como única actividad rentable, vinculada con la contratación o adquisición del "paquete tecnológico", que incluía la maquinaria de siembra directa (SD) y sus insumos básicos en semillas, fertilizantes y herbicidas.

La estrategia de los pequeños productores que incrementan su capital en maquinaria y combinan su actividad predial con la oferta de servicios de maquinaria y la de los *pools* de siembra develan la importancia de los contratistas como actores centrales del proceso productivo del agro pampeano actual (Urcola, 2013).

En el CNA 2002 se registra que el 63% de los establecimientos de la provincia contrató algún servicio de maquinaria y que el 27% contrató los tres servicios agrícolas fundamentales (roturación y siembra, mantenimiento de cultivo y cosecha). El servicio de cosecha es el más contratado en la provincia. El 64% de los establecimientos contrata (en forma exclusiva o combinada) servicios de cosecha.

En el Cuadro 19 puede observarse cómo este fenómeno se produce de un modo más pronunciado en los departamentos del centro y sur de la provincia de Santa Fe, en los que el 75% de los establecimientos contrata servicios de maquinaria, mientras que en los departamentos del norte, estos establecimientos representan el 35%. También puede apreciarse que la superficie operada por contratistas aumenta a medida que nos aproximamos al sur provincial.

Cuadro 19: Contratación de servicios de maquinaria en Santa Fe, 2002

Zona	Total EAP	EAP que contrata servicios	%	Sup.
Total provincial	28.034	17.579	63	7.631.588,00
Sur	11.438	8.724	76	3.994.888,00
Centro	7.770	5.802	75	2.591.489,00
Norte	8.826	3.053	35	1.045.211,00

Fuente: CNA, 2002.

En el estudio de Cloquell *et al.* (2007) sobre los productores familiares del sur santafesino se observa que la relación entre superficie total operada y acceso al nuevo modelo de innovación tecnológica en maquinaria (equipos de siembra directa fundamentalmente) son las dos variables centrales que posibilitan observar las condiciones de persistencia y continuidad de las explotaciones en el modelo de producción de soja o de retiro de la actividad productiva (como pequeños rentistas o realizando otras actividades agrarias y extraagrarias).

Se impone así un modelo tecnológico intensivo en capital que implica la expansión de la superficie trabajada por explotación y divide a los productores a partir de sus posibilidades de acceso al mismo.

Estos cambios en el modo de producir agrícola modificaron también el escenario de los trabajadores rurales pampeanos, puesto que el nuevo modelo tecnológico implicó la disminución de la mano de obra asalariada necesaria y la demanda de un mayor grado de calificación del personal para las tareas a realizar, que a su vez requieren menor presencia permanente en el campo. De este modo, disminuye el empleo estable y crece el transitorio de un sector poblacional que también tiende a abandonar la residencia rural para radicarse en zonas urbanas donde realizar otras actividades y trasladarse a las explotaciones en temporadas de trabajo. La tendencia actual, en una proporción importante de los establecimientos agrícolas (algo más del 25%), es a la tercerización de las tareas a través de servicios brindados por contratistas. De este modo, crece la permanencia laboral en torno a los mismos y no en relación con las unidades de producción. Esto genera un proceso de flexibilización de la actividad rural similar al observado en el ámbito industrial.

La década de 1990 presenta una estructura agraria pampeana con profundas modificaciones en cuanto a la reducción del número de explotaciones agropecuarias (especialmente pequeñas) y la concentración productiva en unidades de mayor tamaño (medianas y grandes) a través de diversas formas de arrendamiento y vínculos contractuales entre productores, proveedores, rentistas, contratistas e inversores rurales y urbanos. La región norte de la provincia presenta una menor incidencia en cuanto a estos procesos, pero sin dejar de sufrir los efectos propiciados por el contexto económico y social general de esta década.

En todo este proceso, un dato no menor es la privatización de las terminales portuarias en 1979. A partir de entonces, las empresas comercializadoras de granos tienen la posibilidad de convertirse en propietarias de sus terminales de embarque. Rosario es ya el puerto cerealero más importante del país.

Para 1981, la actividad industrial provincial se había retraído en un 14%, junto a la consecuente pérdida de poder adquisitivo del salario real, la desmovilización y prohibición del movimiento obrero y la coacción física individual y colectiva que el autodenominado Proceso de Reorganización Nacional había dejado como resultados más papables de la aplicación del aperturismo. Un aperturismo que, tal como se indicó, se consolidó en 1991 durante la presidencia -ya en democracia- de Carlos Saúl Menem y la puesta en marcha de un proceso de desregulación de todas las estructuras económicas estatales favoreciendo directamente a una privatización generalizada de la economía y la sociedad con efectos muy negativos en los niveles de empleo y las condiciones de vida.

Pese a las muy conocidas consecuencias de los dos gobiernos de Carlos Menem, debe mencionarse que en este período hubo algunos sectores ganadores. En este caso, el Producto Bruto Industrial en la provincia crece en el marco de tres procesos: auge y diversificación productiva, líneas de financiamiento y adopción de perfiles industriales multisectoriales (Águila, 2006). En 1994, con un sistema económico tan ligado a los vaivenes internaciones y luego del denominado "efecto tequila", la economía entra en recesión.

En este escenario la diversidad geográfica y territorial de Santa Fe dio lugar a desarrollos diversos. Las distintas regiones de la provincia se sostuvieron de acuerdo a sus posibilidades de inserción. Los autores destacan las asimetrías sectoriales y locales. Hubo desmantelamientos absolutos: fábricas de autopartes y repuestos en la zona de Sauce Viejo y Rosario o de maquinaria agrícola en San Vicente y Firmat. Otros rubros, como la industria metalmecánica, asistieron a un proceso de relocalización, igual que buena parte de la industria de alimentos. Una de las que presentó mayores efectos fue la del frigorífico. Otras pudieron mantener algunos "nichos" competitivos. La industria láctea incluso pudo ampliar mercados de exportación.

Así, por ejemplo, la industria metalmecánica y mecánica del sur tuvo un destino incierto mediado por el endeudamiento de los sectores empresariales, la expulsión de trabajadores y a la apertura de la economía a la producción importada. La zona centro-sur, sin embargo, sostuvo la reconversión de los sectores económicos a través de la producción agrícola y su vinculación con la industria de maquinarias e insumos para el campo y la producción de harina y pellets de la extracción de aceite de soja.

La zona norte, por el contrario, sintió muy duramente la retracción de la actividad ganadera generalizada, dando lugar a una polarización más profunda entre un norte "pobre" y un sur "rico", en donde se encontraban los centros urbanos más modernos y con mayor población. Esta situación general ocurre en un contexto de altísima concentración económica en términos de los sectores empresariales: el número de establecimientos cae en un 20%, el empleo industrial lo hace un 24,48%. En síntesis, la acentuación de las asimetrías provinciales permite un nuevo trazado provincial (Aguilar, 2006) caracterizado por: a) desestructuración en sectores industriales, con cierre de plantas y transformación de las actividades (maquinaras, metalmecánicas, frigoríficos). Sur: desde Sauce Viejo, el Gran Rosario, Firmat y San Vicente; b) consolidación de industrias con especialización flexible (lácteos en el centro oeste tomando por caso la localidad de Rafaela, u oleaginosas en el sur como lo ejemplifica la localidad de Puerto General San Martín).

La ciudad de Rafaela se considera un núcleo dinámico en el centro provincial en términos de una "especialización industrial flexible" y Puerto General San Martín, un ejemplo de polo portuario industrializado. A partir de estas transformaciones algunos autores (Cloquell *et al.*, 2011) proponen una diferenciación del territorio provincial a partir de la existencia de dos tipos de localidades: 1) "localidades principalmente asiento de la exportación" *o* "localidades-puerto" (tal sería Puerto San Martín) aquellas situadas estratégicamente a orillas del río Paraná, donde están ubicadas las principales empresas de capital local-global que industrializan y exportan y 2) "localidades principalmente asiento de la producción de materias primas" o "localidades-gestión de la agricultura" donde se radican empresas relacionadas a la producción y provisión de insumos y maquinaria agrícola, soporte tecnológico del modelo de producción de *commodities*.

La conformación del MERCOSUR en 1995 y, posteriormente, la iniciativa -de carácter interprovincial- de constituir la región centro primero, con intereses comunes: Santa Fe, Córdoba y Entre Ríos, y la Comisión Regional de Comercio Exterior del Noreste Argentino (CRECENEA) después, tendieron a acentuar las diferencias propuestas en el marco de consolidar las producciones más "exitosas": la lechería en la cuenca centro-oeste; los granos, industria aceitera y frigoríficos en el sur, dando mayor prioridad en la agenda a los rubros competitivos.

Con el derrotero de la convertibilidad y sus efectos negativos, se logró desarticular los "mundos de vida" conocidos, reconfigurando el Estado, los procesos productivos, sociales y del mercado de trabajo. En la provincia de Santa Fe, el quiebre de muchas firmas, los procesos de reconversión de otras y, finalmente, la privatización de las empresas estatales tuvieron claros y contundentes efectos.

Rodríguez (2006) relata en detalle algunos de los casos más recordados: a comienzos de 1990, Acindar despidió a 3.445 trabajadores de la planta de Villa Constitución como parte de un "plan de reestructuración empresarial". Desaparecían algunos supermercados, tales como el Supercoop (la Cooperativa de Trabajo El Hogar Obrero) y la

Carpa de la Conciencia, instalada por los trabajadores bancarios entre 1997 y 1998 a propósito de resistir la privatización del Banco Provincial de Santa Fe. Solo para poner en números estos hechos, se afirma que la provincia tenía por entonces un 15,5% de población desocupada.

7. El contexto posconvertibilidad (2002-2011)

Con la devaluación de 2002, surge aquello que algunos autores denominaron como un "nuevo patrón de crecimiento" (CENDA, 2010). Este se sostuvo, en un primer momento, a partir de un dólar alto que beneficiaba las exportaciones agropecuarias y otorgaba mayor protección a la producción industrial, y luego, por un creciente intervencionismo en la economía y la activa promoción del consumo interno. Ciertamente, aunque algunas problemáticas se mantienen, especialmente después de 2008, existen cambios significativos respecto del Estado en la economía a partir de 2003, con una consecuente y consensuada reducción de los niveles de desempleo abierto, pobreza e indigencia. Sin embargo, la precariedad del empleo, la composición del producto, la recuperación del poder adquisitivo continuaron siendo problemas estructurales de la Argentina y la provincia, que se profundizaron a partir del 2011 y condujeron a un nuevo cambio de paradigma político con el triunfo de Mauricio Macri en las elecciones presidenciales de 2015.

La provincia de Santa Fe fue gobernada desde la recuperación democrática en 1983 hasta el año 2007 en forma continua por fuerzas políticas provenientes del partido justicialista. Desde 2007 en adelante, el Partido Socialista –que había gobernado por un cuarto de siglo la ciudad de Rosario–, (actualmente en el Frente Progresista Cívico y Social) se hizo cargo de la administración provincial, primero bajo la gobernación de Hermes Binner (2007-2011) y luego de Antonio Bonfatti (2011-2015), introduciendo una serie de cambios institucionales, que serán descriptos más adelante.

En este contexto generalizado, Pellegrini *et al.* (2011) rescatan el hecho de que en el territorio provincial los gobiernos locales (municipales o comunales) comienzan a dar mayor entidad a los "parques y áreas industriales". En la provincia existen 6 parques y 30 áreas industriales que articulan la cooperación entre el sector público y el privado. Estos procesos han favorecido la localización y relocalización de pymes y fábricas por fuera de las localidades (sobre todo las pequeñas y/ o intermedias). En 2007, Santa Fe contaba con 360 empresas distribuidas en parques y áreas, número que se duplica para el año 2011. Asimismo, el 60% de ese incremento se origina en 7 localidades, la mayoría de ellas correspondientes al sur y centro provincial: Las Parejas, Amstrong, Rufino, Venado Tuerto, Rafaela y Sunchales.

Aunque a partir de 2009, se visualiza un estancamiento y contracción de la industria a nivel nacional (CENDA, 2010), la presencia de estos espacios industriales localizados territorialmente con tradiciones productivas –como la industria de maquinaria agrícola en Las Parejas o Las Rosas–, resultan relevantes para evaluar los alcances de la expansión industrial en el último tiempo.

En este contexto de "posconvertibilidad", Santa Fe ha tenido un importante desarrollo de los cultivos de granos –contracara en parte de un desarrollo tecnológico de gran envergadura– sostenido fundamentalmente en la producción de oleaginosas y, especialmente, de soja. Esos datos quedan reflejados en la información disponible del Censo Nacional Agropecuario de 2008 y reflejan el peso relativo de su relevante contribución a la producción total del país.

Se observa un aumento en la compra de vehículos utilitarios, maquinarias agrícolas, silos y mejoras en infraestructura general, así como también inversiones inmobiliarias en las ciudades (compra de terrenos y departamentos) que generaron un mayor dinamismo en la actividad económica de la región.

Cuadro 20: Superficie cultivada en primera ocupación por grupo de cultivos, Santa Fe y total del país

Grupo	Santa Fe	Total del país	% Santa Fe
Cereales para granos	1.384.849	8.655.925	15,9%
Oleaginosas	1.962.299	10.408.513	18,8%
Industriales	13.177	766.904	1,71%
Frutales	741	496.124	0,14%
Forestales	7.688	832.382	0,92%

Fuente: INDEC, resultados provisorios Censo Nacional Agropecuario 2008.
Nota: Se destaca que los datos consignados son provisorios, dado que la superficie censada para el caso de Santa Fe corresponde al 95% de la registrada en el Censo Nacional Agropecuario de 2002.

Como se ha referido, el norte, mayormente vinculado a la actividad ganadera y otros cultivos industriales, ha tenido un menor impacto en cuanto a la composición de su estructura agraria, aunque sin poder evitar cierta transformación sobre sus actividades. El cultivo de algodón, por ejemplo, sufre una considerable merma, por el avance del cultivo de soja. En la década de 1980 el norte santafesino llegó a las 75.000 hectáreas cultivadas de algodón y en la campaña 2002/03 dicho cultivo no alcanzó las 10.000 hectáreas (Delssín, 2003).

El Cuadro 21 permite observar la distribución de establecimientos agropecuarios de acuerdo a su orientación productiva predominante (agrícola, ganadera, mixta-ganadera y mixta-agrícola).

Cuadro 21: EAP según orientación productiva en Santa Fe, 2002

Orientación productiva*	**Sur** (Constitución, Rosario, San Lorenzo, Gral. López, Caseros, Belgrano, Iriondo, San Martín y San Jerónimo)	**Centro** (Castellanos, La Capital, Las Colonias y San Justo)	**Norte y centro-norte** (Vera, San Javier y Garay)	**Norte** (General Obligado, 9 de Julio y San Cristóbal)
	EAP%	**EAP%**	**EAP%**	**EAP%**
Predominantemente agrícola (1)	66,3	17,6	9,3	12,7
Mixto agrícola-ganadero (2)	13,5	8,7	1,8	4,0
Mixto ganadero-agrícola (3)	9,1	17,7	5,7	9,5
Predominantemente ganadero (4)	9,9	55,0	78,6	72,6
Total con sup. implantada	98,8	99,0	95,4	99,0
Sin sup. implantada	1,2	1,0	4,6	1,0
Total	100,0	100,0	100,0	100,0

Fuente: CNA, 2002 en Castignani, 2011.
* De la superficie total de la EAP se destina: (1) más del 80% a producciones agrícolas; (2) entre el 80% y 50% a agricultura; (3) entre el 80% y 50% a ganadería; (4) más del 80% a ganadería.

Se observa la preponderancia agrícola de los establecimientos del sur y la predominancia granadera de los del norte. Los departamentos del sur concentran el 66% de los establecimientos predominantemente agrícolas y el 13% de los mixtos agrícola-ganaderos. Los departamentos del norte de la provincia concentran entre el 73 y el 79% de los establecimientos predominantemente ganaderos. En los departamentos del norte (Gral. Obligado, 9 de Julio y San Cristóbal) se distingue además un 13% de establecimientos predominantemente agrícolas, vinculados con el cultivo de soja, girasol, algodón y caña de azúcar.

El centro de la provincia cuenta con una distribución más diversa, aunque con cierta predominancia de la actividad ganadera, vinculada con la producción tambera y de cría de ganado vacuno. El 55% de sus establecimientos son predominantemente ganaderos, el 26% son mixtos y el 18% agrícolas. Según Castignani (2011), para el año 2005, la zona comprendida por los departamentos del centro tuvo la mayor cantidad de ganado vacuno de toda la provincia. Los datos de la encuesta ganadera de junio de 2005 indicaron 967.131 cabezas, lo que correspondió al 31% del total provincial. La producción de leche adquiere gran relevancia en esta zona. Los establecimientos dedicados a esta única actividad representan más del 23% de los casos y ocupan el 20% de la superficie total zonal. Deben sumarse a estos sistemas aquellas explotaciones que combinan la actividad tambera con la producción de cultivos y de carne vacuna que representan el 11,7% de las unidades y el 14% de la superficie bajo producción.

A pesar de no contar con información confiable más actualizada, los resultados provisorios del Censo Nacional Agropecuario de 2008 -que por diversas irregularidades acontecidas durante el operativo censal deben ser tomados con cautela–[13] muestran que en la provincia de Santa Fe se han atenuado las tendencias orientadas a la disminución del número de establecimientos agropecuarios del período intercensal 1988-2002.

Cuadro 22: Comparación EAP y superficie CNA 2002-2008, provincia de Santa Fe

	EAP	Sup.
CNA 2002	28.103	11.251.653
Variación %	-24,1	1,5
CNA 2008	26.836	10.787.942
Variación %	-4,5	-4,1

Fuente: CNA, 2002; CNA, 2008.

8. Síntesis

En este capítulo se ha dado cuenta de las características de la estructura socioeconómica provincial, a partir de la evolución de la ocupación del territorio y el desarrollo de sus fuerzas productivas –con especial atención en el

13 Según se informa desde el Instituto Nacional de Estadísticas y Censos, como consecuencia de circunstancias diversas, los datos preliminares correspondientes a la superficie total de EAPs con límites definidos, de las que se ha obtenido respuesta al cuestionario censal, en todo el país arroja, hasta la fecha de corte de la información preliminar, un resultado menor al registrado en los dos censos anteriores más recientes, los de 1988 y 2002. Hasta la fecha de corte de este informa se había recibido respuesta de EAPs con límites definidos que involucran una superficie total de 155,4 millones de hectáreas, o sea 21,7 millones de hectáreas menos y 19,4 millones de hectáreas menos que dichos censos, respectivamente. Sin embargo, ello no significa una disminución de la superficie agropecuaria del país de esas magnitudes. Solamente expresa que el CNA 2008 logró captar información hasta la fecha de las EAPs que cubren la mayor parte del territorio, pero no de su totalidad (INDEC, 2009).

sector agropecuario y su estructura agraria-, destacando las trayectorias y resultados diferenciales entre sus regiones norte y sur.

Desde la colonización agrícola en adelante, se establece en la provincia una clara diferencia entre la región pampeana-sur y la chaqueña-norte que se refleja en un desigual poblamiento y desarrollo productivo de su territorio. La estructura agraria provincial presenta una clara preponderancia agrícola en el sur y ganadera en el norte. El desarrollo industrial vinculado al agro -industria aceitera, láctea y frigorífica- y a otras manufacturas -siderurgia, metalmecánica, química y petroquímica- se desarrolló mayoritariamente alrededor de los centro urbanos del centro y sur provincial, con excepción de la importante industria forestal de explotación de quebracho para producción de tanino de principios de siglo xx y las industrias vinculadas al algodón y la de caña de azúcar, cuyo nivel de desarrollo histórico ha sido errático y fluctuante.

La estructura agraria santafesina desagregada por zonas permite observar con claridad que el norte cuenta con una mayor concentración de superficie bajo explotación en unidades de mayor tamaño -aunque de menor calidad productiva-. El 8% de los establecimientos de la zona que disponen de más de 2.000 hectáreas cuentan con el 54% de la superficie bajo explotación. Los establecimientos de entre 500 y 2.000 hectáreas representan el 24% y explotan el 31% de la superficie regional. En cambio, en el centro y sur de la provincia se observa una mayor concentración de establecimientos y superficie explotada en los estratos medios de entre 100 y 500 hectáreas. En el centro el 58% de estos establecimientos dispone del 56% de la superficie bajo explotación y en el sur el 45% de los establecimientos tiene el 59% de la superficie total bajo explotación.

Cuadro 23: Estratificación de EAP en Santa Fe por zona (2002)

Zona		Total	%	Hasta 50	50,1-100	100,1-200	200,1-500	500,1-1.000	1.000,1-1.500	1.500,1-2.000	Más de 2.000
Norte	EAP	7.733,0	100,0	14,3	11,4	17,2	25,4	14,0	6,6	3,3	7,8
	Sup.	5.989.584,4	100,0	0,5	1,2	3,3	10,7	12,8	10,5	7,3	53,6
Centro	EAP	8.863,0	100,0	19,2	18,8	24,3	24,4	9,1	2,7	1,0	1,8
	Sup.	2.794.247,4	100,0	1,4	4,6	11,3	24,4	20,2	10,5	5,7	21,8
Sur	EAP	11.438,0	100,0	30,1	21,4	21,5	18,1	5,9	1,4	0,7	0,9
	Sup.	2.467.821,4	100,0	3,7	7,3	14,3	26,2	18,7	7,9	5,7	16,1
Santa Fe	EAP	**28.034,0**	**100,0**	**21,9**	**17,8**	**21,2**	**22,1**	**9,1**	**3,3**	**1,5**	**3,1**
	Sup.	**11.251.653,2**	**100,0**	**1,4**	**3,4**	**7,7**	**17,5**	**15,9**	**9,3**	**6,6**	**37,5**

Elaboración propia en base a CNA, 2002.
Norte: Dptos. 9 de Julio, Gral. Obligado, San Javier, Garay, Vera, San Cristóbal
Centro: Dptos. La Capital, Las Colonias, San Martín, Sa Justo, Castellanos
Sur: Dptos. Belgrano, Caseros, Gral. López, Constitución, Iriondo, Rosario, San Lorenzo

De este modo, en el norte provincial prevalece una estructura económica basada en la producción primaria -ganadería bovina y algunos cultivos industriales-, con escaso nivel de desarrollo industrial (concentrado en el eje Reconquista-Avellaneda) y una estructura agraria con fuerte presencia de establecimientos ganaderos con superficies medianas y grandes y, en menor medida, pequeños y medianos establecimientos para la producción agrícola de soja, girasol, algodón y caña de azúcar, y en el este arroz. Por su parte, el centro y sur provincial se caracteriza por el sector servicios y una industria de bienes agroexportables -como la molienda de granos, la producción de aceites, subproductos y plantas de biocombustibles, frigoríficos, usinas lácteas-, además de concentrar la industria petroquímica, siderúrgica y metalúrgica. La estructura agraria de esta región se caracteriza por establecimiento de menores dimensiones, su gran dinamismo, variedad de actores intervinientes y alto grado de desarrollo tecnológico (mecanización y biotecnología) aplicado a la producción agrícola extensiva, y láctea.

2. Regionalización y caracterización actual del territorio provincial

1. Ubicación geográfica

La provincia de Santa Fe está ubicada en la región centro-este de la República Argentina, formando parte de una de las regiones agropecuarias e industriales más pobladas del territorio nacional. Para el 2015 contaba con el 8% de la población total del país y su participación relativa en el PBG nacional se ubicaba en torno al 7,5%, ocupando el tercer lugar en importancia después de la provincia de Buenos Aires y CABA.

La superficie que ocupa es de 133.007 km^2, representa aproximadamente el 5% de la superficie total del país. Se encuentra dividida políticamente en 19 departamentos, y su ciudad capital es Santa Fe de la Vera Cruz, ubicada a 475 km de la Capital Federal, provincia de Buenos Aires (Figura 4).

Si bien presenta un extenso territorio rural, más del 90% de su población es urbana, concentrada sobre áreas industriales, comerciales y de servicios. En torno a la localidad de Rosario (la principal ciudad de la provincia) se despliega uno de los mayores complejos agroalimentario y portuario del mundo, el complejo oleaginoso.

Figura 4: División político administrativa de la provincia de Santa Fe

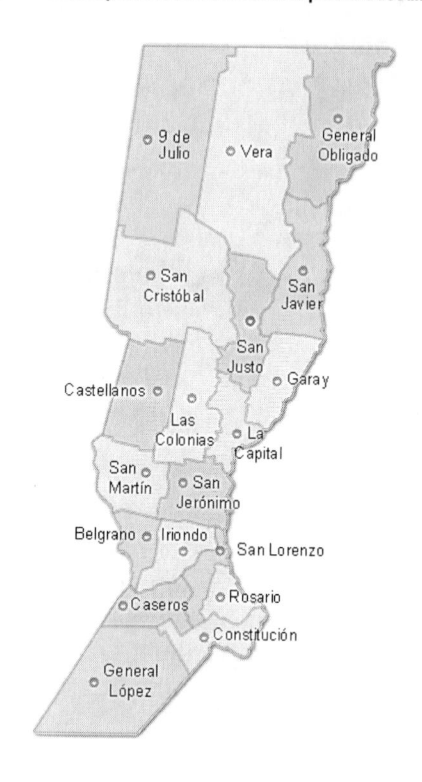

2. Caracterización física: ecorregiones

Todo el territorio es una extensa llanura -caracterizada por la suavidad de su relieve- que se encuentra a una altura sobre el nivel del mar oscilante entre los 10 y 125 metros. Esta oscilación permite distinguir dos regiones geográficas bien definidas, según Cabrera (1976) (Figura 5): la llanura chaqueña (norte) y la llanura pampeana (sur). Tal diferenciación de los ambientes naturales, establecida por el paisaje, el clima, la ubicación geográfica y la capacidad productiva de los suelos -entre otros factores– dio lugar a procesos sociales, económicos y culturales muy distintos: el *sur*, que forma parte de la zona agrícola núcleo, siendo Rosario el epicentro de una región metropolitana cuya economía se basa en los sectores de servicios e industria, y el *norte*, donde predomina la ganadería de cría, con grandes extensiones de pastizales naturales, bajo nivel de infraestructura y pequeñas localidades rurales. Entre ambas regiones se presenta una zona de transición: el *centro*.

Figura 5: Provincia de Santa Fe. Ecorregiones: (1) Llanura pampeana (SUR), (2) Llanura chaqueña (NORTE)

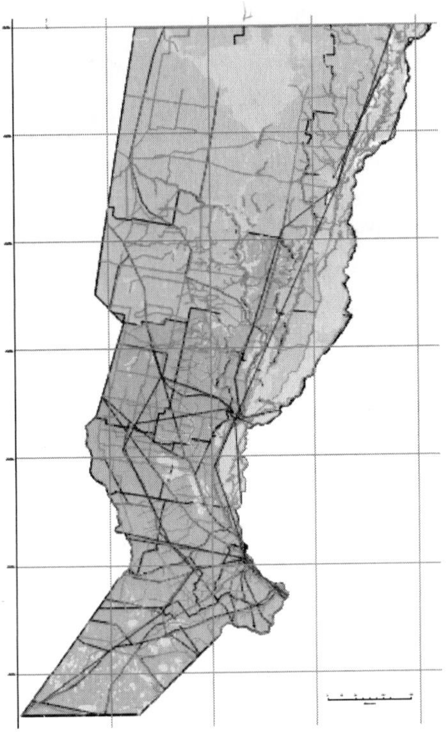

Fuente: Cabrera (1976).

La llanura pampeana abarca los departamentos del sur y centro de la provincia: General López, Constitución, Caseros, Rosario, San Lorenzo, Iriondo, General Belgrano, San Martín, San Gerónimo, Castellanos, Las Colonias, La Capital y San Justo.

Las características climáticas de la región, en cuanto al régimen de precipitaciones, el rango de temperaturas y el período libre de heladas, sumado a las particularidades físico-químicas de los suelos -fertilidad, estructura, profundidad, etcétera- y el tipo de relieve suavemente ondulado, crean un ambiente de alta productividad para la producción de cereales, oleaginosas y pasturas implantadas (trigo, cebada, maíz, soja, girasol, colza, alfalfa, etcétera).

Estas ventajas comparativas, sumadas a ventajas competitivas de orden tecnológico (siembra directa, mejoramiento genético, manejo de insumos, etcétera), y la dinámica del complejo aceitero, han favorecido la intensificación de la agricultura en el sur de la provincia, reemplazando la tradicional ganadería bovina (invernada o engorde a campo) por sistemas de producción de carne más intensivos como el engorde a corral o *feedlot*. Porstmann *et al.* (2013) afirman que los altos precios y rendimientos de los productos agrícolas compiten con las actividades ganaderas por el uso de la tierra, dotándola de un alto costo de oportunidad, provocando su desplazamiento a suelos de menor aptitud agrícola o a sistemas en confinamiento.

Las características ambientales -clima, suelo y relieve- de la región sur y el aprovechamiento del río Paraná como vía navegable para embarcaciones de ultramar explican -en parte- la relevancia de la producción agroalimentaria y su impulso en el crecimiento económico de esta región.

La llanura chaqueña, se ubica principalmente en los departamentos de 9 de Julio, Vera, San Cristóbal, San Javier, General Obligado y Garay. En términos generales, presenta un ambiente de menor productividad para las actividades agrícolas y ganaderas. Muestra también condiciones climáticas más extremas, relieve plano con drenaje insuficiente, suelos menos desarrollados y fértiles. Estos factores provocan que la superficie apta para la producción de granos sea mucho menor, con mejores posibilidades para el girasol, la soja, el algodón y la caña de azúcar, dando origen al desarrollo de hilanderías de fibra en el eje ubicado en el extremo noreste, Reconquista-Avellaneda, que ha concentrado un pequeño polo metalúrgico y tecnológico, e ingenios azucareros en Villa Ocampo y Las Toscas.

El paisaje predominante son los pastizales naturales donde se desarrollan la cría bovina y, en menor medida, la recría e invernada, con baja carga animal y baja producción de carne por ha. Al este, se destaca el valle del río Paraná, un ambiente de islas y arroyos con gran diversidad en su flora y fauna.

En el centro de la región se ubica una extensa depresión (departamentos de 9 de Julio, Vera y San Cristóbal) denominada bajos submeridionales (Figura 6). Pire y Lewis (2005), explican que el relieve del área presenta una pendiente muy baja, por lo que el escurrimiento es muy lento. Esto, sumado a las lluvias, derrames de los esteros chaqueños y otros aportes de cuencas aledañas, provoca frecuentes inundaciones al finalizar el verano, seguidas de una sequía de duración variable. Los suelos son salinos y la vegetación predominante son pajonales de *Spartina argentinensis*, de bajo aprovechamiento forrajero.

Figura 6: Provincia de Santa Fe. Zona de los bajos submeridionales

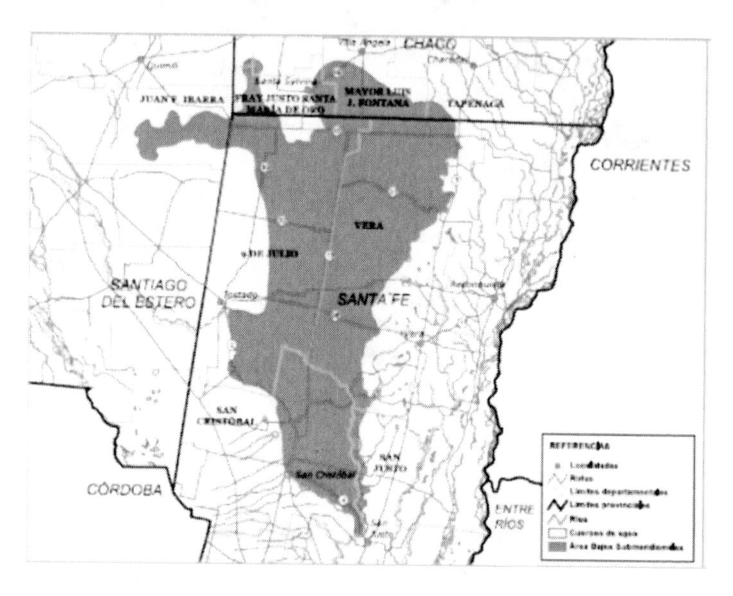

Aproximadamente el 90% de los suelos que poseen aptitud agrícola se encuentran la región sur de la provincia, mientras el 90% de uso exclusivamente ganadero en la región norte. Estas limitantes naturales del norte impactan en una menor densidad poblacional, con localidades de perfil rural, una menor red vial, de servicios e industrias, desarrollando, asimismo, una menor actividad económica en comparación con la región sur.

El centro de la provincia es una zona de transición que presenta una mayor variabilidad climática y de suelos que el sur. La agricultura se integra a los sistemas mixtos (tambo y/o invernada) y es en este sector en el que se ubica alrededor del 31% de la producción láctea nacional y el 50% de la producción de carne bovina de la provincia. Se destacan las localidades de Rafaela y Sunchales por sus actividades industriales y de servicios.

3. Producto bruto geográfico provincial

El Producto Bruto Geográfico (PBG) de una jurisdicción determinada refleja la actividad económica de las unidades productivas residentes en esa jurisdicción, siendo igual a la suma de los valores agregados por dichas unidades productivas. Desde el punto de vista contable, el PBG es la agregación de los saldos de la cuenta de producción de las distintas ramas de la actividad.

Si analizamos la evolución histórica del PBG de Santa Fe -medido a precios constantes de 1993-, la economía santafesina creció a una tasa anual promedio del 3,1% desde 1993, superando, a partir del 2002, la tasa de crecimiento del Valor Agregado Bruto de la Nación. La participación del PBG provincial en el VAB nacional en el año 2012 fue del 8,1%, ubicándose en tercer lugar después de Buenos Aires y CABA.

Gráfico 1: Tasa anual de crecimiento (a precios constantes de 1993 en %)

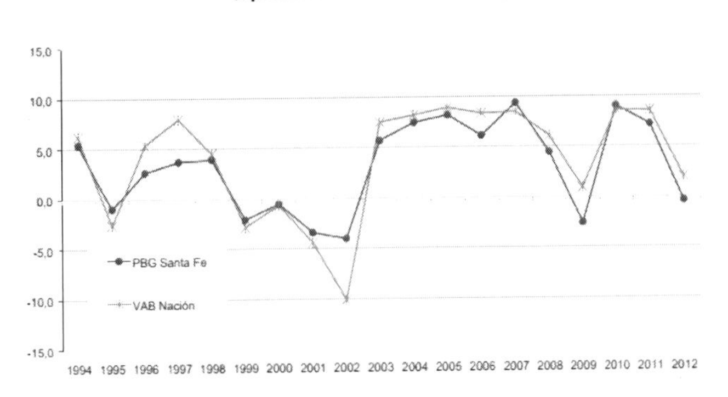

Fuente: Elaboración y datos del IPEC.

Asimismo, debido a los diferentes órdenes de magnitudes se utiliza como base de comparación el producto bruto *per cápita*, tanto nacional como provincial, verificando un crecimiento de la economía de Santa Fe superior al promedio.

Gráfico 2: Producto bruto per cápita
(a precios corrientes de 1993 en pesos)

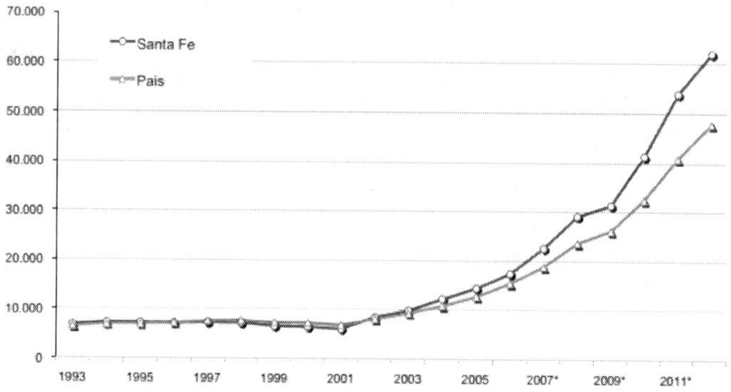

Fuente: Elaboración y datos del IPEC.

3.1. Evolución por sectores

El impulso principal en la provincia de Santa Fe estuvo dado por el incremento real de los sectores productores de bienes, que crecieron a una media del 3,7% en los pasados 19 años, mientras que los servicios lo hicieron a un promedio del 2,8%. Los sectores productores de servicios explican alrededor del 70% del PBG provincial y el 30% restante, los sectores productores de bienes.

Gráfico 3: Producto bruto geográfico por sectores (a precios constantes de 1993 en pesos)

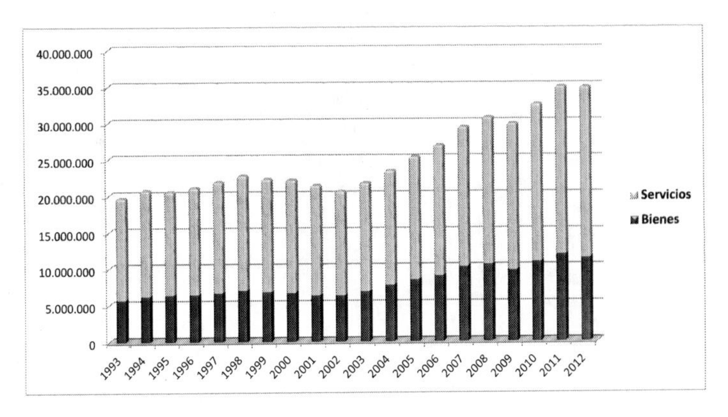

Fuente: Elaboración propia en base a datos del IPEC.

Entre las categorías del sector productor de servicios, el mayor aporte corresponde a servicios inmobiliarios, empresariales y de alquileres, con una participación promedio del 43% y en segundo lugar la categoría comercio con 21%.

Gráfico 4: Producto bruto geográfico, sector servicios por categoría (a precios constantes de 1993 en pesos)

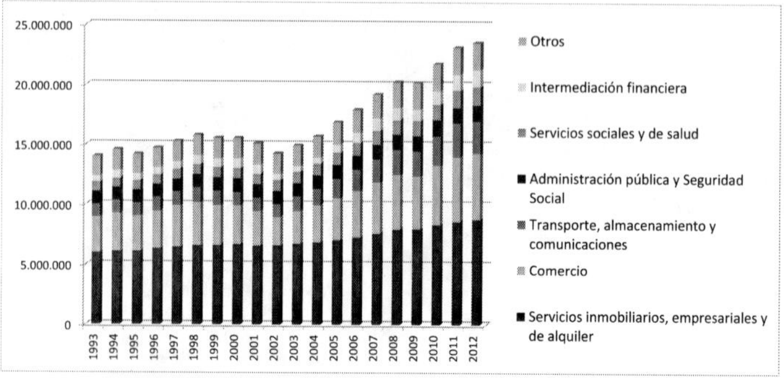

Fuente: Elaboración propia en base a datos del IPEC.

Gráfico 5: Producto bruto geográfico, sector bienes por categoría (a precios constantes de 1993 en pesos)

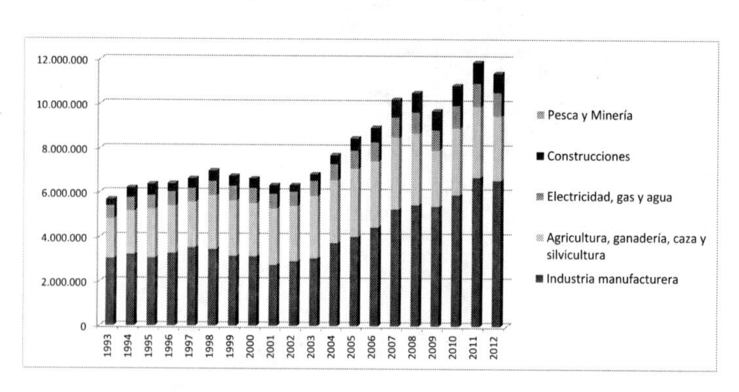

Fuente: Elaboración propia en base a datos del IPEC.

Entre las categorías del sector productor de bienes, el mayor aporte corresponde a industria manufacturera con una participación promedio del 53%, y en segundo lugar, la categoría agricultura y ganadería con 31%.

Cuadro 24: Producto bruto geográfico, participación porcentual por categorías (a precios constantes de 1993 en pesos)

Concepto	VAB Santa Fe	Part. en el total provincial	VAB Nacional	Part. en el total nacional	Part. Santa Fe en categoría nacional
Servicios inmobiliarios, empresariales y de alquiler	8.786.880	25,2%	55.859.634	12,9%	15,7%
Industria manufacturera	6.567.432	18,8%	74.659.511	17,2%	8,8%
Comercio	5.486.863	15,7%	65.739.183	15,2%	8,3%
Agricultura, ganadería, caza y silvicultura	2.905.436	8,3%	17.342.130	4,0%	16,8%
Transporte, almacenamiento y comunicaciones	2.726.519	7,8%	56.917.840	13,1%	4,8%
Servicios sociales y de salud	1.541.618	4,4%	15.592.460	3,6%	9,9%
Intermediación financiera	1.405.011	4,0%	32.211.245	7,4%	4,4%
Administración pública y Seguridad Social	1.348.155	3,9%	20.007.612	4,6%	6,7%
Enseñanza	1.087.855	3,1%	17.947.782	4,1%	6,1%
Electricidad, gas y agua	1.070.131	3,1%	11.582.945	2,7%	9,2%
Construcciones	849.385	2,4%	25.395.946	5,9%	3,3%
Servicios comunitarios, sociales y personales	596.892	1,7%	19.405.534	4,5%	3,1%
Restaurantes y hoteles	243.823	0,7%	11.136.652	2,6%	2,2%
Servicio doméstico	303.070	0,9%	4.458.704	1,0%	6,8%
Explotación de minas y canteras	5.844	0,02%	4.980.050	1,1%	0,1%
Pesca	2.790	0,01%	502.412	0,1%	0,6%

Fuente: Elaboración y datos del IPEC

En síntesis, las categorías más importantes, que explican casi el 70% del PBG de la provincia, son los servicios inmobiliarios, empresariales y de alquiler[14] (25,2%); la industria manufacturera (18,8%); el comercio (15,7%); la agricultura y ganadería (8,3%).

---

14 Incluye: actividades de informática; de arquitectura, ingeniería y otras actividades técnicas; otras actividades empresariales (legales, contables, impositivas, publicitarias, etcétera); de inmobiliarias y el alquiler de maquinarias, equipos, etcétera.

4. La importancia de Santa Fe en las cadenas agroalimentarias y de agregado de valor nacional

El trabajo elaborado por Anlló *et al.* (2010) sobre cadenas globales de valor en Argentina, muestra un mapa actualizado de la relevancia económica de las diferentes cadenas productivas agroalimentarias del país, a través de la cuantificación de una treintena de cadenas que cubren la totalidad del sector. Se trabajó sobre la cuantificación de cuatro variables fundamentales: el valor bruto de producción (VBP), el valor agregado (VA), las exportaciones y el empleo.

Anlló *et al.* (2010: 54) identifica en el territorio nacional 31 cadenas agroalimentarias que generan un valor agregado mayor a $113.000 millones, exportaciones por casi US$27.000 millones y más de 1.800.000 puestos de trabajo en el año 2007. Estas cadenas cuantificadas representan el 15% del PBI, el 48% de las exportaciones totales del país y el 11% de los puestos de trabajos nacionales. Las 31 cadenas se construyen en torno a los siguientes productos: soja, carne bovina, leche, trigo, maíz, uva para mesa y vinificación, cebada, pollo (carne y huevo), forestal, porcinos, girasol, peras y manzanas, limón, arroz, ovinos, tabaco, cítricos, caña de azúcar, *berries,* maní, yerba mate, tomate, oliva, algodón, sorgo, papa, miel, ajo, caprinos, té, colza, flores.

La soja, la carne bovina y la leche constituyen las tres principales cadenas: de acuerdo a su valor agregado, aportan la mitad de lo que generan el resto de las cadenas cuantificadas. La soja aporta el 26% del valor agregado agroalimentario, mientras que la carne bovina y la leche aportan el 14% y 12% respectivamente (Anlló *et al.*, 2010: 75). Las cadenas de producción de trigo, maíz, uva, cebada, pollo y forestal ocupan un segundo grupo de productos respecto del total de las cadenas con un peso de entre el 4 y 5% cada una de ellas (Anlló *et al.*, 2010: 55).

Haciendo una desagregación territorial estimativa del valor agregado de las cadenas agroindustriales por provincia, se indica que el 29% se genera en la provincia de Buenos Aires, el 21% en Santa Fe y el 16% en Córdoba (Anlló *et al.*, 2010: 66). Al realizar esta misma desagregación por eslabones (primario y secundario), se observa la importancia del aporte santafesino en el eslabón industrial nacional. La participación de Santa Fe en el eslabón primario es del 17%, ubicándose por debajo de Buenos Aires y Córdoba que aportan el 29% y 20% respectivamente; mientras que el eslabón industrial santafesino contribuye con el 28%, apenas por debajo de Buenos Aires que aporta el 34% y muy por encima de Córdoba que aporta solo el 8% (Anlló *et al.*, 2010: 67).

Cuadro 25: Aporte de cada provincia al valor agregado de las 31 cadenas agroalimentarias en Argentina y por eslabones primario y secundario.

Provincia*	% Total	% Primaria	% Industrial
Buenos Aires	29	29	34
Santa Fe	21	17	28
Córdoba	16	20	8
Entre Ríos	7	9	5
Mendoza	5	4	6
Corrientes	3	3	3
Tucumán	3	3	3

Fuente: Elaboración propia en base a Anlló *et al.*, 2010.
*Incluye las 7 más importantes.

Si analizamos, en este sentido, la cadena de valor de soja, podemos señalar que el 24% de la producción primaria de soja en el país se produce en Santa Fe ocupando el tercer lugar luego de Córdoba y Buenos Aires (30% y 25% respectivamente), mientras que el proceso de industrialización de este cultivo se concentra casi exclusivamente en esta provincia (90%) (Anlló *et al.*, 2010: 65 y 69).

El Cuadro 26 presenta la participación porcentual de la provincia de Santa Fe al total de cada cadena agroalimentaria del país. La provincia participa en 16 de las 31 cadenas identificadas en el estudio, ocupando un lugar relevante en la mayoría de ellas.

Cuadro 26: Aporte de la provincia de Santa Fe a las cadenas de valor agroalimentarias del país

Cadena*	Importancia de la cadena en el total nacional (31 cadenas)	% aportado por Santa Fe al total nacional	Puesto Santa Fe en relación al resto de las provincias	% y provincia que ocupa el 1er. puesto	% y prov. que ocupa el 2do. puesto
Soja	26%	34%	1ro.	-	22% Bs. As.
Ganadería Bovina	14%	14%	2do.	40% Bs. As.	-
Leche	12%	33%	2do.	38% Bs. As.	-
Trigo	5%	14%	2do.	62% Bs. As.	-
Maíz	5%	12%	3ro.	40% Córdoba	30% Bs. As.
Cebada	4%	61%	1ro.	-	39% Bs. As.
Avícola	4%	7%	3ro.	41% Bs. As.	39% E. Ríos
Forestal	4%	7%	4to.	32% Bs. As.	29% Misiones

Ganadería Porcina	3%	25%	2do.	54% Bs. As.	-
Girasol	3%	11%	4to.	49% Bs. As.	15% Chaco
Arroz	1%	8%	3ro.	53% E. Ríos	31% Corrientes
Berries	1%	8%	4to.	44% Tucumán	27% Bs. As.
Algodón	0,4%	7%	3ro.	61% Chaco	16% Sgo. del Est.
Sorgo	0,4%	26%	1ro.	-	23% Córdoba
Papa	0,3%	1%	5to.	44% Bs. As.	41% Córdoba
Miel	0,3%	11%	3ro.	43% Bs. As.	17% E. Ríos

Fuente: Elaboración propia en base a Anlló *et al.*, 2010. *Se presentan solo las cadenas que cuentan con alguna participación de la provincia de Santa Fe.

Las tres cadenas más importantes del país (soja, ganadería bovina y leche) realizan un aporte significativo junto a la provincia de Buenos Aires: la cadena de soja aporta el 34% del valor agregado (cuestión que se explica por el peso de las actividades de procesamiento industrial de dicho cultivo señaladas anteriormente), el 33% es aportado por la cadena láctea (apenas por detrás de Buenos Aires con el 38%) y el 14% por la cadena bovina (muy lejos de Buenos Aires que aporta el 40%, pero, aun así, continúa ocupando el segundo lugar en importancia a nivel nacional, apenas por encima de Córdoba con el 11%).

Por fuera de estas tres cadenas, se destaca la importancia de las vinculadas con los cereales, tales como el trigo, maíz, cebada, sorgo y arroz. Las cadenas de trigo y maíz integran el grupo de segundo orden en cuanto a su importancia respecto del total de las cadenas analizadas, en el que Santa Fe ocupa un lugar residual respecto de las provincias de Buenos Aires y Córdoba. Buenos Aires concentra el 6% del valor agregado de la producción de trigo, mientras que Santa Fe y Córdoba aportan el 14% y el 12%, respectivamente. En el caso de la cadena maicera, Córdoba (40%) y Buenos Aires (30%) aportan mayoritariamente a la agregación de valor, mientras que la provincia de Santa Fe genera solo el 12%. La disminución del peso nacional de la provincia en esta cadena se vincula con el desplazamiento de la actividad maicera por la sojera, que viene dándose en la provincia desde hace varias décadas, al igual que con la actividad ganadera.

En cambio, las cadenas de los otros dos cereales presentan una mayor importancia de la provincia, aunque con un menor peso en la agregación de valor a nivel nacional. La provincia aporta más del 60% del valor agregado de la cadena de cebada y el 26% de la cadena de sorgo, ocupando el primer lugar a nivel nacional en ambas. La cadena de cebada se encuentra dentro del grupo de cadenas de mayor concentración territorial en el país, como el té (Misiones), el maní (Córdoba), la yerba mate (Corrientes), el limón (Tucumán), el ajo (Mendoza), la uva (Mendoza), las peras y manzanas (Río Negro) y el azúcar (Tucumán).

La cadena de arroz santafesina ocupa un lugar residual a nivel nacional respecto de la concentración de esta actividad en las provincias de Entre Ríos (53%) y Corrientes (31%). No obstante, la cadena arrocera aporta el 8% del valor agregado de la cadena a nivel nacional, ocupando el tercer puesto en importancia por encima de Buenos Aires (4%).

Respecto de las cadenas ganaderas no bovinas, se destaca la porcina. Dicha cadena se encuentra concentrada a nivel nacional, mayoritariamente, en tres provincias. Buenos Aires aporta el 54% del valor agregado de la cadena, mientras que Santa Fe aporta el 25% y Córdoba el 15%.

5. Regionalización provincial y cadenas de valor

La regionalización provincial parte de la concepción de la región como un sistema flexible en el cual se desarrolla una construcción social permanente y se ensayan itinerarios singulares. De la misma manera que el clima, las regiones no se sujetan a una categoría rígida y formal. Por el contrario, cada región se reconoce dentro de fronteras dinámicas, abiertas y permeables, que pueden señalarse como bordes de cercanía e integración con otras regiones.

La actual regionalización provincial adoptada oficialmente por el gobierno santafesino se encuentra integrada por cinco regiones[15] a partir de la articulación de tres variables: (i) físico- ambiental; (ii) económico-productivo y (iii) socio-institucional. En cada región se identifican nodos que coinciden con los núcleos urbanos más importantes de cada región (Figura 7).

Esta regionalización ha sido empleada en el proceso de planificación estratégica iniciado por el gobierno provincial, y la información utilizada se vuelca en el desarrollo de este punto con algún grado de síntesis e información complementaria para describir los diferentes territorios a continuación.

---

15 Este proceso de reorganización territorial se inició en el año 2008 y forma parte del documento Plan Estratégico Provincial, Santa Fe.

Norte

Región 1. Nodo Reconquista

Departamentos incluidos: Vera, General Obligado y norte de San Javier.
Principales localidades: Reconquista (63.490 habitantes), Avellaneda (19.402), Villa Ocampo (14.119) y Las Toscas (10.004).

Figura 7: Provincia de Santa Fe. Red territorial y nodos

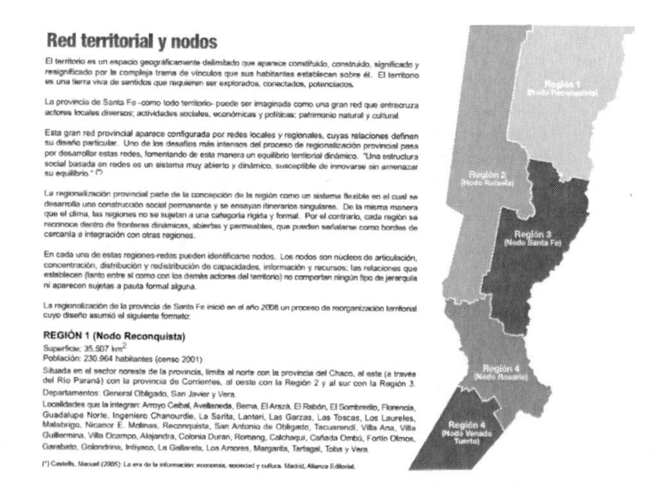

Red territorial y nodos

El territorio es un espacio geográficamente delimitado que aparece constituido, construido, significado y resignificado por la compleja trama de vínculos que sus habitantes establecen sobre él. El territorio es una tierra viva de sentidos que requieren ser explorados, conectados, potenciados.

La provincia de Santa Fe -como todo territorio- puede ser imaginada como una gran red que entrecruza actores locales diversos; actividades sociales, económicas y políticas; patrimonio natural y cultural.

Esta gran red provincial aparece configurada por redes locales y regionales, cuyas relaciones definen su diseño particular. Uno de los desafíos más intensos del proceso de regionalización provincial pasa por desarrollar estas redes, fomentando de esta manera un equilibrio territorial dinámico. "Una estructura social basada en redes es un sistema muy abierto y dinámico, susceptible de innovarse sin amenazar su equilibrio." (*)

La regionalización provincial parte de la concepción de la región como un sistema flexible en el cual se desarrolla una construcción social permanente y se ensayan itinerarios singulares. De la misma manera que el clima, las regiones no se sujetan a una categoría rígida y formal. Por el contrario, cada región se reconoce dentro de fronteras dinámicas, abiertas y permeables, que pueden señalarse como bordes de cercanía o integración con otras regiones.

En cada una de estas regiones-redes pueden identificarse nodos. Los nodos son núcleos de articulación, concentración, distribución y redistribución de capacidades, información y recursos; las relaciones que establecen (tanto entre sí como con los demás actores del territorio) no comportan ningún tipo de jerarquía ni aparecen sujetas a pauta formal alguna.

La regionalización de la provincia de Santa Fe inició en el año 2008 un proceso de reorganización territorial cuyo diseño asumió el siguiente formato:

REGIÓN 1 (Nodo Reconquista)
Superficie: 35.507 km^2
Población: 230.964 habitantes (censo 2001)
Situada en el sector noreste de la provincia, limita al norte con la provincia del Chaco, al este (a través del Río Paraná) con la provincia de Corrientes, al oeste con la Región 2 y al sur con la Región 3.
Departamentos: General Obligado, San Javier y Vera.
Localidades que la integran: Arroyo Ceibal, Avellaneda, Berna, El Arazá, El Rabón, El Sombrerito, Florencia, Guadalupe Norte, Ingeniero Chanourdie, La Sarita, Lanteri, Las Garzas, Las Toscas, Los Laureles, Malabrigo, Nicanor E. Molinas, Reconquista, San Antonio de Obligado, Tacuarendí, Villa Ana, Villa Guillermina, Villa Ocampo, Alejandra, Colonia Duran, Romang, Calchaquí, Cañada Ombú, Fortín Olmos, Garabato, Golondrina, Intiyaco, La Gallareta, Los Amores, Margarita, Tartagal, Toba y Vera.

(*) Castells, Manuel (2005): La era de la información: economía, sociedad y cultura. Madrid, Alianza Editorial.

Fuente: Gobierno de la provincia de Santa Fe (2008).

Ambiente

La región comprende cuatro zonas ambientales, convirtiéndose en la de mayor diversidad ambiental de la provincia. Se distinguen en ella: En el centro-norte, la cuña boscosa: formación arbórea del parque chaqueño. Al oeste, los bajos submeridionales. Al este, el valle del río Paraná: un ambiente de islas y arroyos en permanente cambio. En el centro-sur, la zona transicional: presenta características del ambiente chaqueño y del pampeano, con un relieve suavemente ondulado a plano o deprimido en las cercanías de los arroyos y ríos.

Esta región cuenta con importantes recursos naturales, como las extensas zonas boscosas, el río Paraná y la diversidad de su flora y fauna, sobre las cuales se advierten procesos de deforestación, pesca indiscriminada, caza furtiva, contaminación industrial y agotamiento de los suelos productivos. En este sentido se destacan las obras de canalización que han alterado las condiciones de humedad de la tierra poniendo en peligro el ecosistema de los bajos sub-meridionales, el cual representa uno de los humedales más grandes de la República Argentina.

Producción

La región cuenta con suelos marginales respecto de su calidad agrícola, pastoril, forrajera o forestal. La presencia de pastizales hace posible el desarrollo de la ganadería. El acceso al río, y a los sistemas de islas y humedales, resulta favorable para la cría bovina y la pesca. Por su parte, el manejo de los bosques naturales deriva en maderas y muebles muy apreciados.

El clima subtropical facilita cultivos como el algodón y la caña de azúcar, sobre los cuales se han desarrollado complejos de hilados de fibras en las localidades de Avellaneda y Reconquista, e ingenios azucareros en Villa Ocampo y Las Toscas, ambos sectores de gran incidencia en el sostenimiento de las tasas de empleo local. Las áreas de cultivos tradicionales abarcan girasol, soja, maíz, trigo y sorgo, y se complementan con emprendimientos lácteos, apicultura, citricultura y una importante cadena de integración avícola.

La existencia de grandes propiedades de uso agrícola o ganadero extensivo caracteriza esta región; situación que contribuye a la radicación de un menor número de población y concentración de los actores dinamizadores de la producción.

Se reconoce un bajo nivel de desarrollo empresarial, aunque merece destacarse un polo de emprendimientos de alta tecnología, metalúrgico, maquinaria agrícola y de servicios, varios concentrados en el eje Reconquista-Avellaneda.

El potencial económico-productivo de este nodo se muestra claramente en el desarrollo de cadenas integradas y complementadas con el ambiente. Se destacan también los emprendimientos de alta tecnología, industriales (metalúrgicos, maquinaria agrícola) y de servicios (los cuales se encuentran concentrados principalmente en el área metropolitana Reconquista-Avellaneda).

El acceso al río Paraná mediante puertos genera una gran oportunidad logística, en tanto el aprovechamiento de los sistemas de islas y humedales tiene gran incidencia en la región. El espacio regional se distingue asimismo por sus productos artesanales, que reflejan su diversidad natural y cultural.

La dispersión de pueblos, ciudades y comunidades rurales, además del asentamiento de familias en el campo son decisivos para comprender la dinámica de la región. Uno de los aspectos más evidentes es el fenómeno de concentración de la tierra y de los espacios de producción: por un lado, la existencia de grandes latifundios, y por otro, el uso generalmente agrícola o ganadero extensivo con una considerable reducción de actores dinamizadores de la producción.

La región cuenta con suelos marginales respecto de su calidad agrícola, pastoril, forrajera o forestal, por lo que requiere de un manejo adecuado y responsable en cada una de las actividades que se desarrollen. Estos aspectos, sumados a los anteriores, demandan pensar un ordenamiento territorial que posibilite integrar la diversidad en un modelo de desarrollo.

El desarrollo de cadenas productivas tan diversificadas genera grandes posibilidades de equilibrio pero, al mismo tiempo, su precariedad es aún notoria. La diversidad se refleja en los pastizales y la producción de carnes; los bosques naturales y la industria de maderas y muebles; los cultivos tropicales como el algodón y la caña de azúcar (que integran complejos de hilados de fibras y azucareros, ambos con alta incidencia en el empleo local); los cultivos tradicionales de cereales y oleaginosas (girasol, soja, maíz, trigo y sorgo), y los emprendimientos lácteos; además de la apicultura, la citricultura y la cadena de integración avícola.

El turismo y los desarrollos agro-forestales son nuevos emergentes en la economía, aún no trabajados integralmente atento al potencial que presentan. La agroindustria, los nuevos desarrollos tecnológicos, los servicios y la metalmecánica, combinados con el ámbito de la investigación y el desarrollo, constituyen los principales caminos mediante los cuales consolidar el tejido económico y productivo de la región.

Infraestructuras y servicios territoriales

La región presenta infraestructuras de comunicación insuficientes, situación evidenciada por la falta de consolidación de su sistema vial y ferroviario. Se organiza en toda su extensión sobre la Ruta Nacional n.o 11, que atraviesa la provincia de norte a sur en paralelo al río Paraná, interconectándose con la región 3 (nodo Santa Fe) y la región 4 (nodo Rosario).

El 25% de la extensión de la Hidrovía Paraná-Paraguay, (849 km) corresponden a la provincia de Santa Fe, y más de la tercera parte de ese frente pertenece a la Región 1. La recuperación de las vías navegables es una de las principales potencialidades de la región, por lo que la readecuación y la transformación de los puertos de Villa Ocampo y Reconquista representan una oportunidad para la salida de la producción del noreste argentino.

Existen obras largamente demandadas en esta región, como el puente vial que unirá las provincias de Corrientes y Santa Fe, que mejoraría la conectividad territorial tanto del polo industrial Las Toscas-Villa Ocampo como de aquel instalado en Reconquista y Avellaneda.

Debido al aislamiento de las localidades y a las largas distancias a transitar es necesario el desarrollo de obras viales como la readecuación de la Ruta Nacional n.o 11, la pavimentación del tramo faltante de la Ruta Provincial n.o 3 y transversales, la recuperación de las Rutas Provinciales n.o 30, 31 y 32, la recualificación de accesos y conexiones con las localidades que están a lo largo de los corredores viales de las Rutas Provinciales n.o 40, 96-S, 98-S y 100-S. Asimismo, es prioritario el mejoramiento de los caminos rurales y la incorporación de maquinaria y tecnología acordes a las demandas actuales de mantenimiento de rutas y caminos.

Las carencias en la provisión de servicios son notables en la región. Más del 23% de los hogares no tiene agua de red, el 60% no posee desagües cloacales, el 10% no posee energía eléctrica, y se verifica una completa inexistencia de redes de gas natural en la región.

Las infraestructuras para el desarrollo son insuficientes. La falta de gasoductos, la limitación en las redes de alta tensión y la carencia de acueductos y canalizaciones dificultan la promoción de áreas estratégicas para la localización de industrias, parques empresariales o grandes emprendimientos turísticos de alcance regional.

Fundamentalmente en los jóvenes, surge como problemática la falta de capacitación laboral para el desarrollo de proyectos locales, lo cual frecuentemente empuja a sectores significativos de esta población a migrar hacia zonas más densamente urbanas. La formación y entrenamiento requeridos en los empleos de la región demandan una mayor disponibilidad de escuelas técnicas y un acceso más fluido al sistema educativo superior y a los dispositivos educativos no formales.

Población

La Región 1 se destaca por sus niveles de población infantil y juvenil, la cual asciende a un 57% de la población total. Particularmente, la franja etaria que va de 0 a 14 años asciende al 31%, mientras que los adolescentes y jóvenes, comprendidos entre los 15 y los 29 años, representan el 26% de la población regional. En el otro extremo de la escala, la población mayor de 65 años asciende a poco más del 7%.

Esta región aporta población joven a la dinámica migratoria que se produce en la provincia. Aspectos como el desarraigo y la falta de ofertas que promuevan la retención poblacional son problemáticas que atraviesan todos los temas sectoriales. Asimismo, siendo la región con mayor porcentaje de población rural de la provincia, la dinámica demográfica ha experimentado, en los últimos 20 años, una disminución del porcentaje de población rural que pasa de un 41% hasta alcanzar, actualmente, apenas un 23% del total.

El 56% de la población no cuenta con la cobertura de una obra social o un plan de medicina privado, razón por la cual emerge la prioridad de consolidar un sistema de salud integrado, que contemple una red sistematizada de atención a los déficits locales y permita salvar las grandes distancias territoriales con la infraestructura de comunicación existente. En este sentido, resulta indispensable garantizar la atención primaria y el escalonamiento según niveles de complejidad.

Es llamativa la presencia de algunas enfermedades en particular, tales como el mal de Chagas, la tuberculosis y venéreas.

Las entidades educativas de la región son identificadas no solo como un espacio de formación para niños y jóvenes, sino también como un lugar para la contención del espacio familiar y comunitario.

Región 2. Nodo Rafaela

Departamentos incluidos: 9 de Julio, San Cristóbal, Castellanos y San Martín.
Principales localidades: Rafaela (82.416 habitantes), Sunchales (17.676), Tostado (13.446), San Cristóbal (13.645) y Ceres (13.063).

Ambiente

Por su gran extensión, se pueden diferenciar en la región tres grandes zonas ambientales: al noreste, los bajos submeridionales; al noroeste, el chaco semiárido: zona alta con escasez de lluvias que se ubica en una estrecha franja en el límite con la provincia de Santiago del Estero. Al sur, la zona transicional: con características del ambiente chaqueño y del pampeano.

Producción

La región 2 experimenta un manifiesto contraste norte-sur, identificable tanto en términos de capacidades instaladas, como en relación con las fortalezas productivas y los recursos naturales disponibles. La zona sur de esta región representa uno de los enclaves productivos más sobresalientes de la provincia y el país, mientras que la zona norte da cuenta de marcadas falencias, tanto en infraestructuras territoriales como en desarrollo productivo.

La región presenta una geografía productiva en la que una buena aptitud productiva en las tierras se combina con polos industriales y de alta tecnología. Su gran cuenca láctea -la principal en toda la extensión nacional- provee al país, y al mundo, de productos de primer nivel. Sin embargo, debido a la crisis que atraviesa el sector, los productores tamberos se interrogan crecientemente acerca de la viabilidad de su actividad. Los mejores precios de los cultivos agrícolas y la sencillez operativa que estos requieren aparecen como dos de las variables que explican el incremento de la superficie cultivada (especialmente de soja) en los últimos años.

Además del gran aporte productivo y la capacidad de empleo que generan los tambos y toda la cadena de industrialización láctea, la región cuenta con uno de los mayores stocks de ganado bovino de cría de la Argentina. La actividad ganadera se complementa con emprendimientos porcinos, apícolas, etc. La significativa oferta de productos derivados del sector da cuenta de las capacidades locales de organización y agregación de valor presentes en la región.

La gran cuenca láctea se integra con un área noreste propicia para la producción ganadera y con el sector noroeste, caracterizado por su producción algodonera. La aptitud agrícola de los suelos determina grandes áreas de cultivos. Al igual que en otras regiones, se verifica una concentración por tenencia o uso de tierras y un desarrollo del monocultivo.

La ciudad de Rafaela, la tercera de la provincia según su densidad poblacional interviene fuertemente en la dinámica regional, tanto sobre el ámbito económico como en el sociocultural. Su capacidad industrial instalada potencia la localización y el desarrollo de empresas en la región.

Entre las problemáticas que requieren atención, se reconocen la marcada migración desde las zonas rurales a los centros urbanos, la deforestación y la necesidad de un manejo responsable de los suelos.

La región muestra hoy extraordinarios resultados en la calidad de sus productos tecnológicos. La ciudad de Rafaela lidera este proceso de integración en las nuevas economías mundiales; sus autopartes, sistemas industriales y otras producciones conquistan mercados día a día. Rafaela es la ciudad que presenta el mayor índice de agregación de valor en pesos por kilogramo de productos exportados en todo el país.

También la ciudad de Sunchales constituye un gran polo de industrialización, en este caso, láctea. Esta ciudad –señalada como capital nacional del cooperativismo– da cuenta del fuerte desarrollo de la economía solidaria en la región.

Las cadenas de valor agregado requieren un fortalecimiento aún mayor, que permita mantener su competitividad y estimule la diversidad productiva. Dado su alto impacto sobre el empleo y la economía de anclaje local sobre la cual se constituyen, uno de los grandes desafíos existentes en la región pasa por desalentar el abandono de los tambos y su posterior reconversión en campos de cultivo.

Infraestructuras y servicios territoriales

La región presenta una infraestructura de comunicaciones heterogénea, caracterizada por la predominancia del transporte automotor y la obsolescencia del sistema ferroviario, el cual –a pesar de su estado actual de abandono o subutilización– aparece como una alternativa de comunicación potencialmente viable.

La Ruta Nacional n.° 34 es el eje de comunicación de la región, y su vía de conexión primordial con los principales centros urbanos de la provincia y el noroeste del país. La Ruta Nacional n.° 98, única vía transversal pavimentada del norte de la provincia, presenta en la actualidad problemas de mantenimiento. Las otras rutas transversales del norte de la región (Rutas Provinciales n.° 30, n.° 290-S, n.° 32 y n.° 40) no se encuentran pavimentadas, y presentan interrupciones en su trazado en la zona de los bajos submeridionales.

La región 2 cuenta con una infraestructura de servicios deficitaria. La zona norte se distingue por presentar serias deficiencias en los sistemas de abastecimiento de agua potable, y en sus redes de desagües y gas. El Censo Nacional de Población 2001 indicaba que las ciudades del norte de la región (San Cristóbal, Ceres y Tostado) poseen los indicadores de prestación de servicios básicos más bajos de la provincia. Los problemas de cantidad y calidad del agua a lo largo de toda la región dificultan la adecuada prestación del servicio. La presencia de arsénico, nitritos y nitratos en el agua implica un problema en materia ambiental; por este motivo, resulta esencial la ejecución de acueductos troncales que abastezcan a las localidades de toda la región.

La ausencia de gasoductos y la insuficiencia de las redes de alta tensión obstaculizan la promoción de estrategias para la radicación de industrias, fundamentalmente en la zona norte. El anegamiento que se produce por efecto de eventos adversos de gran magnitud en períodos de duración cortos (lluvias intensas), los desbordes de ríos y las dificultades de escurrimiento de las aguas producen pérdidas sociales y económicas de gran magnitud debido a la falta de previsión y de obras en las principales cuencas hídricas.

Población

Los indicadores revelan la diversidad de escenarios presentes en la región. Mientras un 31% de la población del extremo norte presenta necesidades básicas insatisfechas, dicho indicador desciende en la zona sur a poco más del 8% (según el Censo Nacional de Población y Vivienda de 2001). Los servicios de salud presentan carencia de recursos humanos profesionales y no profesionales, como así también de insumos y medicamentos. Existen dificultades en la atención a sectores vulnerables (ancianos, discapacitados), y en el control de enfermedades endémicas (sobre todo en la zona que abarca desde Tostado hasta el límite con Chaco).

El analfabetismo es una problemática persistente, así como la deserción escolar en la zona rural y ambos problemas encuentran su raíz en la cuestión social y no meramente en cuestiones de aprendizaje o de gestión educativa. La infraestructura edilicia y tecnológica de comunicaciones destinada a la educación requiere de programas de mejora y mantenimiento.

Existe una importante oferta de profesionales docentes. Sin embargo, es notable el proceso que experimentan las localidades pequeñas: los jóvenes migran a las ciudades más importantes -tanto de la región como de otras regiones- en busca de acceso a otro tipo de ofertas educativas.

Centro

Región 3. Nodo Santa Fe

Departamentos incluidos: San Justo, Garay, Las Colonias, La Capital, sur de San Javier y la parte noreste de San Jerónimo.
Principales localidades: Santa Fe (368.668 habitantes), Santo Tomé (58.277), Esperanza (33.676), San Justo (21.078) y San Javier (12.949).

Ambiente

En esta región se reconocen principalmente dos zonas ambientales: al oeste, la zona transicional, presenta características del ambiente chaqueño y del pampeano, con un relieve suavemente ondulado a plano, deprimido en las cercanías de los arroyos y ríos. Al este, el valle del río Paraná: un ambiente de islas y arroyos en permanente cambio.

Producción

La región se destaca por la existencia de diversas cadenas de valor que convergen en la ciudad de Santa Fe, lo cual da lugar a un gran dinamismo de servicios y facilita el acceso a puertos y mercados.

El puerto de Santa Fe se sitúa en el corazón de la Hidrovía Paraná-Paraguay; es la última localización de ultramar apta para operaciones con buques oceánicos. Su ubicación estratégica lo convierte en un eslabón imprescindible para la unión de los diferentes sistemas de transporte (terrestre, ferroviario, fluvial y oceánico). Asimismo, su posición privilegiada lo perfila geográficamente como el centro obligado de transferencia de carga desde y hacia los países situados en la Hidrovía. El puerto de Santa Fe ha iniciado un proceso de reconversión con el objeto de adecuar y modernizar su infraestructura para hacer frente a las necesidades actuales.

Las riberas occidentales del Paraná facilitan el desarrollo frutihortícola, constituyéndose en una zona de gran importancia para la provisión de productos frescos en toda la región. En la zona del corredor de la Ruta Provincial n.° 1 esta actividad se complementa con la producción de arroz y la tradicional actividad ganadera en la zona de islas y bañados.

Se destacan en la región diversas actividades industriales, tales como el centro lácteo de Franck, los establecimientos de faena bovina en Recreo y Nelson, las firmas cerveceras radicadas en Santa Fe, la industria cristalera en San Carlos y las curtiembres en Esperanza. Las industrias lácteas, cárnicas y de curtidos fortalecen la presencia del sector ganadero en la región. También se destacan los emprendimientos madereros, forestales y de mueblería fina, además de la provisión de sistemas industriales alimentarios. La producción de cereales y oleaginosas presenta una gran preponderancia en las áreas centrales, al tiempo que la pesca comercial y artesanal, y los servicios turísticos se encuentran en constante crecimiento.

Las importantes asimetrías que presentan las distintas zonas territoriales de la región requieren un abordaje complejo. Se distinguen en ella tres grandes bloques territoriales: la integración al sistema del Paraná Medio, la cuenca superior de la Pampa Húmeda y el conglomerado del Gran Santa Fe. Esa diversidad de áreas se expresa en los tipos y condiciones del suelo, en el clima y en los recursos naturales y productivos, los cuales favorecen el abanico de actividades de una región definida por la existencia de emprendimientos de pequeña escala y bajo aprovechamiento de recursos.

Los emprendimientos de pequeña escala experimentan problemas estructurales tanto para crecer como para desarrollarse. Es necesario realizar una amplia tarea de revalorización, mejora incremental, mercadeo y gerenciamiento que permitan maximizar el aprovechamiento de recursos, especialmente en frutihorticultura, pesca y lechería de pequeña escala.

Los mercados internos y externos siguen representando una gran oportunidad para los productos regionales. Los emprendimientos manufactureros en carnes, cueros y maderas sumados a los tambos e industrias lácteas de diversas escalas, dominan las actividades de la zona agrícola-ganadera. La siderurgia y la metalurgia tuvieron un gran impulso en los últimos años y cobraron un dinamismo considerable. Por su parte, la actividad turística se configura como un nuevo emergente de alto impacto para la región.

Infraestructuras y servicios territoriales

Esta región actúa a manera de rótula territorial, tanto hacia el interior como hacia el exterior de la provincia. El estado de conservación de la red de infraestructura en comunicaciones presenta deficiencias que —dado el incremento de la demanda existente— es necesario atender.

Se verifican rutas colapsadas, poco aptas para el tránsito de bienes y personas, tanto a nivel intra como interregional. Se reconocen además infraestructuras obsoletas o subutilizadas que dan cuenta de una severa limitación en la prestación de servicios, lo cual se torna especialmente problemático debido a los crecientes requerimientos de conectividad surgidos de una economía globalizada que demanda productos de origen regional.

Se reconoce la necesidad de acciones en materia de comunicaciones: el dragado del río Paraná y la reactivación del puerto de Santa Fe, la construcción de autovías en las troncales de la red vial (Rutas Nacionales n.° 11 y 19 y Ruta Provincial n.° 70), el mantenimiento y ampliación de la red de caminos rurales por los cuales se traslada la producción primaria, la generación de un proyecto integral de recuperación del transporte ferroviario, y la puesta en servicio de nodos multimodales de transporte que puedan actuar como articuladores de todos los subsistemas.

La cuestión ambiental representa uno de los aspectos medulares de la región. La falta de soluciones a la amenaza constante de inundaciones constituye, sin lugar a dudas, la problemática regional más acuciante. Resulta imprescindible consolidar un plan de obras hídricas sustentable a corto, mediano y largo plazo, e implementar una planificación territorial para esta configuración geográfica regional.

En términos de la infraestructura regional de servicios, se verifica la existencia de redes troncales de energía eléctrica y gas natural, así como de acueductos y servicios de comunicaciones. Sin embargo, estas redes estructurales no logran abastecer a la totalidad de los municipios y comunas, existiendo zonas con importantes déficits en materia de agua potable, cloacas y gas natural.

La región posee inmejorables condiciones geográficas para la obtención de agua potable; no obstante, casi el 15% de los hogares no cuenta con acceso a la misma. La importancia estratégica del agua —en virtud de las agendas globales— vuelve imprescindible la concreción de programas que posibiliten su provisión en toda la región.

Si bien muchas de las localidades de la región cuentan con desagües cloacales, el sector de cobertura de los mismos abarca solo al 45% de los hogares. Resulta prioritaria la implementación de obras integrales que reviertan esta situación.

En materia de gas natural existe una situación similar: solo el 46% de los hogares cuenta con este servicio. La construcción del gasoducto norte revertiría en el largo plazo este escenario; en tal caso, la provisión del servicio de gas natural en todas las localidades dependerá de la construcción de los tramos secundarios de conexión y de las respectivas redes de distribución urbana, obras necesarias para garantizar el servicio en todos los hogares de la región.

Resulta primordial la implementación de una agenda que permita capitalizar la capacidad instalada de las cooperativas prestadoras de servicios, fomentando el establecimiento de un plan de infraestructura que responda integralmente a las necesidades de la región.

En cuanto a la infraestructura para el desarrollo, la región 3 se caracteriza por instituciones científico-tecnológicas como la Universidad Nacional del Litoral, Universidad Tecnológica Nacional, Universidad Católica de Santa Fe, el Centro Regional de Investigación y Desarrollo Santa Fe, el Instituto Nacional del Agua, el Instituto Nacional de Limnología, el Instituto de Desarrollo Tecnológico para la Industria Química y el Parque Tecnológico Litoral Centro, que se encuentran a disposición del sistema productivo. Resulta prioritaria la implementación de políticas que favorezcan la sinergia entre los sectores científico y productivo, e impulsen la creación de parques tecnológicos y áreas industriales.

Población

En las pequeñas localidades de la región se verifica un déficit relevante en materia de atención primaria de la salud, situación que refuerza la centralización y la sobrecarga de demandas en los hospitales públicos de la ciudad de Santa Fe.

Existe una amplia red de establecimientos educativos de todos los niveles, aunque concentrados mayoritariamente en los mayores centros urbanos. Sin embargo, el porcentaje de analfabetismo de la región en la población mayor a diez años es de más del 2%, un indicador que revela la necesidad de profundizar y mejorar las vías de acceso a la educación.

Una de las mayores problemáticas sociales de la región atraviesa los aglomerados urbanos vulnerables, en los cuales la situación de niños y niñas en riesgo es especialmente delicada. Según el Censo Nacional de Población y Vivienda de 2010, el 21% de la población del departamento Garay y 17,4% del departamento San Javier tiene algún tipo de necesidad básica insatisfecha.

Sur

Región 4. Nodo Rosario

Departamentos incluidos: sur de San Martín, parte de San Jerónimo, Belgrano, Iriondo, San Lorenzo, parte de Caseros, Rosario y parte de Constitución.
Principales localidades: Rosario (948.312 habitantes), Villa Gobernador Gálvez (74.658), Villa Constitución (44.144), San Lorenzo (43.039), Granadero Baigorria (32.249), Casilda (31.127) y Cañada de Gómez (29.205).

Ambiente

Situada en el corazón de la pampa húmeda, la región posee un clima húmedo y templado. De este modo, provee las condiciones ideales para la actividad agropecuaria. La temperatura es en general benigna y las lluvias se dan a lo largo de todo el año. Esta región está comprendida por dos grandes zonas ambientales: al norte, la zona transicional presenta características del ambiente chaqueño y del pampeano, con un relieve suavemente ondulado a plano; deprimido en las cercanías de los arroyos y ríos. Al sur, la pampa húmeda: zona donde el relieve presenta mayores ondulaciones, con predominio de pastizales y la aparición de árboles en las cercanías de los cuerpos de agua.

Producción

La ciudad de Rosario es el epicentro de una región metropolitana cuya economía se basa en los sectores terciario y secundario. Las actividades principales responden a la logística de ciudad portuaria, la actividad financiera y bursátil, los servicios, la importante presencia de pymes y el incipiente desarrollo tecnológico en el área de las ciencias biológicas. La base de sustento de esa economía radica en el modelo de negocios agroindustriales y productos exportables derivados de esta actividad. El mayor complejo oleaginoso del mundo encuentra aquí las mejores condiciones para su desarrollo.

La región concentra el 70% de las agro-exportaciones argentinas en el denominado "frente fluvial industrial", lo cual —sumado a la presencia de la Bolsa de Comercio de Rosario en la operación del mercado físico de granos, el mercado a término y el mercado de valores— constituyen una gran fortaleza para la región. Los sectores petroquímicos, siderúrgicos, metalúrgicos y la producción de maquinaria agrícola representan un complemento considerable, plenamente integrado en esa economía.

Esta región cuenta con un frente ribereño sobre el río Paraná de más de 60 km, aptos para embarques de buques de ultramar hacia el sur que se complementa con cargas de barcazas provenientes del tramo norte de la Hidrovía Paraná-Paraguay, cuyo calado desde la localidad de Timbúes (kilómetro 460) es de 28'. Esta condición, sumada a la incorporación de tecnología y los accesos viales y ferroviarios, convierten al sistema portuario del Gran Rosario en uno de los más importantes del país para la exportación de granos y subproductos. Un informe de la Bolsa de Comercio de Rosario muestra que el complejo oleaginoso del Gran Rosario es el más importante del mundo en términos de capacidad de molienda con 134.000 t por día (Calzada, 2012).

Por las terminales portuarias del gran Rosario (desde Timbúes a Villa Constitución) se despacha el 78% de las exportaciones nacionales de granos, aceites y subproductos. En Timbúes se localizan Louis Dreyfus y Noble Argentina. En Puerto San Martín: Terminal 6, Cargill, Nidera, Toepfer y Bunge Argentina. En San Lorenzo: A.C.A.,

Vicentín y Molinos Río de la Plata. En el puerto de Rosario: Servicios Portuarios y Terminal Puerto Rosario. En Villa Gobernador Gálvez y Punta Alvear: Cargill. En Gral. Lagos: Dreyfus. En Arroyo Seco: Toepfer y, finalmente, en Villa Constitución: Servicios Portuarios.

Además la región presenta la mayor concentración de plantas (10) de biodiesel debido a la gran concentración de plantas de molienda de granos, entre las que se destacan por su escala *Renova* (propiedad de Glencor y Vicentín) y Dreyfus.

La diversidad y el nivel científico existente hacen que sus centros de estudios e investigaciones cuenten con un gran prestigio en el ámbito nacional e internacional. Como correlato de este escenario, se verifica una nutrida oferta de mano de obra calificada, disponiéndose de personal en todas las áreas. En cuanto a la producción primaria, la región se caracteriza por el predominio de suelos de alta capacidad productiva (clases 1 y 2 de capacidad de uso), destinados mayoritariamente a la producción agrícola (trigo, soja y maíz). Las características del suelo, del clima, la organización de la producción, la transferencia y adopción de tecnología, entre otros factores, potencian la alta productividad natural de esta región.

Las actividades turísticas denotan crecimiento en esta región durante las últimas décadas. La zona invita a ser recorrida, ya que las costas presentan lugares pintorescos y permiten la navegación, la pesca y la recreación. La actividad turística presenta condiciones para un mayor desarrollo y difusión de los recursos existentes.

Infraestructuras y servicios territoriales

La región 4 constituye un nodo de comunicación fundamental para la provincia de Santa Fe. Debido a su estratégica posición, en esta región confluyen los principales corredores de transporte que atraviesan la provincia. Entre estos corredores cabe destacar el puente Rosario-Victoria, las Rutas Nacionales n.° 9, n.° 11, n.° 33, n.° 34, n.° A-008 y n.° A-012 y las autopistas, que vinculan a la ciudad de Rosario con los grandes centros urbanos del país. Sin embargo, el sistema vial secundario tiene problemas de accesibilidad entre localidades menores, carencia de rutas alternativas para el desvío de tránsito pesado, falta de vinculación entre rutas nacionales y saturación de los corredores de enlace, como la Ruta Nacional n.° A-012.

El aeropuerto Islas Malvinas de la ciudad de Rosario es la única terminal aeroportuaria internacional de la provincia. La vasta red ferroviaria está principalmente destinada al transporte de cargas, presentando serias deficiencias en lo que respecta a la movilidad de pasajeros. Asimismo, un alto porcentaje de los ramales ferroviarios se encuentran inoperables o inhabilitados para canalizar la producción desde las zonas agrícolas a las plantas industriales y terminales de embarque de la región.

La zona de puertos del Gran Rosario presenta una saturación de la infraestructura vial y ferroviaria. En este sentido, el Plan Circunvalar es un importante proyecto de infraestructura, que supone múltiples trazados de comunicación. Incluye una traza ferroviaria de 88 km, que permitirá limitar el acceso de las formaciones hasta la actual Ruta Nacional n.° AO 12, y unir las localidades de Alvear (al sur) con Puerto General San Martín al norte. Comprende también la transformación de este corredor en una autovía de 72 km (duplicando la calzada en toda su extensión), con cruces a distintos niveles con otras rutas nacionales y provinciales. Asimismo, se prevé el diseño de nuevos accesos camioneros a las terminales portuarias y la instalación de tres centros de trasbordo intermodales de apoyo logístico y de servicio a las cargas sobre el mismo anillo circunvalar.

Población

Debido a sus óptimas condiciones socio-productivas, se trata de una zona de absorción migratoria respecto al resto de la provincia y a buena parte del país. Esto ha devenido en una alta concentración de población, la cual encuentra mayores posibilidades de desarrollo en materia de educación y trabajo, así como un acceso más fluido a una variedad de servicios. En razón de estos flujos migratorios (y de las nuevas formas de socialización asociadas a ellos) se torna necesaria la realización de estudios sobre la conformación de los conglomerados urbanos, las zonas industriales y la relación de ambos con los espacios rurales.

En materia social, la pobreza urbana y el empobrecimiento son problemas de enorme relevancia: se verifican incrementos alarmantes de trabajo en negro, así como precariedad, informalidad y condiciones de riesgo laboral (los cuales afectan particularmente a los jóvenes).

Existen flujos migratorios al interior de la región desde las áreas más desfavorecidas, que agravan el problema de la formación de asentamientos irregulares, fundamentalmente en la ciudad de Rosario, donde cerca del 10% de la población vive en este tipo de asentamientos.

Los dispositivos en materia social se revelan insuficientes para atender estas cuestiones. Se vuelve necesario capacitar a los recursos humanos y reconvertir los planes sociales en emprendimientos productivos; también resolver las cuestiones vinculadas a la vivienda social y a la inserción de los jóvenes.

Existe una fuerte demanda en materia de tratamiento de adicciones, salud mental y discapacidad. También, respecto de la necesidad de profundizar líneas de intervención en materia de educación sexual y planificación familiar.

En otro orden, la región se distingue por ser productora de una gran oferta educativa a nivel superior, tanto pública como privada.

Región 5. Nodo Venado Tuerto

Departamentos incluidos: General López, parte de Caseros y parte de Constitución.
Principales localidades: Venado Tuerto (81.241 habitantes), Firmat (19.917) y Rufino (18.727).

Ambiente

La región presenta —en términos comparados— la mayor homogeneidad ambiental de la provincia. Se encuentra ubicada en su totalidad en la pampa húmeda. En el enclave central de esta zona ambiental, el suelo y el clima demuestran todo su potencial agrícola, haciendo de la región un gran polo de innovación y desarrollo vinculado a la producción primaria.

Producción

La región 5, ubicada en el centro de la pampa húmeda, ofrece condiciones óptimas para el desarrollo de cultivos como la soja, el maíz y el trigo. También se destaca por la gran calidad de su ganadería, por el alto rendimiento de sus tambos, y por prósperas industrias de maquinaria agrícola y metalmecánica.

La agricultura se complementa con ganadería de alta calidad y tambos de alto rendimiento, que estimulan los desarrollos genéticos de avanzada y permiten maximizar el aprovechamiento de los recursos de la región. Se trata de una zona en la que se desarrolla una constante y pujante actividad económica, que posibilita el surgimiento de nuevos emprendimientos y la consiguiente diversificación de la economía. De esta manera, se abren nuevos caminos para los sectores creativos, de servicios y para productos especiales en rubros diversos: frutas finas, productos de granja de alto valor y turismo rural son solo algunos ejemplos de una tendencia que se profundiza. Además, contribuye significativamente a la producción industrial de maquinaria agrícola y a la producción metalmecánica en general.

Infraestructuras y servicios territoriales

La región 5 se estructura de noreste a suroeste a través de la Ruta Nacional n.° 33, vinculándose por medio de la misma con la ciudad de Rosario y con las provincias de Buenos Aires y La Pampa. Transversalmente, es cruzada por la Ruta Nacional n.° 8, un corredor estratégico de conexión entre las provincias de Buenos Aires y Córdoba. En el extremo sur, la Ruta Nacional n.° 7 vincula a la ciudad de Rufino, tanto con la región centro de nuestro país, como con la región de Cuyo.

Resulta de vital importancia la conversión del corredor principal de la Ruta Nacional n.° 33 en una autovía que permita conectar el trazado Rufino-Venado Tuerto-Rosario. Complementariamente a esta obra, se requieren tareas de pavimentación y recualificación de los accesos y conexiones de las localidades (Rutas Provinciales n.° 8, n.° 14, n.° 15, n.° 45, n.° 90, n.° 93 y n.° 94), el mejoramiento de los caminos rurales y la incorporación de maquinarias y tecnología acordes a las demandas actuales de mantenimiento.

Las deficiencias que, en la actualidad, presentan las infraestructuras para el desarrollo —gasoductos, redes de alta tensión, acueductos y canales regionales— obstaculizan la radicación de industrias, parques empresariales o emprendimientos de diversa índole.

Una de las realidades más acuciantes en la región es la persistencia de problemas hídricos, originados en la histórica ausencia de obras conjuntas con las provincias de Buenos Aires y Córdoba. El riesgo hídrico es potenciado por la ejecución de obras localizadas en provincias lindantes, que modifican las condiciones naturales del suelo y su capacidad de retención o escurrimiento, afectando los niveles de producción agropecuaria.

Población

La región 5 cuenta con un denso entramado social, que se expresa en sus instituciones y organizaciones sociales, y en la capacitación de sus recursos humanos. Tanto las problemáticas vinculadas con la tercera edad, como aquellas relacionadas con situaciones de pobreza cobran fuerza (el 14% de la población de la región 5 es mayor de 65 años, constituyéndose en una de las regiones con más alto porcentaje de adultos mayores de toda la provincia).

3. Cadenas productivas y de valor en la provincia de Santa Fe

El análisis de las actividades productivas de la provincia de Santa Fe se estructura en torno a dos conceptos clave: los sistemas productivos y las cadenas de productivas de valor. Entre los sistemas productivos podemos distinguir: el agroalimentario y de biocombustibles, el metalmecánico, químico y otras manufacturas, el de empresas de base tecnológica y el sistema hídrico y forestal. A su vez, estos sistemas identifican y se organizan en cadenas productivas o de valor.

1. Sistema Agroalimentario y de Biocombustibles

1.1. Cadena oleaginosa

Argentina es uno de los principales abastecedores de alimentos para el mundo. Está ubicado entre los tres principales proveedores de cereales y oleaginosas. Es el primer exportador mundial de harina de soja y de aceite de soja. Es el segundo exportador mundial de aceites y harina de girasol. Es el tercer exportador mundial de poroto de soja luego de EE. UU. y Brasil.

El complejo oleaginoso abarca desde la producción de granos hasta la industrialización de los mismos (aceites crudos y refinados, subproductos de la industria aceitera, pellets y biodiesel).

Dentro de la producción de oleaginosas realizada en el país, la de soja es la que reviste mayor importancia (representa el 84% de la producción total de aceites), seguida de lejos por la de girasol (15%). El resto de los aceites (maíz, oliva, algodón, maní, lino y colza) tienen una participación marginal.

En la provincia de Santa Fe, el Gran Rosario es el complejo oleaginoso más importante del mundo con 134.000 t diarias, representando el 78% de capacidad instalada nacional. Presenta un perfil fuertemente orientado al mercado externo. Constituye el principal complejo exportador de nuestro país (28% del total de las exportaciones), por encima de la cadena automotriz y petroquímica.

Los subproductos oleaginosos son los residuos sólidos resultantes de la extracción industrial de aceite de granos oleaginosos, obtenidos por presión o solventes. Estos residuos son denominados expellers cuando provienen de la extracción de aceite por presión (prensa y/o extrusado y prensa) y harinas cuando la extracción del aceite se realiza en base a la aplicación de solventes. Los pellets son comprimidos cilíndricos que pueden provenir de cualquiera de los subproductos mencionados. Los procesos citados pueden combinarse, realizándose la extracción del aceite mediante el proceso presión-solvente.

Por lo general, en el proceso de extracción de aceite por solventes se utilizan equipamientos para el manejo de grandes volúmenes de grano, mientras que el proceso por extrusión y prensa es para menores escalas.

Tanto el expeller de soja (subproducto que se obtiene luego del proceso de extrusado y prensa) como la harina de soja (subproducto que se obtiene luego del proceso de extracción de aceite por solventes) son concentrados con un importante contenido proteico (por lo general entre 40 y 47% sobre sustancia seca). Desde el punto de vista de la nutrición animal, el expeller y la harina de soja en sus diferentes formas son alimentos de alto valor alimenticio porque representan la principal fuente de proteína y de aminoácidos esenciales para muchas especies de interés comercial: aves, cerdos y ganado de leche y carne.

Gráfico 6: Evolución de la superficie sembrada con soja

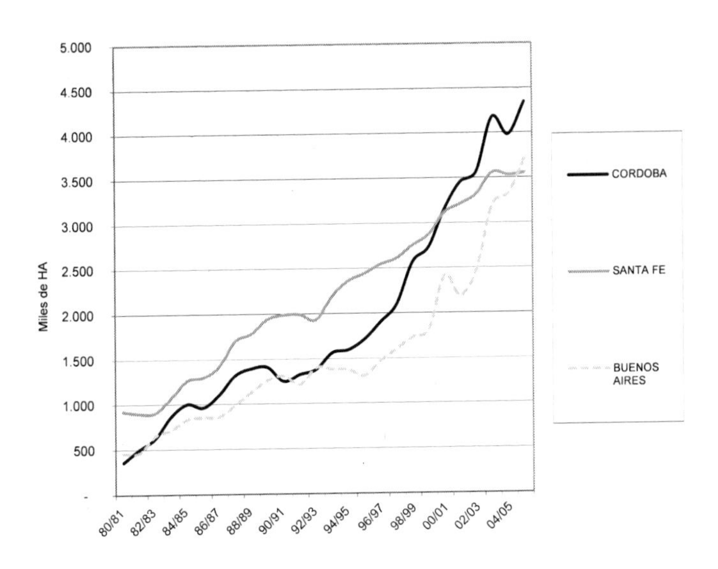

Fuente: adaptado de Ramírez y Porstmann (2008).

La mayor parte de las oleaginosas y cereales se cultivan, producen o industrializan en el ámbito geográfico de la región centro, integrada por las provincias de Córdoba, Entre Ríos y Santa Fe.

El importante dinamismo que presenta este complejo está asociado a la fuerte expansión que tuvo el cultivo de soja a partir de su introducción en el país en la década del 70 hasta llegar a su evolución actual, momento en que ocupa más del 60% del total del área sembrada (Gráfico 6).

Eslabón productivo primario (producción de granos)

a) Soja

El 84% de la superficie sembrada total país se encuentra en las provincias de Buenos Aires (29%), Córdoba (28%), Santa Fe (19%) y Entre Ríos (8%). En línea con lo anterior, casi el 80% de la producción se concentra en la región centro y Buenos Aires, distribuyéndose en orden decreciente, en Buenos Aires, Córdoba y Santa Fe. El resto se reparte entre las provincias del NOA y del NEA.

Del total de la superficie agrícola sembrada de la provincia de Santa Fe el 70% corresponde al cultivo de soja.

Figura 8: Soja. Ha total país

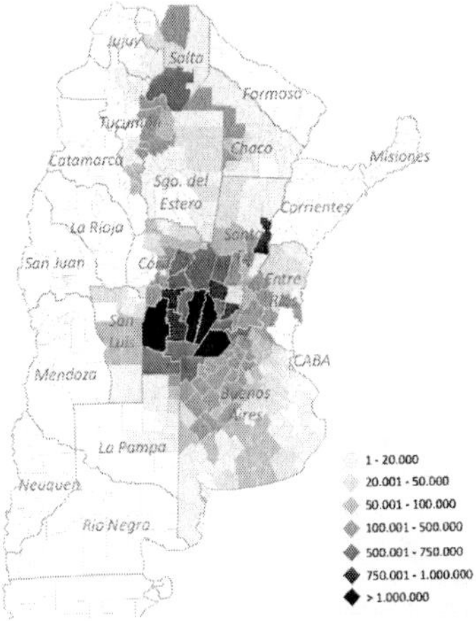

Jujuy
Salta
Formosa
Tucumán
Chaco
Misiones
Catamarca
Sgo. del Estero
Corrientes
La Rioja
San Juan
Entre Ríos
San Luis
CABA
Mendoza
Buenos Aires
La Pampa
Neuquen
Río Negro
1 - 20.000
20.001 - 50.000
50.001 - 100.000
100.001 - 500.000
500.001 - 750.000
750.001 - 1.000.000
> 1.000.000

Fuente: DNPER, MECON (2011).

Figura 9: Soja. Santa Fe

Has.Sembradas
Has.Cosechadas
Rendimiento
2009
Porcentaje de Cobertura Provincial: 42,4%
Referencias:
Superficie Sembrada/Cosechada
Rendimiento (Quintales/Has.)
0
Sin Información
1 - 3300 has
3301 - 8800 has
8801 - 17000 has
17001 - 39000 has
0.1 - 7
7.1 - 20
20.1 - 30
30.1 - 50
N

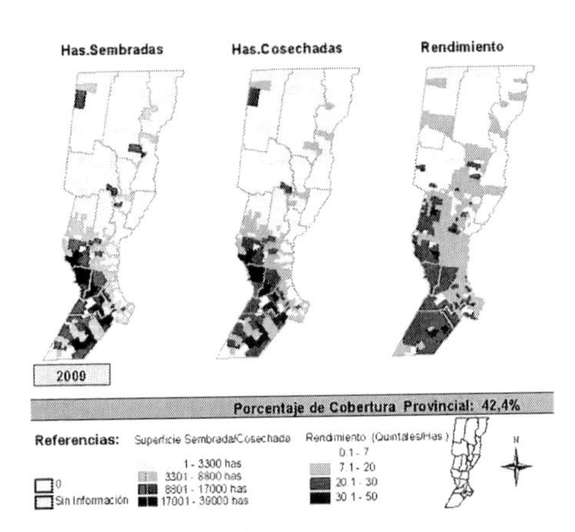

Fuente: https://bit.ly/2JLa93D.

Como puede observarse en el Cuadro 27, más del 90% de la producción primaria de soja se concentra en los departamentos pampeanos del centro y sur de la provincia, donde el rendimiento por hectárea es claramente superior a los del norte chaqueño.

Cuadro 27: Superficie y producción total de soja en Santa Fe por departamentos y ecorregiones

Ecorregión Norte o Sur	Departamentos provincia de Santa Fe	Participación en la producción	Superficie SOJA ha	Producción Total tn	Rendimiento kg.ha^{-1}
N	**Garay**	0,2%	9.500	25.700	2.705
N	**General Obligado**	1,6%	73.500	166.800	2.269
N	**Nueve de Julio**	1,2%	73.000	128.400	1.759
N	**San Cristobal**	2,2%	87.500	227.500	2.600
N	**San Javier**	0,2%	11.000	26.000	2.364
N	**Vera**	0,7%	30.000	70.400	2.347
S	**Belgrano**	5,5%	164.700	574.290	3.487
S	**Caseros**	8,8%	249.800	922.480	3.693
S	**Castellanos**	8,5%	285.000	888.800	3.119
S	**Constitución**	7,7%	228.900	813.520	3.554
S	**General López**	21,3%	611.500	2.234.180	3.654
S	**Iriondo**	6,9%	206.000	722.600	3.508
S	**La Capital**	2,3%	87.500	244.750	2.797
S	**Las Colonias**	5,9%	195.000	617.000	3.164
S	**Rosario**	3,0%	101.000	320.290	3.171
S	**San Jerónimo**	6,6%	207.400	691.740	3.335
S	**San Justo**	3,6%	125.500	376.500	3.000
S	**San Lorenzo**	4,7%	134.400	491.640	3.658
S	**San Martín**	9,2%	292.300	966.800	3.308
	NORTE	6,1%	284.500	644.800	2.266
	SUR	93,9%	2.889.000	9.864.590	3.415
	TOTAL	100%	3.173.500	10.509.390	3.312

Campaña: 2012/2013. Elaboración: Propia. Fuente: Sistema Integrado de Información Agropecuaria. Ministerio de Agricultura, Ganadería y Pesca de la Nación. Disponible en http://www.siia.gov.ar/series

Si bien la producción primaria involucra a una importante cantidad de productores (73 mil, mayormente de soja, de los cuales 17 mil corresponden a la provincia de Santa Fe), solo el 6% de los mismos explican el 54% de la producción. Este reducido grupo, representativo de la agricultura a gran escala (*pools* de siembra), se ha consolidado como nuevo actor en la última década. Ocupan el rol de gerenciadores de los medios de producción de terceros a través de un modelo de organización de la producción basado en una red de contratos que consiste en arrendamiento de tierras ajenas, alquiler de equipos y maquinarias, uso masivo de nuevas tecnologías de proceso como la siembra directa y el doble cultivo (soja de 1.o y soja de 2.o) y nuevos paquetes de insumos en base a semillas genéticamente modificadas (soja RR), herbicidas asociados (glifosato) y fertilizantes.

En poco más de una década, tanto la superficie sembrada de soja como su producción presentaron un importante crecimiento, del 122% y 152% respectivamente. El fuerte dinamismo presentado por este cultivo se explica por el boom del nuevo paquete tecnológico: Soja RR + glifosato + siembra directa, cuya aplicación trajo a su vez aparejada un fuerte aumento de la productividad debido a un mayor y mejor control de malezas y la mínima labranza que favorece la conservación del suelo reduciendo los ciclos de laboreo incentivando el doble cultivo sobre la misma tierra en una campaña agrícola.

A partir de la aplicación de dicho paquete, la soja ha tenido una creciente participación en el total del área sembrada del país, siendo actualmente del 64%. A partir de 1996, la introducción de semilla transgénica fue rápidamente adoptada en nuestro país por diferentes motivos (creciente presencia en el país de grandes firmas multinacionales de insumos; permite reducir los costos).

En Argentina, a diferencia de los Estados Unidos, los agricultores no pagan derechos de patente por la soja RR (dado que no está patentada en el país) y pueden reproducir su propia semilla para las próximas siembras. Como resultado, en la actualidad, las semillas genéticamente modificadas cubren casi la totalidad del área sembrada de soja (en los Estados Unidos el 70%).

Los precios internacionales de los granos oleaginosos presentaron una marcada aceleración desde mediados del 2007 hasta alcanzar sus máximos históricos en julio del 2008, cuando rondaron los 600 US$/tonelada, valores muy superiores a los registros más altos de la década anterior (1996/97). En el mercado interno, los precios siguieron la trayectoria de los precios internacionales. No obstante, se ubicaron en un nivel inferior por efecto de los derechos de exportación.

Gráfico 7: Evolución del precio de la soja

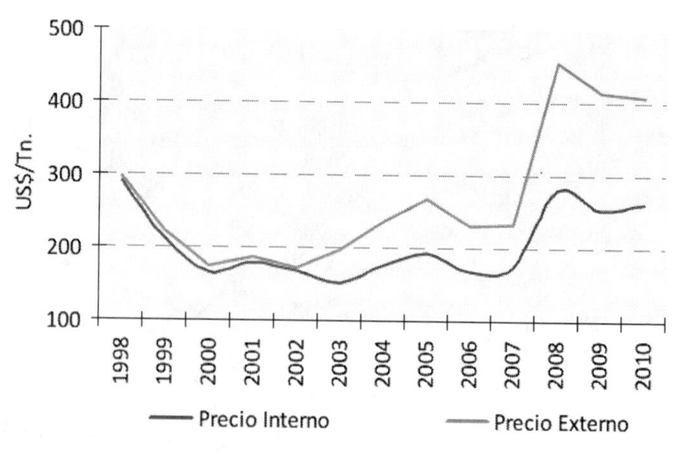

Fuente: DNPER, MECON (2011).

b) Girasol

Buenos Aires concentra más de la mitad de la superficie sembrada total país (52%), seguida por La Pampa (18%), Santa Fe (10%) y Chaco (10%). En términos de producción, también Buenos Aires es la provincia más importante (representa el 68%), siendo el resto explicado por La Pampa y Santa Fe.

Del total de la superficie agrícola sembrada de la provincia de Santa Fe, solo el 3% corresponde al cultivo de girasol, ubicándose mayoritariamente en el departamento de General Obligado (50% de la superficie provincial).

Gráfico 8: Evolución de la superficie sembrada con girasol

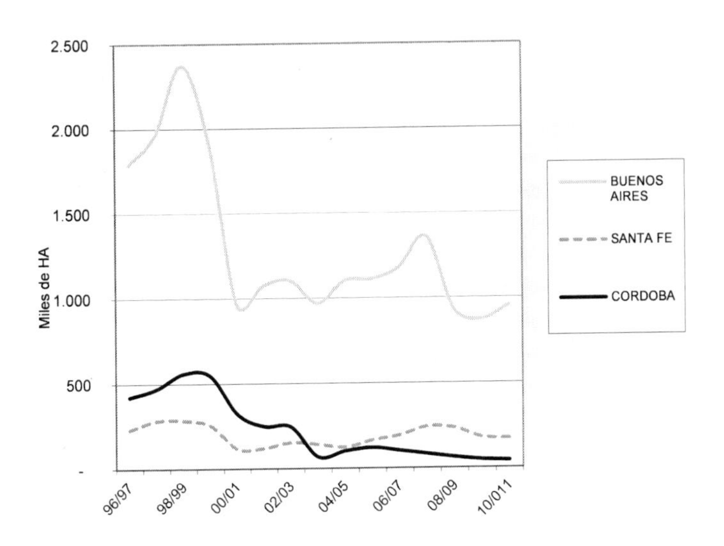

Fuente: Adaptado de Ramírez y Porstmann (2008)

La evolución de la superficie sembrada muestra un retroceso a partir de la campaña 2000/01 y luego cierta estabilidad relativa explicada en gran medida por la sustitución en el mercado interno por aceites más baratos (soja), especialmente a partir de la crisis económica del 2001; mayores facilidades y menores costos en el cultivo de la soja frente a los problemas técnicos asociados al girasol.

Figura 10: Girasol. Ha total país

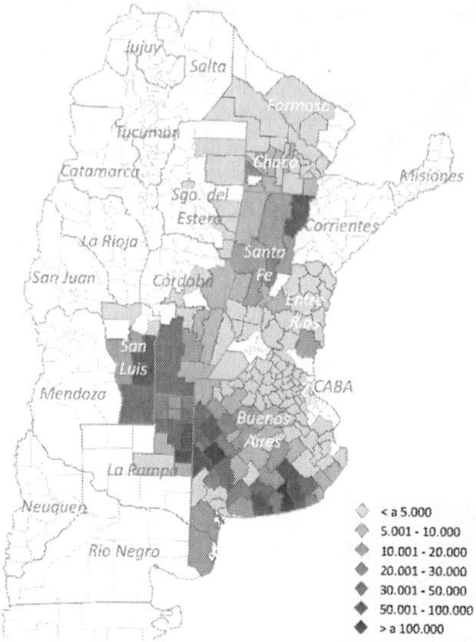

Fuente: DNPER, MECON (2011).

Figura 11: Girasol. Santa Fe

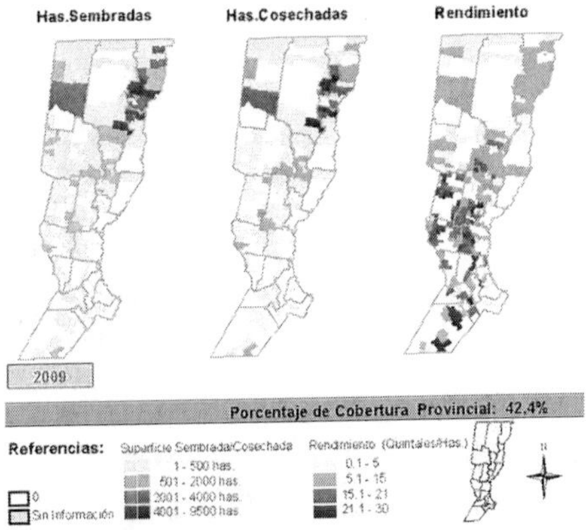

Has.Sembradas
Has.Cosechadas
Rendimiento
2009
Porcentaje de Cobertura Provincial: 42,4%
Referencias:
Superficie Sembrada/Cosechada
1 - 500 has.
501 - 2000 has.
2001 - 4000 has.
4001 - 9500 has
Rendimiento (Quintales/Has.)
0.1 - 5
5.1 - 15
15.1 - 21
21.1 - 30
0
Sin información

Fuente: https://bit.ly/2JLa93D.

Gráfico 9: Evolución del precio del girasol

US$/Tn
600
500
400
300
200
100
1997
1998
1999
2000
2001
2002
2003
2004
2005
2006
2007
2008
2009
2010
Precio Interno
Precio Externo

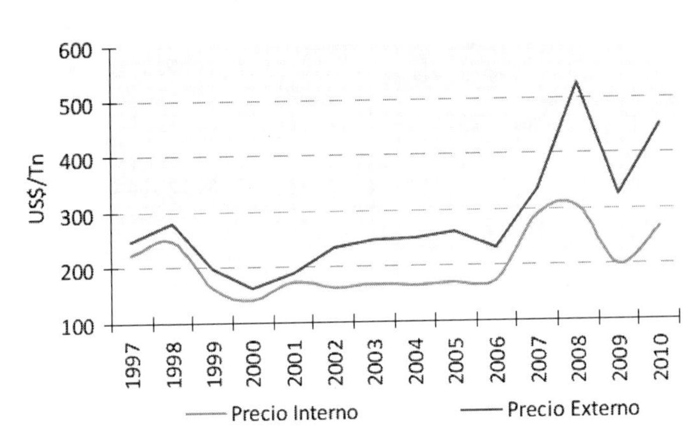

Fuente: DNPER, MECON (2011).

Según datos de la campaña 2012/13, la superficie de girasol sembrada en la provincia es 294.390 hectáreas con una producción total de 182.500 toneladas. Como puede observarse en el siguiente Cuadro (28), el 83% de la producción provincial de girasol corresponde a los departamentos del norte y el 17% a los del sur. A la inversa de lo que ocurre con la soja, el girasol se concentra mayoritariamente en el norte santafesino, especialmente en el departamento General Obligado que aporta el 51% de la producción provincial.

Cuadro 28: Superficie y producción total de girasol en Santa Fe por departamentos y ecorregiones

Eco-rregión Norte o Sur	Departa-mentos provincia de Santa Fe	Participación en la producción	Superficie GIRASOL ha	Producción Total tn	Rendimiento kg.ha-1
N	**Garay**	0,0%	-	-	-
N	**General Obligado**	50,8%	95.000	149.600	1.575
N	**Nueve de Julio**	7,1%	15.000	20.960	1.397
N	**San Cristóbal**	12,3%	19.000	36.100	1.900
N	**San Javier**	4,5%	10.000	13.120	1.312
N	**Vera**	8,2%	15.000	24.000	1.600
S	**Belgrano**	0,0%	-	-	-
S	**Caseros**	0,0%	-	-	-
S	**Castellanos**	2,3%	3.500	6.650	1.900
S	**Constitución**	0,0%	-	-	-
S	**General López**	0,5%	500	1.400	2.800
S	**Iriondo**	0,0%	-	-	-

S	**La Capital**	2,8%	4.800	8.160	1.700
S	**Las Colonias**	3,5%	5.700	10.260	1.800
S	**Rosario**	0,0%	-	-	-
S	**San Jerónimo**	0,5%	800	1.600	2.000
S	**San Justo**	7,5%	13.000	22.100	1.700
S	**San Lorenzo**	0,0%	-	-	-
S	**San Martín**	0,1%	200	440	2.200
	NORTE	**82,8%**	**154.000**	**243.780**	**1.583**
	SUR	**17,2%**	**28.500**	**50.610**	**1.776**
	TOTAL	**100%**	**182.500**	**294.390**	**1.613**

Campaña: 2012/2013. Elaboración: Propia. Fuente: Sistema Integrado de Información Agropecuaria. Ministerio de Agricultura, Ganadería y Pesca de la Nación. Disponible en http://www.siia.gov.ar/series.

Eslabón de transformación industrial

En la etapa industrial también existe una alta concentración: 5 de los 37 productores de aceites concentran el 60% de la capacidad instalada de molienda. Muchas de estas empresas suelen estar integradas con otras vinculadas a actividades que, en general, se ubican aguas arriba de la cadena: producción de semillas, siembra de oleaginosas en campos propios y producción de fertilizantes. Asimismo, la mayoría posee plantas de almacenamiento de granos y terminales portuarias propias, lo que permite la comercialización, exportación de granos y producción de aceites y pellets.

Del total de la producción de aceite crudo de soja, el 67% se destina a la exportación, el 27% a la producción de biodiesel y el resto a la refinación (tanto para consumo doméstico como para otras industrias). Con relación al aceite de girasol, también el grueso se exporta (dos tercios del total) y el resto se refina principalmente para consumo doméstico (aceite comestible) y, en menor proporción, para uso industrial (margarinas, mayonesas, galletitas y otros alimentos).

El proceso de refinación se encuentra concentrado en cinco grandes empresas que lideran el mercado interno. Los residuos o subproductos de la industria aceitera (harinas proteicas y tortas) se procesan y transforman en pellets para la fabricación de alimentos balanceados.

Por último, el biodiesel, que en nuestro país se produce a partir del aceite crudo de soja, es un combustible renovable que cobró impulso a partir de la sanción de la Ley Nacional 26.093/06. En 2010 se estableció un porcentaje de mezcla del biodiesel (y bioetanol) con naftas y gasoil destinados al consumo interno, que actualmente es del 7%.

Figura 12: Esquema del complejo oleaginoso

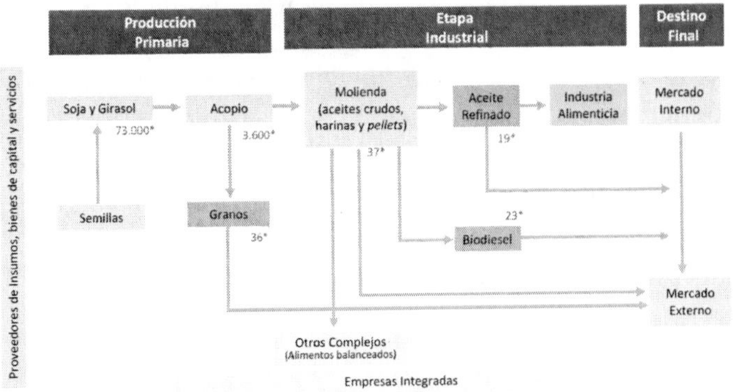

Fuente: DNPER, MECON (2011).(*) Cantidad de agentes.

Figura 13: Flujograma del complejo oleaginoso

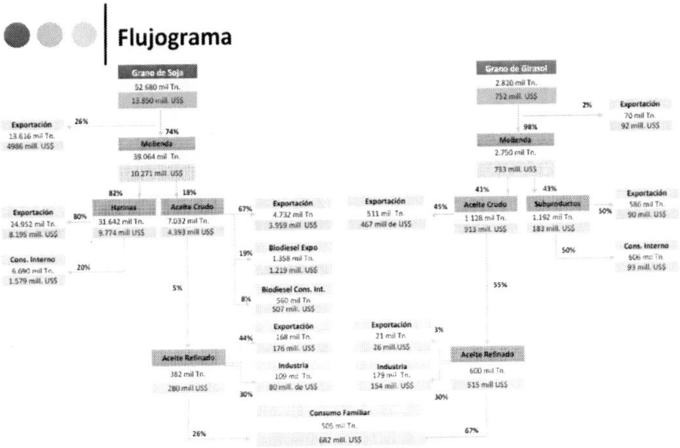

Fuente: DNPER, MECON (2011).

Aceites

Las 7 principales empresas concentran alrededor del 70% de la capacidad de producción total de aceites. La competitividad de las mismas reside en su escala de producción y en su localización tanto cerca de los centros de abastecimiento de granos como de los puertos de salida de la producción.

Gráfico 10: Producción de aceites por empresa año 2010

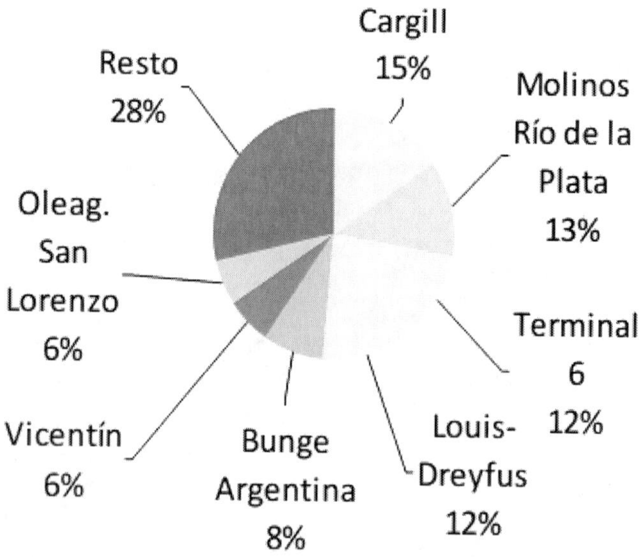

Cargill 15%
Molinos Río de la Plata 13%
Terminal 6 12%
Louis-Dreyfus 12%
Bunge Argentina 8%
Vicentín 6%
Oleag. San Lorenzo 6%
Resto 28%

Fuente: DNPER, MECON (2011).

De las 51 plantas aceiteras en actividad (correspondientes a las 37 empresas), gran parte se localiza en Santa Fe (22) y en Buenos Aires (16), distribuyéndose el resto entre Córdoba (6), Entre Ríos (4), La Pampa (1), Salta (1) y Santiago del Estero (1). La producción se encuentra fuertemente concentrada en Santa Fe (80%). Le siguen, en importancia, Buenos Aires (11%), Córdoba (5%) y Santiago del Estero (2%).

Figura 14: Localización de aceiteras y puertos

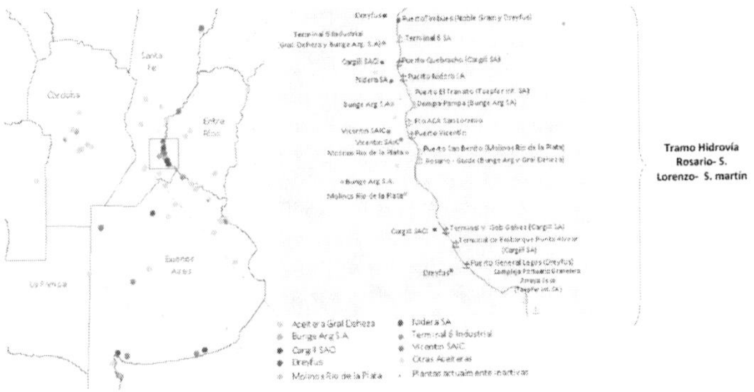

Fuente: DNPER, MECON (2011).

En línea con la evolución seguida por la producción de granos, entre 2003 y 2010, la elaboración de aceite de soja creció un 50%, ubicándose en los 6,9 millones de toneladas. Asimismo, durante el período considerado hubo un aumento constante de la capacidad instalada, producto de las inversiones realizadas por las aceiteras. Al respecto, entre 2000 y 2010, la capacidad aumentó un 33%, pudiendo con ello llegar a procesar 152 mil toneladas diarias.

Gráfico 11: Producción de aceite de soja

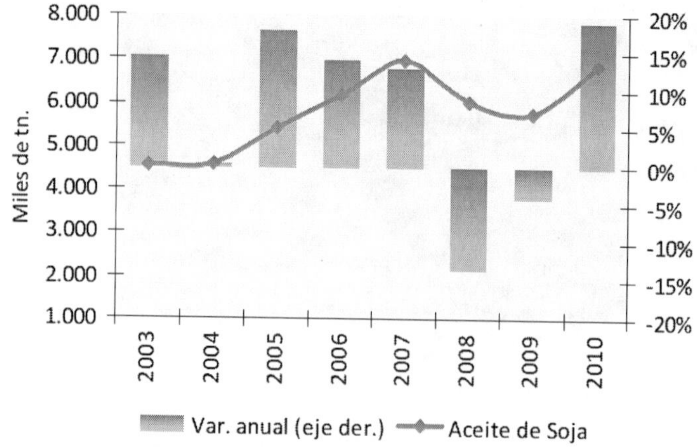

Var. anual (eje der.) — Aceite de Soja

Fuente: DNPER, MECON (2011).

En los últimos 7 años, la producción de aceite de girasol cayó un 19%, alcanzando en 2010 los 1,1 millones de toneladas. Esta merma se encuentra asociada a la caída experimentada en ese lapso por la producción de grano de girasol (pasó de los 3,7 millones de toneladas en la campaña 2002/03 a los 2,2 millones de toneladas en la campaña 2009/10).

Gráfico 12: Producción de aceite de girasol

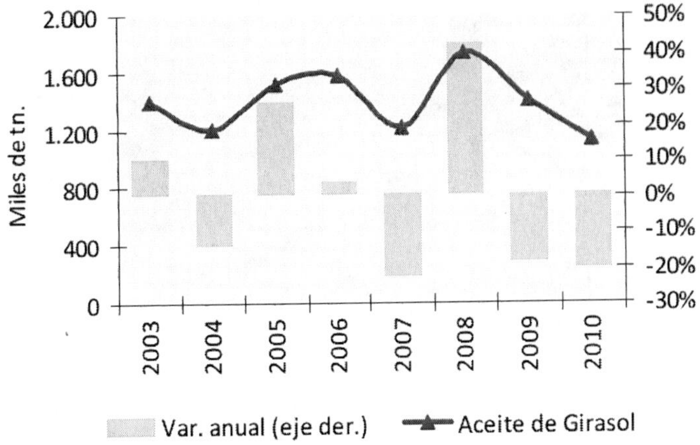

Fuente: DNPER, MECON (2011).

Los precios internacionales de los aceites de soja y girasol evidenciaron la misma evolución que sus respectivos granos: una fuerte suba en 2007/08, una brusca caída a fines del 2008, la estabilización entre mediados de 2009 y 2010 y un nuevo ciclo alcista desde fines de 2010 y comienzos de 2011.

Gráfico 13: Evolución del precio. Aceite de soja

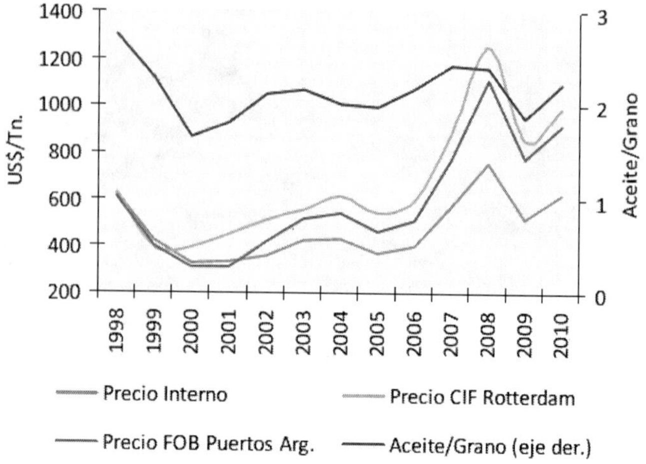

1400
1200
1000
800
600
400
200
US$/Tn.
3
2
1
0
Aceite/Grano
1998
1999
2000
2001
2002
2003
2004
2005
2006
2007
2008
2009
2010
Precio Interno
Precio CIF Rotterdam
Precio FOB Puertos Arg.
Aceite/Grano (eje der.)

Fuente: DNPER, MECON (2011).

Gráfico 14: Evolución del precio. Aceite de girasol

1400
1200
1000
800
600
400
200
US$/Tn.
3
2
1
Aceite/Grano
1998
1999
2000
2001
2002
2003
2004
2005
2006
2007
2008
2009
2010
Precio Interno
Precio FOB Puertos Arg.
Aceite/Grano (eje der.)

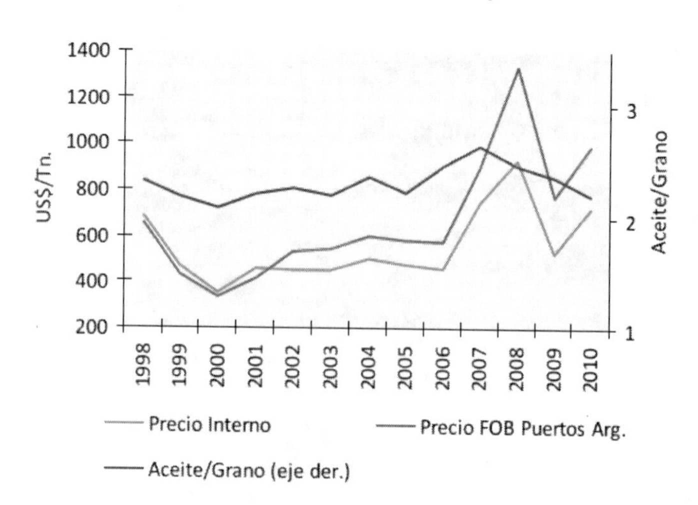

Fuente: DNPER, MECON (2011).

Comercio exterior

A nivel mundial, Argentina es primer exportador de aceite de soja y segundo exportador de aceite de girasol, después de Ucrania. Entre 2003 y 2010, las exportaciones del complejo crecieron a una tasa anual promedio del 12,6%, alcanzando el último año los 18.174 millones de dólares. En 2010, los principales productos exportados fueron los pellets de soja y girasol (46%), seguido por los porotos de soja (27%) y el aceite de soja (23%).

Por las terminales portuarias del Gran Rosario (Villa Constitución a Timbúes) se despacha el 78% de las exportaciones nacionales de granos, aceites y subproductos.

Gráfico 15: Complejo oleaginoso. Destino de las exportaciones

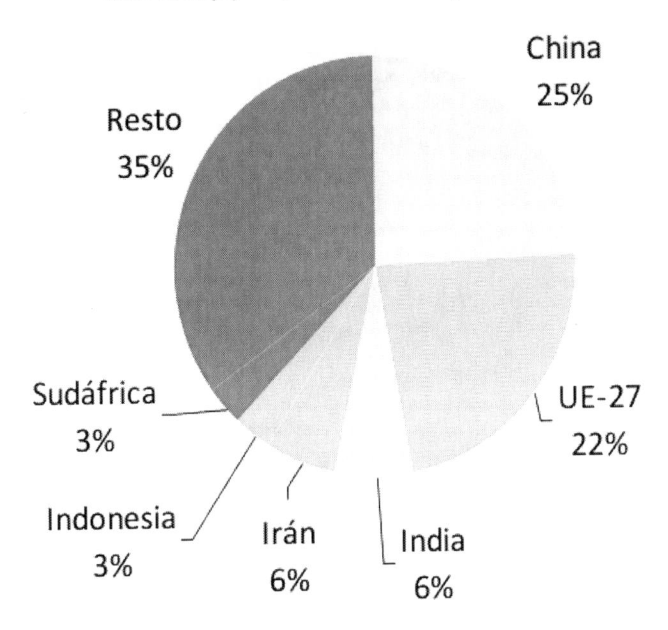

Fuente: DNPER, MECON (2011).

Las exportaciones de grano de soja se encuentran fuertemente concentradas en un número reducido de empresas: las cinco primeras explican el 66% de las ventas externas y las diez primeras dan cuentan del 96%.

En 2010, China y UE-27 fueron los principales destinos de las exportaciones del complejo, representando el 25% y el 22% del total, respectivamente.

Aunque con una menor participación relativa, otros países hacia donde se dirigieron nuestras colocaciones fueron India, Irán, Indonesia y Sudáfrica.

Si bien en los últimos años China ha sido el principal destino de las ventas externas de aceite de soja, en 2010 este país redujo sus compras a Argentina arguyendo cuestiones de calidad, las que fueron parcialmente reemplazadas con mayores exportaciones a India e Irán.

Gráfico 16: Complejo oleaginoso. Evolución de las exportaciones

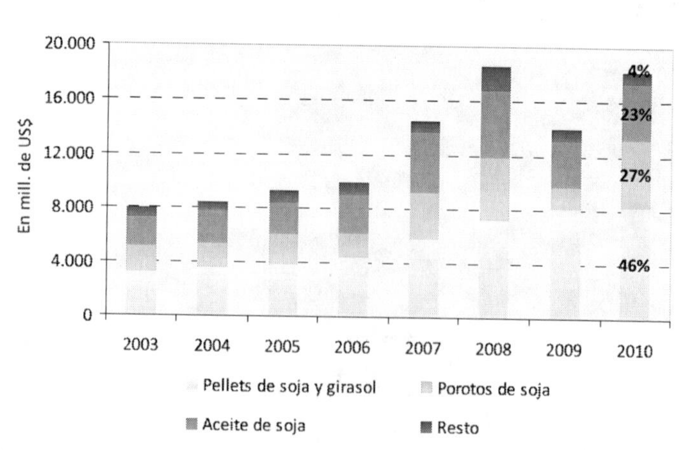

Fuente: DNPER, MECON (2011).

Biodiesel

En el 2010 se refinaron en Argentina 1,9 millones de toneladas de biodiesel a partir de soja, de las cuales 1,5 millones de toneladas se exportaron y 500.000 las utilizaron las petroleras para el corte obligatorio. En el 2011 se exportaron 1,6 millones de toneladas.

La producción de biodiesel (a partir del aceite de soja) comenzó a ser representativa a partir del 2007 (luego de la sanción de la Ley 26.093/6). Entre 2007 y 2010, dicha producción pasó de las 560 mil t a 3 millones de t. Asimismo, en esos tres años se incorporaron una importante cantidad de firmas a la actividad: en 2010 se contabilizaron 23 productores.

El fuerte impulso evidenciado por este sector se explica, por un lado, por el aumento de la demanda externa, en particular de la Unión Europea, que estableció un corte del gasoil con un porcentaje creciente de biodiesel y por el otro, con el surgimiento de la demanda interna en 2010, tras el establecimiento del cupo para la mezcla del biodiesel con naftas y gasoil.

Los mayores precios declarados para exportación fueron de US$1.400 la tonelada y el promedio ponderado fue de US$982 la tonelada. La mayor parte de las ventas externas se dirigen a la Unión Europea (UE-27), Alemania, España, EE. UU. y Holanda.

La capacidad instalada argentina de biodiesel llegaría a 3.100.000 de toneladas en el año 2011. En Argentina hay 18 plantas de biodiesel, principalmente ubicadas en el Gran Rosario. Las empresas de mayor capacidad de producción son: 1.º) Renova (San Lorenzo), propiedad de Glencore y Vicentín. CP: 400.000 t 2.º) Dreyfus (Timbúes). CP: 300.000 t 3.º) Unitec Bio (Grupo Eurnekian), Patagonia

Bioenergía, Ecofuel (Puerto Gral. San Martín, controlada por Aceitera Gral. Deheza y Bunge Argentina), Cargill y Aceitera General Deheza.

Figura 15: Localización de plantas de biodisel en Santa Fe

Fuente: Julio Calzada – BCR (2012).

El sur de la provincia de Santa Fe tiene la concentración más grande de plantas de biodiesel debido a la gran concentración de molienda de granos.

A partir de 2009, con la eliminación del subsidio para los productos destinados al mercado externo, EE. UU. dejó de comprar biodiesel argentino y las ventas de nuestro país se reorientaron hacia los países de la UE. No obstante, una nueva normativa de la UE ("Directiva de energía renovable") podría actuar como barrera al ingreso de biocombustible derivado de la soja, aunque la Argentina está negociando su flexibilización para poder ingresar a ese mercado sin inconvenientes.

1.2. Cadena del trigo y sus derivados

Un estudio llevado adelante por los investigadores del IERAL de Fundación Mediterránea entre los años 2009 y 2010 afirma que el trigo es el segundo cereal más consumido del mundo, siendo el maíz el primero en preferencia. De su procesamiento surgen dos ramas de productos, los denominados de primera industrialización, entre los que se encuentra la harina, y los de segunda industrialización, tales como los panificados, las galletitas y las pastas.

Argentina tiene un gran desafío en la cadena de trigo, que es proceder a la mayor industrialización del cereal, de forma tal de sustituir actuales exportaciones de trigo por ventas al mundo de productos tales como pastas, panificados y/o galletitas. En promedio, el 60% del trigo se ha exportado como grano, un porcentaje que es alto en términos absolutos, pero también en relación a la que muestran varios países productores y exportadores importantes (caso de Estados Unidos, la Unión Europea, Rusia y Ucrania).

Producción primaria del trigo

La superficie sembrada con trigo, que se encontraba relativamente estabilizada desde mediados de la década de 1990 hasta mediados de la década del 2000, muestra un importante retroceso desde esta última fecha hasta la actualidad. De acuerdo a estimaciones oficiales, la superficie implantada país promedio fue de

6,3 millones de hectáreas desde las campañas 1996/97 y cayó a 4,9 millones de hectáreas en el último quinquenio.

Considerando estos quince ciclos, se observa una reducción punta a punta del 23% en el área sembrada. Si bien en los últimos ciclos ha habido problemas climáticos importantes en algunas regiones, que podrían explicar parte del retroceso del área sembrada, no puede obviarse la gran transferencia de recursos que han hecho los productores de trigo hacia otros sectores de la economía argentina bajo el esquema de doble intervención sobre el mercado del cereal que rige desde el 2006 (derechos de exportación más cupos de exportación). Este esquema ha tenido sin dudas consecuencias negativas sobre los incentivos a producir trigo. Más aún, el hecho que la política de intervención haya sido sucesivamente modificada en cuanto a sus instrumentos y sus alcances, también ha contribuido a incrementar el riesgo de canalizar recursos hacia esta actividad productiva.

Figura 16: Trigo. Superficie sembrada total país

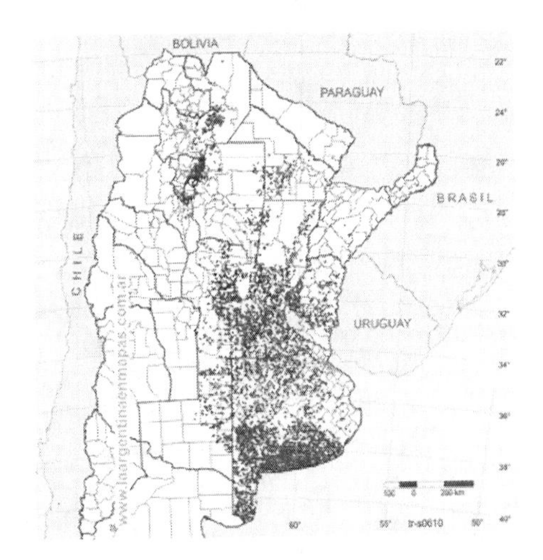

Fuente: La argentina en mapas-CONICET.

Figura 17: Trigo. Santa Fe

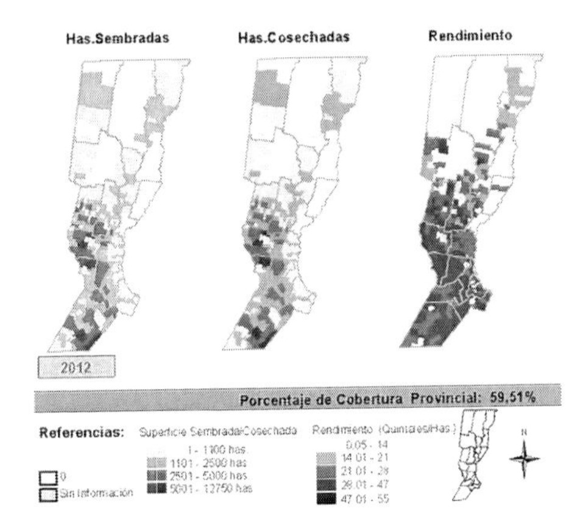

Fuente: https://bit.ly/2JLa93D.

Gráfico 17: Evolución de la superficie sembrada con trigo

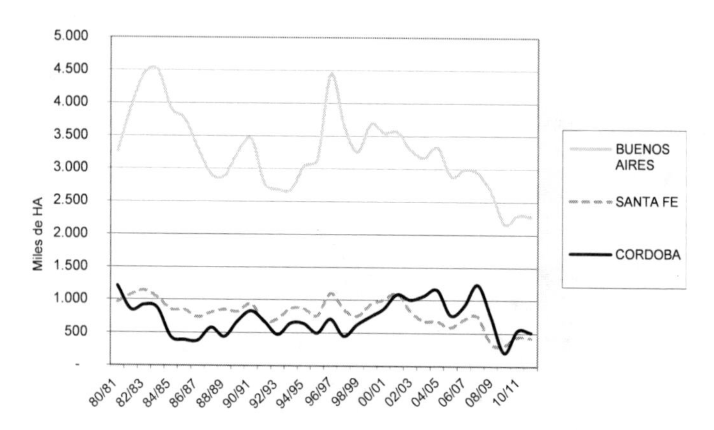

Adaptado de Ramírez y Porstmann (2008)

Las tres primeras provincias en superficie sembrada son Buenos Aires (49%), Córdoba (11%) y Santa Fe (9%) respectivamente y han mantenido ese orden a través del tiempo, a pesar de haber disminuido el área dedicada a ese cultivo en las tres provincias.

Entre fines de los años de 1990 y hasta el año 2006, el 34% de la producción de trigo se destinó al mercado interno, mientras que el 66% restante se exportó al mundo. En ese período los molinos harineros locales procesaron en promedio 4,8 millones de toneladas anuales. En los años siguientes, el porcentaje de trigo enviado a la exportación bajó hasta el 40% observado en el 2010. Si bien parte de esta baja se explica por la mayor demanda de trigo de la molinería local, que pasó a procesar más de 6 millones de toneladas, el hecho de que la producción retrocediera entre 4 y 5 millones de toneladas ha sido determinante de la aparente mejor distribución del trigo entre mercado interno y externo.

Según datos de la campaña 2012/13 la producción de trigo de la provincia fue de 1.369.100 toneladas. El Cuadro 29 permite observar que casi el 90% de esta producción se concentra en los departamentos del sur provincial, especialmente en General López, Castellanos, San Jerónimo, Las Colonias y Constitución. En el norte provincial se destaca el departamento 9 de Julio.

Cuadro 29: Superficie y producción total de trigo en Santa Fe por departamentos y ecorregiones

Ecorregión Norte o Sur	Departamentos provincia de Santa Fe	Participación en la producción	Superficie TRIGO ha	Producción Total tn	Rendimiento kg.ha^{-1}
N	**Garay**	0,0%	-	-	-
N	**General Obligado**	3,4%	18.600	46.500	2.500
N	**Nueve de Julio**	5,3%	32.900	72.380	2.200
N	**San Cristobal**	0,7%	5.700	9.120	1.600
N	**San Javier**	0,4%	2.190	5.040	2.301
N	**Vera**	0,6%	3.290	8.880	2.699
S	**Belgrano**	3,2%	13.260	43.760	3.300
S	**Caseros**	5,0%	21.533	68.910	3.200
S	**Castellanos**	11,0%	53.600	150.080	2.800
S	**Constitución**	6,0%	25.861	82.760	3.200
S	**General López**	19,3%	90.000	264.000	2.933
S	**Iriondo**	5,2%	21.423	70.700	3.300
S	**La Capital**	0,7%	5.130	10.260	2.000
S	**Las Colonias**	8,3%	45.600	114.000	2.500
S	**Rosario**	4,9%	20.930	66.980	3.200
S	**San Jerónimo**	9,0%	49.401	123.500	2.500
S	**San Justo**	1,5%	11.970	20.350	1.700
S	**San Lorenzo**	4,1%	21.393	55.660	2.602
S	**San Martín**	11,4%	60.083	156.220	2.600
	NORTE	10,4%	62.680	141.920	2.264,2
	SUR	89,6%	440.184	1.227.180	2.787,9
	TOTAL	100%	502.864	1.369.100	2.722,6

Campaña: 2012/2013. Elaboración: Propia. Fuente: Sistema Integrado de Información Agropecuaria. Ministerio de Agricultura, Ganadería y Pesca de la Nación. Disponible en http://www.siia.gov.ar/series

La transformación industrial

Las estadísticas de la ONCCA (Oficina Nacional de Control Comercial Agropecuario, organismo actualmente eliminado) contabilizaban 171 molinos harineros en todo el país en el año 2010, ubicados principalmente en las zonas tradicionalmente productoras de trigo. Aproximadamente el 50% de los establecimientos se encontraba radicado en la provincia de Buenos Aires, 24% en Córdoba y 14% en Santa Fe.

El 31% de los molinos eran de tamaño micro (menos de 34 toneladas diarias), el 33% eran pequeños (entre 34 toneladas y 120 toneladas diarias), el 25% eran medianos (entre 120 toneladas y 360 toneladas diarias) y el 10% eran grandes (más de 360 toneladas diarias). De acuerdo a estimaciones del IERAL, la industria operaba al 70% de capacidad instalada en el 2010.

Un informe de Alimentos Argentinos (2012), establece que la molienda de trigo pan se concentra mayoritariamente en Buenos Aires, desde el año 2002 su participación anual no ha sido menor al 50%. En aquel año concentró el 55,1% mientras que en 2010 acaparó el 53,6%.

Figura 18: Molinos harineros. Distribución geográfica

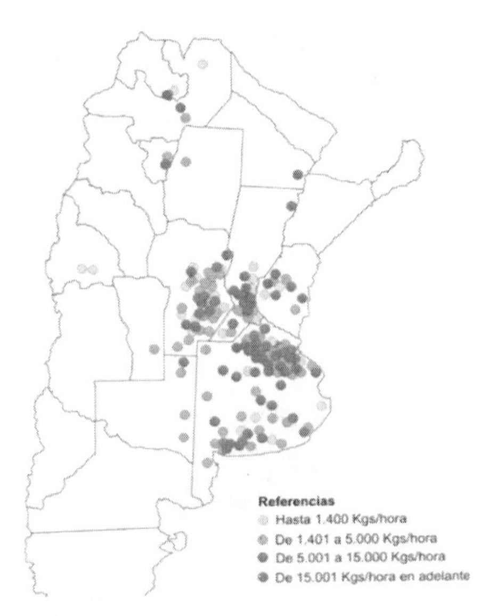

Fuente: IERAL (2011).

La distribución provincial del total de molinos de harina de trigo en el país, en 2011, es la expresada en el Cuadro 30, siendo la provincia de Santa Fe la tercera del país.

Cuadro 30: Molienda de trigo. Distribución por provincias

Provincia	Cantidad de molinos	Participación
Buenos Aires	81	45,5%
Córdoba	42	23,6%
Santa Fe	24	13,5%
Entre Ríos	10	5,6%
Tucumán	5	2,8%
La Pampa	4	2,2%
Salta	3	1,7%
Jujuy	3	1,7%
San Juan	2	1,1%
San Luis	1	0,6%
Santiago del Estero	1	0,6%
Chaco	1	0,6%
CABA	1	0,6%
Total del país	**178**	**100,0%**

Fuente: Alimentos Argentinos (2012).

A lo largo de todo el período bajo análisis Córdoba, Santa Fe y Entre Ríos han sido las otras provincias que han molturado, en ese orden y por detrás de Buenos Aires, la mayor parte del trigo pan del país. En 2010, Córdoba tuvo una participación del 21,9%, Santa Fe del 12,9% y Entre Ríos del 4,1%.

La industria molinera ha aumentado considerablemente su nivel de actividad en los últimos años, así como su nivel de concentración (uadro 31), de la mano de mayores incentivos económicos logrados bajo un esquema que combinó alícuotas diferenciales de derechos de exportación (el gobierno aplicó alícuotas sobre la harina entre el 45% y 65% menores a las que aplicó respecto del trigo desde el 2006), cupos de exportación y subsidios a la molinería (programa de compensaciones).

Cuadro 31: Molienda de trigo. Capacidad de molienda y participación de las empresas

Puesto	Empresa	Molienda trigo 12/06 a 11/07 (Ton)	Participación
1	Cargill S.A.C.I.	1.021.169	17,0%
2	Molino Cañuelas S.A.C.I.F.I. y A.	690.729	11,5%
3	Andrés Lagomarsino e Hijos S.A.	401.330	6,7%
4	Molinos Florencia S.A.	226.406	3,8%
5	Sociedad Anónima Molinos Fenix	193.711	3,2%
6	José Minetti y Cía. Ltda. S.A.C.I.	175.060	2,9%
7	Molinos Cabodi Hnos. S.A.	170.955	2,8%
8	Cánepa Hnos. S.A.I.C.A. y F.	111.786	1,9%
9	Molinos Juan Semino S.A.	103.018	1,7%
10	Morixe Hnos. S.A.C.I.	95.785	1,6%
-	Otros	2.823.734	47,0%
138	**Total**	**6.013.683**	**100,0%**

Fuente: Alimentos Argentinos (2012).

Respecto a los subsidios, de acuerdo a las últimas estadísticas oficiales difundidas por la ONCCA, el monto de recursos transferido a los molinos harineros desde la entrada en vigencia del programa de compensaciones hasta comienzos del 2011 fue de aproximadamente $3.800 millones. Dada la cantidad de toneladas de trigo procesadas entre 2007 y 2010, unos 25 millones de toneladas, el subsidio fue equivalente a $150 por tonelada (en promedio). Para los molinos que recibieron estos fondos, el impacto del subsidio ha sido, sin dudas, muy significativo, considerando que el trigo, principal costo de la industria, se negoció durante esos años en el mercado interno a valores de entre $350 y $850 la tonelada.

Otro indicador positivo para la industria molinera es el crecimiento de su inserción internacional: el volumen de exportaciones pasó de un promedio de 400 mil-500 mil toneladas (11%-13% de la producción) a 900 mil-1 millón de toneladas en los últimos cuatro años (19%-21% de la producción).

Podría decirse que el esquema de intervención sobre la cadena de trigo ha sido efectivo entonces para incrementar la producción y exportación de harina de trigo, aunque han debido pagarse costos en términos de una menor producción de trigo, además de una importante suma de recursos que el fisco ha transferido a la industria. Las consecuencias adversas sobre el primer eslabón hacen no sustentable en el tiempo al esquema actual y exigen su revisión.

Gráfico 18: Trigo. Evolución de las exportaciones sector primario e industrial

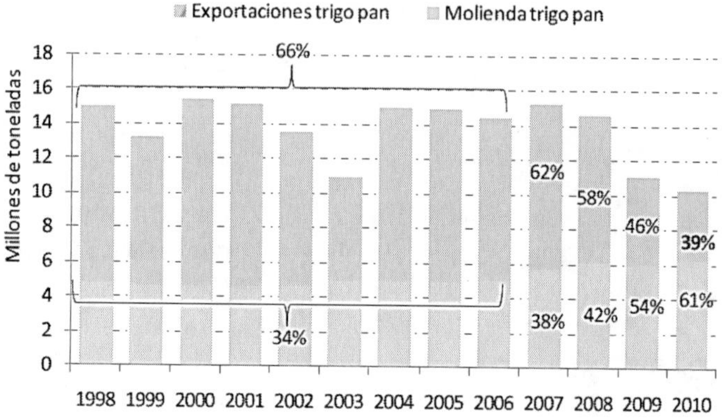

Fuente: IERAL (2011).

Dentro del eslabón de segunda industrialización se destaca por su importancia la industria de la panificación, la cual absorbe el 73% de la harina destinada al mercado interno. Esta actividad abarca la panificación artesanal y la industrial, siendo la primera la más significativa. La industria de pastas consume el 10% (2% las pastas frescas y 8% las pastas secas), la de galletitas y bizcochos el 7%, y el consumidor final el 10% restante en forma de harina fraccionada.

Argentina exporta pocos derivados de la harina de trigo: en el período 2008/2010 han sido en promedio 14 mil toneladas anuales de panificados, 35,5 mil toneladas de galletitas y 28 mil toneladas de pastas.

Figura 19: Cadena del trigo. Flujograma físico datos 2008/10

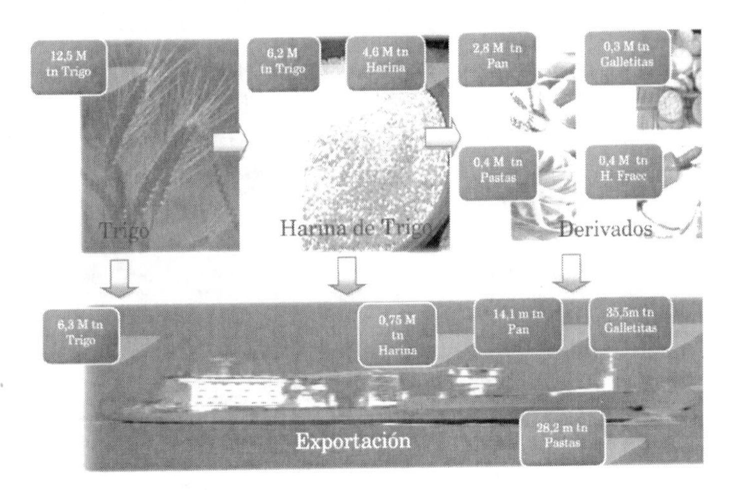

Fuente: IERAL (2011)

La generación de empleo en la cadena

La cadena de trigo es muy importante en la generación de empleo a través de sus distintos eslabones productivos. Estimaciones propias basadas en la matriz insumo producto 1997, el Censo Nacional Económico 2004/05 y en la evolución de la producción desde el año censal hasta la actualidad, indican que la cadena triguera estaría generando aproximadamente 132.900 puestos de trabajo directos en los tres primeros eslabones (actividad primaria e industrias de primera y segunda transformación).

La producción del grano aportaría 19.200 puestos, la primera transformación del grano (molinos) 8.700 puestos y las industrias de segunda transformación (industrias de la alimentación), 105.000 puestos. Dentro de las industrias de segunda transformación, la que concentra mayor cantidad de puestos de trabajo es la elaboración de panificados, seguida por la industria de galletitas y bizcochos y por último la industria de pastas alimenticias.

Puede deducirse que el trigo exportado como producto derivado vale más que el trigo exportado como grano y por ende que existe una oportunidad de generar valor económico a partir de la mayor transformación del trigo que produce el país.

Por una tonelada de trigo exportado Argentina pudo obtener, en el período 2002-2010, US$182 (valor FOB promedio); cuando ese trigo se procesó y exportó como harina su valor promedio ascendió a US$202. Cuando en vez de exportar harina se exportaron, por ejemplo, pastas o galletitas, el valor de la tonelada de trigo incorporada a estos productos se multiplicó. En el caso de las pastas, el valor FOB equivalente (cantidad equivalente trigo) ascendió a US$460 promedio y el de las galletitas a US$1.195 promedio.

Evolución del comercio mundial

En los últimos años el comercio mundial de trigo promedia los 135 millones de toneladas. Hace 20 años el intercambio estaba en el orden de los 100 millones de toneladas, lo que indica un crecimiento del 1,3% promedio anual, que puede ser considerado pobre en relación a la evolución que muestran otros productos.

El mercado mundial de harina de trigo ronda los 10,5 millones de toneladas, con un valor de US$3.750 millones en el 2009. La tasa de crecimiento de las exportaciones mundiales de harina ha sido también baja, del orden del 1,8% promedio anual medida en cantidades físicas (3,2% medida en valor). El patrón es bastante parecido al de las exportaciones de trigo.

El comercio mundial de los derivados de la harina muestra un escenario mucho más alentador. En el año 2009 el mercado mundial de pastas movilizó productos por un valor de US$6.500 millones, con 4,2 millones de toneladas comercializadas. De acuerdo a la base UN-COMTRADE, en el período 1996-2009 el comercio muestra un crecimiento del 7,9% promedio anual, medido en valores, y del 4,7% promedio anual si se lo mide en cantidades.

El mercado mundial de galletas y panificados es considerablemente mayor al de pastas. En el 2009 el comercio de estos productos totalizó US$21.000 millones, con un intercambio de 7,2 millones de toneladas. El crecimiento de este mercado ha sido muy fuerte entre los años 1996 y 2009. Medido en valor, el mercado ha crecido al 8,2% promedio anual, mientras que medido en cantidades al 7,1% promedio anual.

Si bien estas tasas probablemente hayan sido ligeramente menores (dado que muchos países no informaban de sus operaciones de comercio exterior a la base estadística de Naciones Unidas hacia mediados de los años de 1990), no deben quedar dudas de que el comercio mundial de productos derivados de la harina viene creciendo a tasas que como mínimo duplican el desempeño de la harina y triplican el del trigo.

Inserción de Argentina en los mercados mundiales

Una simple observación de la estructura de comercio exterior de la cadena de trigo de Argentina en comparación con la estructura de comercio mundial de la misma cadena muestra que el país exporta en términos relativos mucho trigo, bastante harina, pero muy pocos productos derivados de harina. En el año 2009 a nivel mundial los productos derivados de la harina se quedaron con el 43% del comercio exterior de la cadena mientras que en Argentina solo con el 7%.

En el período 1998-2009, la participación promedio de Argentina en las exportaciones mundiales de trigo fue de 7%, con un valor mínimo del 3,2% en 2009 y máximo del 9% en 2001.

La inserción de la harina de trigo ha sido, en general, menor a la del trigo, promediando un 3,7% del mercado en el período. Sin embargo, debe notarse que el *market share* ha mostrado un proceso muy expansivo desde el año 2006, llegando al 8,6% en 2008, y pasando a tener mayor participación la harina en el comercio internacional que el trigo. Esta gran aceleración en la inserción internacional de la harina obedece probablemente al esquema de derechos de exportación diferenciales (con menores tasas para la harina que para el trigo), sumado a restricciones cuantitativas a la exportación de trigo (que penalizan su precio en el mercado interno, bajando más aún los costos de la molinería) y al programa de subsidio -actualmente suspendido- a los molinos por la harina destinada a mercado interno (parte de este subsidio y de la baja de costos consecuente se traslada puertas adentro de las empresas hacia la exportación).

Donde no se observan importantes cambios y el coeficiente de participación de mercado aparece muy estable y en niveles bajos, es en los derivados de la harina. En efecto, la participación de mercado de los productos farináceos ha promediado el 0,4% del mercado, con poca variación en el período.

Cuadro 32: Molienda de trigo. Exportaciones de harina por destino datos 2010

	Volumen	Valor	Valor unitario	Participación	
País destino	Miles Ton	Mill. US$ FOB	US$/Ton	(% Volumen)	(% Valor)
Brasil	620,9	212,1	341,6	69,3%	69,7%
Bolivia	222,1	74,6	336,0	24,8%	24,5%
Chile	28,5	9,4	330,2	3,2%	3,1%
Cuba	13,0	3,5	268,2	1,5%	1,1%
Uruguay	3,4	1,6	462,8	0,4%	0,5%
Otros	7,9	3,0	378,1	0,9%	1,0%
Total	895,7	304,2	339,6	100,0%	100,0%

Fuente: Alimentos Argentinos (2012).

Un escenario posible de producción al 2020

El informe de IERAL sostiene que la cadena de trigo puede tener un fuerte crecimiento en los próximos años, bajo un escenario de mayor previsibilidad, estabilidad macroeconómica, menores intervenciones de política al mercado del trigo y una acción pública de fuerte promoción a la internacionalización de productos industrializados.

Argentina puede perfectamente alcanzar una producción de 22,8 millones de toneladas de trigo en la campaña 2019/2020. Luego, para que esta mayor producción potencie su capacidad de generación de empleo e ingresos, es clave que crezca en forma importante la industria transformadora. Si la industria de la molienda crece al 5% promedio anual, se llegaría a un volumen de producción de harina de 7,7 millones de toneladas en el 2020. Nótese que se trata de una tasa de crecimiento importante, aunque levemente inferior a la del promedio 2006/2009 (5,8%).

Esta mayor producción de harina debería canalizarse, por una parte, a través de la exportación y, por otra, a partir de la industria de segunda transformación del trigo. De crecer esta última al 5% anual y con una asignación de la harina similar a la actual (aunque levemente corregida para considerar las mayores chances de crecimiento de los productos más transables), se llegaría a una producción de 3,8 millones de toneladas en la industria de la panificación, a 0,8 millones de toneladas en la industria de las pastas alimenticias, a 1 millón de toneladas en la industria de las galletitas y bizcochos y 0,5 millones de toneladas en las harinas fraccionadas al 2020. Dado que el consumo interno de derivados seguramente crecerá menos del 5% anual, los saldos exportables de estos productos crecerán todos los años. Afortunadamente, los mercados mundiales de productos industrializados en base a trigo crecen a buen ritmo desde hace varios años; si el mundo se mantiene en crecimiento, los mercados deberían seguir creciendo.

Bajo los volúmenes proyectados, y suponiendo precios promedio del período 2007-2010, el valor de las exportaciones de la cadena de trigo llegaría a 5.815 millones de dólares en 2020, con la siguiente distribución: 3.130 millones de dólares generados en la exportación del grano de trigo pan, 696 millones de dólares en la exportación de la harina de trigo, 720 millones de dólares en la exportación de panificados, 883 millones de dólares en las exportaciones de galletitas y bizcochos y 338 millones de dólares en las exportaciones de pastas alimenticias.

En función de la proyección de producción para cada uno de los eslabones de la cadena y considerando ganancias de productividad (entre 1 y 2 puntos porcentuales anuales), que reducen gradualmente los coeficientes de empleo observados en la actualidad, la cadena requeriría unos 211.000 puestos de trabajo al año 2020. Se trata de más de 70 mil nuevos puestos de trabajo, respeto de los existentes en 2009-2010.

Acciones y políticas públicas

El esquema de intervenciones sobre la cadena del trigo deberá ser revisado en los próximos años. En su reforma, deberán priorizarse aquellos aspectos del mismo que son más contrarios al buen funcionamiento de la cadena y a su mayor inserción internacional. La eliminación de los cupos de exportación sobre el trigo debe ser una prioridad, dado que no tiene costo fiscal. En paralelo deberá reducirse la alícuota de derechos de exportación sobre las harinas y eliminarse la que rige sobre productos de segunda industrialización. También deberá reducirse el programa de compensaciones (en cuanto al monto del subsidio) y reconvertirse de forma tal de que pase a promover exportaciones.

A mediano plazo, debería plantearse la reducción de los derechos de exportación sobre el trigo y su eliminación para la harina. La menor presión fiscal sobre el trigo debería acelerarse en caso que los precios internacionales desciendan de los elevados niveles que tienen actualmente.

La Argentina no cuenta con un sistema de producción, transporte y comercialización que permita diferenciar entre calidades y variedades de trigo. Un sistema de este tipo permitiría adaptar los tipos a los requerimientos de cada producto derivado de la molinería; se reduciría la incertidumbre a la que se enfrenta la industria cuando en cada compra debe realizar estudios de muestras para determinar si su materia prima es apta para ser ingresada en su proceso productivo. La segregación de trigos reduciría significativamente costos de transacción y posibilitaría precios diferenciales según valoraciones relativas. El

Estado debe diseñar un marco regulatorio superador del actualmente vigente que permita avanzar en la implementación de este sistema.

Dado que el escenario planteado para el año 2020 exige aumentar fuertemente las exportaciones de productos de la cadena de trigo con mayor valor agregado, se requiere de un plan de promoción integral, que incluya, entre otras cuestiones, las siguientes: a) Acuerdos bilaterales y multilaterales con aquellos mercados que se muestran más dinámicos; b) Provisión de información y capacitación sobre disponibilidad y uso de nuevas tecnologías de producción; c) Provisión de información sobre nuevos mercados, factores competitivos determinantes, condiciones legales de acceso, etc.; d) Facilitación de financiamiento de mediano y largo plazos; e) Facilitación de infraestructura productiva de base (ej.: fuentes de energía, laboratorios, redes viales, etc.).

1.3. Cadena de la carne bovina

El sector cárnico en su conjunto constituye una de sus cadenas conformada por diferentes actores. Entre los actores se incluyen los diferentes productores pecuarios, los proveedores de insumos, las industrias de procesamiento y transformación, los agentes de distribución, comercialización y servicios (financiamiento, criterios técnicos, investigaciones, suministros y otros) y los consumidores finales de productos y subproductos. Entre ellos, se genera una serie de flujos internos (de bienes y/o servicios) los que a su vez se relacionan en un ambiente institucional (leyes, normas) a un ambiente organizacional (gobierno, política sectorial, créditos) y a un ambiente tecnológico (investigación y transferencia de tecnología). En cuanto a las funciones se trata de la producción (primaria), transformación (industrial), intermediación y consumo.

La cadena de ganados y carnes tiene una magnitud que la convierte en una de las actividades económicas agroalimentarias más relevantes de la provincia después de la soja. La provincia de Santa Fe posee alrededor del 13% del stock ganadero nacional (año 2007), el mayor número de las plantas faenadoras-exportadoras y volumen de carne exportado, ocupando el segundo lugar en animales faenados.

Santa Fe es la segunda provincia productora de carne bovina del país, detrás de Buenos Aires. Las carnes se caracterizan por su alto valor nutritivo y muy buena calidad, por lo que son altamente competitivas en los mercados externos. De los 14 millones de cabezas faenadas (50,3% machos 49,7 hembras) en el año 2007, Santa Fe faenó más de 2,5 millones, lo que permitió alcanzar una producción de 625.000 toneladas de carne que representa casi el 17% del total nacional.

La provincia cuenta con 35 mataderos-frigoríficos, de los cuales aproximadamente 20 establecimientos están habilitados para exportación. Esto convierte a la provincia en una de las principales exportadoras de productos cárnicos, con una participación del 14,95% (80.564 toneladas) del total nacional. Cabe destacar, que la faena 2007 de la industria frigorífica argentina fue la más elevada de los últimos 28 años, y que la producción de carne vacuna alcanzó un volumen récord para el sector, con un total de 3.210.570 toneladas res c/hueso. El sector de la industria frigorífica orientada a la exportación de productos cárnicos cumple con los más exigentes estándares internacionales en materia higiénico-sanitaria.

Con respecto al consumo interno, se destaca que en el 2007 alcanzó los 2,671 millones de t res c/hueso, y registró un aumento del 8% respecto de la demanda interna de 2006. En términos per-cápita, el consumo interno quedó establecido en 67,8 kilogramos. Entre el 60 y el 70% de la carne que se consume se comercializa a través de carnicerías.

Teniendo en cuenta todos los eslabones (primario, industrial y comercial) y aspectos productivos (transporte y sueldos), se estima un valor bruto de producción total de la cadena de US$2.829.005.034 (Ministerio de la Producción, Gobierno de Santa Fe, 2008a: 37-38).

Eslabón productivo primario

Según datos del SENASA, en el 2008 la provincia de Santa Fe poseía un stock ganadero total de 7.777.576 animales, lo que representa casi el 13% del total nacional (RENSPA, Registro Nacional Sanitario de Productores Agropecuarios del Servicio Nacional de Sanidad Animal —SENASA—, 2008) con un total de 32.167 establecimientos correspondientes a los distintos sistemas de explotación bovina, de los cuales 19.332 pertenecen a establecimientos de cría (71,6%); 7.329 a sistemas productivos de invernada (27,2%); 303 a *feed lot* (1%); y 36 a cabañas (0,1%), lo que nos indica que 27.000 corresponden a la producción de carne.

La producción ganadera vacuna de cría sufre las consecuencias de una serie de factores limitantes, como tamaño de la explotación, inadecuada capacidad empresarial, pocos programas de capacitación y transferencias, financiamiento inadecuado para las actividades, escasa actualización tecnológica, lo que se sintetiza en una marcada ausencia de rentabilidad.

Una gran población de productores ganaderos no logra obtener una escala de producción individual suficiente para producir y comercializar en condiciones de competitividad. La falta de homogeneidad de los rodeos, tamaño, ubicación y la presentación inadecuada con respecto a la demanda de calidad contribuyen a agravar esta situación, lo que obliga, especialmente a los pequeños y medianos productores, a comercializar en un mercado que lo tiene cautivo o con escaso margen de maniobra. En una actividad donde los costos fijos son elevados, el peso de la escala mínima, necesariamente castiga al productor pequeño, y lo circunscribe a un círculo poco virtuoso en lo referido a sus posibilidades técnico-productivas.

Datos del Ministerio de la Producción de Santa Fe (Cuadro 33) indican un total de 26.661 productores y un stock bovino de 6.069.043, inferior a los datos del SENASA citados anteriormente. La distribución de las cabezas por estrato revela que el 52% de los productores ganaderos santafesinos poseen hasta 100 cabezas, y acumulan el 10,1% del stock: el 81% de los productores poseen hasta 300 cabezas, lo que representa el 33% del stock provincial. Si consideramos explotaciones menores de 1.000 cabezas se cubren el 96% de las explotaciones y el 67% del stock.

Cuadro 33: Distribución del stock ganadero provincial

Cabezas	Productores	%	Cabezas	%
Hasta 50	8.417	31,6	215.296	3,5
51 a 100	5.417	20,3	400.864	6,6
101 a 200	5.397	20,2	777.749	12,8
201 a 300	2.478	9,3	611.122	10,1
301 a 500	2.287	8,6	884.811	14,6
501 a 1000	1.707	6,4	1.178.393	19,4
1001 a 2000	678	2,5	921.894	15,2
2001 a 3000	156	0,6	369.105	6,1
3001 a 4000	55	0,2	186.620	3,1
Más de 4000	69	0,3	523.189	8,6
Total	**26.661**	**100**	**6.069.043**	**100**

Fuente: Ministerio de la Producción, Gobierno Provincia de Santa Fe2008a.

Figura 20: Distribución del rodeo de cría 2003

Un total de 2.005.031 cabezas de cría-invernada se encuentra en establecimientos con pocas posibilidades de incorporar tecnología, sobre todo en la cría y en especial en los departamentos del norte donde se encuentre el 60% del stock.

Como resultado, un animal de similar terminación reporta ingresos netos distintos, dependiendo del perfil y la escala del productor ganadero. La producción ganadera es el recurso más importante con que cuenta gran parte de la región norte de la provincia para su desenvolvimiento económico, siendo difícil de reemplazar por otras actividades productivas debido a las rentabilidades relativas y aptitud ecológica de la zona.

Datos actuales (SENASA-MAGyP, 2011) muestran un fuerte descenso del stock bovino provincial entre los años 2008 y 2011, llegando a 4.759.791 cabezas de ganado. Si comparamos esta cifra con el stock estimado en 2008 por el SENASA (7.777.576) la disminución es del 39%, en cambio si la comparación es con los datos del 2008 del Ministerio de la Producción de Santa Fe (6.069.043) la caída alcanza el 22%.

Una tercera fuente sobre la evolución del stock bovino en Santa Fe proviene del INTA y el SENASA (2011), cuyos datos indican que en el 2008 el número de existencias bovinas en Santa Fe era de 7.317.739 y en el 2011 de 5.786.570, reflejando una caída del 21%.

Los departamentos del norte santafesino concentran el 70% de los establecimientos y el 64% del stock ganadero de la provincia. Los departamentos Vera y San Cristóbal reúnen el 50% del stock regional norte y el 32% del stock ganadero provincial. Con excepción de Garay, los departamentos del norte santafesino cuentan con un número de entre 2.000 y 3.000 establecimientos ganaderos en cada uno de sus territorios (Cuadro 34).

Cuadro 34: Establecimientos y cabezas de ganado bovino en los departamentos del norte santafesino 2011

Departamento	EAP	%	Cabezas	%
9 de Julio	2.315	15,1	561.906	18,3
Gral. Obligado	3.398	22,1	448.661	14,7
Garay	1.084	7,1	177.222	5,8
Vera	3.187	20,8	774.297	25,3
San Cristóbal	3.022	19,7	760.905	24,8
San Javier	2.338	15,2	339.303	11,1
Total Norte	**15.344**	**100**	**3.062.294**	**100**
		69,7		**64,3**
Total Santa Fe	**21.999**	**100**	**4.759.791**	**100**

Fuente: SENASA-MAGyP, 2011.

Los departamentos de San Cristóbal y Vera son considerados con la mayor concentración de ganado bovino del país.

En los sistemas de cría el recurso forrajero casi excluyente es el pastizal natural, con producciones netamente estacionales, con picos en primavera y otoño, escaso crecimiento en producción estival y nulo durante el invierno. Esto dificulta equilibrar los requerimientos nutricionales de los vientres, y el estado corporal de los animales previo al servicio.

La producción ganadera está diseminada territorialmente, pero con distintas concentraciones y especializaciones zonales por actividad. Existen productores en toda la provincia, pero con preeminencia en la zona central y centro norte.

Figura 21: Distribución del rodeo de invernada, 2003

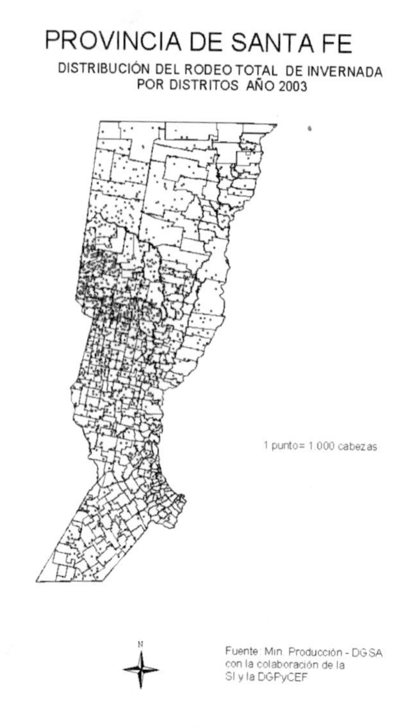

Los departamentos del centro norte son los de mayor preponderancia en la actividad cría. Observando los mapas de movimiento de hacienda del área de gestión de información de SENASA del año 2006 demuestran el flujo de terneros provenientes de estos departamentos a otros de terminación en el sur y centro de la provincia.

Los establecimientos de invernada, distribuidos sobre todo en las regiones centro y sur de la provincia, se encuentran en mejor situación que los de cría, generalmente por la mejor aptitud de los suelos en los cuales se realiza, muchos de ellos con posibilidades agrícolas, con mejores índices productivos, y con la alternativa concreta de poder mejorar sus resultados financieros y económicos mediante la explotación mixta.

El desarrollo tecnológico en las últimas décadas ha sido sustancialmente menor en estas actividades, si lo comparamos con la agricultura, por ejemplo, debido a la menor rentabilidad relativa de las actividades pecuarias, y al mayor tiempo necesario para el recupero de las inversiones.

Cabe destacar que, a los efectos de paliar la grave sequía de los años 2008 y 2009, se concretó la puesta en marcha de un canal a cielo abierto con bombeo escalonado a lo largo de 75 km entre las localidades de Tostado y Villa Minetti del norte provincial; donde a partir del llenado de represas existentes en su recorrido, los productores pueden hacerse de agua para sus rodeos. También, hubo importantes avances en la elaboración del perfil de proyecto para el abastecimiento de agua en el noroeste provincial, para ser presentado ante el Programa de Servicios Agrícolas Provinciales (PROSAP), a fines de gestionar su financiación (Ministerio de la Producción, 2010).

Según el Plan Estratégico Provincial para la cadena de carne bovina (Ministerio de la Producción, 2008a), la intensificación de la producción asociada a una reducción de los costos, o la reducción de estos con mayor producción a partir de la misma cantidad de animales y otros insumos, son las herramientas factibles de utilizar para lograr el desarrollo del sector.

Cuadro 35: Estimación de empleo en la empresa pecuaria santafesina por estratificación

Estrato	Productores	Estimación de empleo / unidad	Total por estrato
Hasta 50	8.417	-	8.417
51 a 100	5.417	-	5.417
101 a 200	5.397	1,0	5.397
201 a 300	2.478	1,5	3.717
301 a 500	2.287	1,5	3.431
500 a 1000	1.707	2,5	4.268
1001 a 2000	678	4,0	2.712
2001 a 3000	156	5,0	780
3001 a 4000	55	5,0	275
Más de 4000	69	8,0	552
Total	**26.661**	-	**34.966**

Fuente: Ministerio de la Producción, Gobierno de Santa Fe, 2008a.

Las estimaciones del Ministerio de la Producción (2008a) sobre la mano de obra ocupada en el eslabón primario de la actividad pecuaria establece un total de 34.966 asalariados. Para esta estimación, se estratificaron los establecimientos según el tamaño de los rodeos, para la actividad de cría e invernada, sobre un total de 26.661 productores (RENSPA, 2008). Para la cría se considera que los establecimientos de hasta 100 cabezas no ocupan mano de obra asalariada, sino familiar. Para el estrato que abarca de 101 a 300 cabezas, se considera una utilización de 1,5 personas. El estrato de entre 501 a 1000 cabezas emplearía 2,5 asalariados. Luego, para los de 1.001 a 2.000 cabezas (suponiendo que los mismos se encuentran ubicados en zonas posiblemente de monte) se considera la utilización de 4 asalariados por predio. Los establecimientos pertenecientes al estrato de 2.001 a 3.000 y de 3.001 a 4.000 cabezas ocupan 5 personas por predio y los mayores de 4.000 cabezas, 8 personas (se tuvo en cuenta solamente hasta un stock que llegue a 6.000 cabezas).

Eslabón de transformación industrial y comercial

El ganado en pie es una materia prima de calidad altamente subjetiva que genera una gran cantidad de productos y subproductos. Despostar un animal no difiere de la manufactura de la industria automotriz. Se trata de una actividad altamente regulada desde lo sanitario, especialmente hacia la exportación, donde se demanda elevados capitales fijos (físico y humano), y largos períodos de recuperación del capital inmovilizado, de allí que es necesario contar con mercados estables y predecibles. Como todo negocio de escala el beneficio se estructura a partir de márgenes reducidos, por unidad de proceso ajustado y ocupación de la capacidad instalada fija.

En la Argentina existen 490 plantas habilitadas por la ONCCA/2007 y se caracterizan por la falta de homogeneidad, observándose dispersión en tamaño en capacidad operativa y dispersión territorial. La provincia cuenta con 35 plantas de las cuales 31 cuentan con tránsito federal, y 8 de ellas tienen asignada la cuota Hilton. Dichos establecimientos se encuentran concentrados en dos grandes zonas geográficas de la provincia: la zona sur (mayoritariamente en el Gran Rosario) y en el centro-norte de la provincia. Como puede observarse en el siguiente cuadro, a la inversa de lo que ocurre con la producción primaria, la producción industrial tiene mayor concentración en el sur provincial.

El conjunto cuenta con el mayor registro de exportación y elevados estándares productivos, y una ocupación de mano de obra especializada de aproximadamente 7.000 operarios en planta. El gran Rosario y alrededores opera con dos lógicas distintas; la primera remite a la colocación del termo procesado de exportación y otras volcadas al mercado externo casi con exclusividad y la segunda refiere a dos grupos empresarios con distinto liderazgo, que hacen el servicio de matarife casi excluyente de sus negocios. El centro-norte de la provincia reproduce en menor escala el mismo fenómeno: un conjunto de plantas acotadas para las exportaciones, con su saldo de la exportación al consumo interno y frigoríficos "consumeros" de menor tamaño que articulan con matarifes y abastecedores.

Los matarifes y abastecedores constituyen un conjunto heterogéneo de actores de la *cadena* de ganados y carne, que conforman la contra cara de una parte de la actividad frigorífica. Si bien se encuentran inscriptos en la ex ONCCA, el número de operadores reales es sustancialmente superior, desde que en muchos casos existen préstamos de las matrículas. Según la ex ONCCA, en Santa Fe hay inscriptas 101 firmas como matarifes y 49 despostadores. Pueden encontrarse diversos perfiles de matarifes y abastecedores: dueños de carnicerías; supermercados; frigoríficos abastecedores y otros que circunstancialmente ingresan al mercado. Este segmento de actores de la cadena se ha ido consolidando en las dos últimas décadas a partir de la figura del abastecedor.

También operan en la provincia 25 firmas consignatarias asociadas a la Cámara Argentina de Consignatarios de Ganado. Para el año 2006, según datos del SENASA, operaron 75 predios feriales, en las que intervinieron 1.103

unidades productivas y salieron de dichas unidades por remates ferias 438.783 bovinos (en el 2005 salieron 527.462 bovinos).

El cierre de plantas ha sido un problema reciente en el sur provincial. En agosto de 2012 se procedió al cierre de una planta (ex-Swift) del grupo brasileño JBS (*La Nación,* 23.08.12), trasladando las operaciones al frigorífico radicado en Villa Gobernador Gálvez (también al sur de la provincia). Algunos de los problemas que explicaban el cierre manifestado por el Sindicato de la Carne eran la contracción del mercado interno y la reducción de la cuota Hilton, pero también se mencionaba la reestructuración global de estas firmas extranjeras. De acuerdo a *La voz del Interior* (03.09.12) se presentaron 31 firmas (frente a 37 del año previo) para la solicitud de cuota Hilton que en total administraron durante el 2011, 1.258 toneladas. En 2014 la intervención conjunta del gobierno provincial y nacional evitó la cesación de las operaciones del Frigorífico Marfrig (también de capitales brasileños), ubicada en la localidad de Hugues, que había suspendido sus actividades para trasladarse a la provincia de San Luis.

Cuadro 36: Distribución de plantas frigoríficas por localidad y departamento en Santa Fe

Plantas	Localidad	Departamento	Zona	Cantidad
SWIFT ARMOUR S.A.	Villa Gob. Gálvez	Rosario	Sur	19
INTEGRADOS S.R.L	Villa Gob. Gálvez	Rosario		
SU.GA.RO.S.A.	Villa Gob. Gálvez	Rosario		
FRIGORIFICO PALADINI S.A.	Villa Gob. Gálvez	Rosario		
MATTIEVICH S.A.	Arroyo Seco	Rosario		
MATTIEVICH S.A.	Arroyo Seco	Rosario		
MATTIEVICH S.A.	Rosario	Rosario		
MATTIEVICH S.A.	Rosario	Rosario		
MATTIEVICH S.A.	Gral. San Martín	San Lorenzo		
MATTIEVICH S.A.	Carcarañá	San Lorenzo		
MATTIEVICH S.A.	Casilda	Caseros		
RAFAELA ALIMENTOS S.A.	Casilda	Caseros		
HECTOR OMAR ALFIERI	Teodelina	General López		
SWIFT ARMOUR S.A.	Venado Tuerto	General López		
NATURAL MEAT S.A.	Venado Tuerto	General López		
ARGENTINE BREEDERS & PACKERSA	Hughes	General López		
FRIGORIFICO MARU S.A.	Rufino	General López		
MUNICIPALIDAD CAÑADA DE GOMEZ	Cañada de Gómez	Iriondo		
FINLAR S.A.	Andino	Iriondo		

QUICKFOOD S.A.	San Jorge	San Martín	Centro	6
LA PELLEGRINENSE S.A.	Carlos Pellegrini	San Martín		
SANTA INES MEAT SRL	Gálvez	San Jerónimo		
FINEXCOR S.A.	Nelson	La Capital		
IND FRIG RECREO SAIC	Recreo	La Capital		
SODECAR S.A.	Rafaela	Castellanos		
MAT FRIGORIFICO UNION S.A.	Villa Trinidad	San Cristóbal	Norte	10
LAS DOS HERMANAS SRL	San Cristóbal	San Cristóbal		
COOP GANADERA LTDA M. GREGORET	Gob. Crespo	San Justo		
MAT FRIGORIFICO SAN JUSTO S.A.	San Justo	San Justo		
MAT FRIGORIFICO DON RAUL S.A.	Vera	Vera		
SAN ISIDRO SA	Calchaquí	Vera		
FRIAR S.A.	Reconquista	General Obligado		
VICENTIN FAENAS S.R.L.	Villa Ocampo	General Obligado		
ARMANDO S.R.L.	Tostado	Nueve de Julio		
COMUNA DE HELVECIA	Helvecia	Garay		

Fuente: Ministerio de la Producción, Gobierno de Santa Fe, 2008a.

En cuanto a las bocas de expendio, no existen cifras oficiales confiables. Las estimaciones existentes indican alrededor de 3.500 bocas de expendio habilitadas que generan unos 7.000 puestos de trabajo y comercializan 248.000.000 kilos anuales (equivalente a un consumo de 80 kg. anuales por habitante promedio). Estos establecimientos atienden un promedio entre 700 y 900 habitantes por boca de expendio. En las poblaciones con menor poder adquisitivo y pocos habitantes, la relación habitante atendido y bocas de expendio es más baja que en otros lugares, (Ministerio de la Producción, Gobierno de Santa Fe, 2008).

Completando el cuadro provincial, cabe mencionar la importancia del servicio de transporte de hacienda por automotor por ser el nexo entre la producción primaria y la industria, además de brindar servicios "complementarios internos" muy importantes en la producción primaria. Esto es, entre campos a remates ferias, en compra y ventas, ya que el movimiento a pie —"tropear"— es poco empleado actualmente. Se estima una distancia de recorrido a planta que realizan los camiones que se considera en 300 km. Sumada a esta situación, debe señalarse la falta de otro medio de trasporte para larga y media distancia, ya que hace tiempo que no se cuenta con trasporte ferroviario.

No se cuenta con información disponible y confiable sobre la cantidad de vehículos habilitados por los organismos de control -registro provincial SENASA- para el transporte de hacienda y/o dicha información es difícil de conseguir. Según estimaciones de la Asociación Argentina de Transporte de Hacienda —AATHA— se podría afirmar con la precariedad e incertidumbre que esto implica, un número de 550 unidades en ámbito provincial.

1.4. Cadena Láctea

La provincia de Santa Fe ha sido y es la primera productora de leche de la nación. Participa aproximadamente en un 30% de la producción nacional. En forma conjunta con la provincia de Córdoba y Buenos Aires, compone la cuenca lechera más importante de toda Latinoamérica. De acuerdo a los datos estadísticos históricos, puede comprobarse que la cantidad de unidades productivas fueron disminuyendo en cantidad, mientras que los niveles de producción, salvo fenómenos climatológicos o crisis financieras importantes, se han incrementado y se han mantenido la cantidad de animales del rodeo lechero y las hectáreas destinadas a tambo.

Cuadro 37: Evolución de explotaciones y producción de leche en Argentina y Santa Fe

	1988			1995			2002			2007		
	Cantidad de Tambos	Producción en litros (millones)	Vacas totales	Cantidad de Tambos	Producción en litros (millones)	Vacas totales	Cantidad de Tambos	Producción en litros (millones)	Vacas totales	Cantidad de Tambos	Producción en litros (millones)	Vacas totales
Nación	30.500	6.031	2.010.711	22.000	8.865	2.358.000	15.250	7.503	3.510.318	14.000	8.571	3.800.000
Provincia	8.715	1.508	517.244	5.664	2.301	540.444	5.500	2.523	568.326	4.487	2.286	652.633

Fuente: Ministerio de la Producción, Gobierno de Santa Fe, 2008b.

Teniendo en cuenta que los datos correspondientes al año 2007 corresponden a estimaciones realizadas por el Ministerio de la Producción de la provincia, podemos afirmar que Argentina posee 14.000 tambos con un stock de ganado para leche de 3.800.000 cabezas. De este modo, Santa Fe posee el 32% de los tambos del país, junto con el 17% del total de rodeo disponible para tambo y el 27% de la producción de leche.

De acuerdo a diferentes estudios, pude señalarse que existen, a grandes rasgos, dos regiones o cuencas lecheras de relevancia productiva en la provincia. La región centro (o cuenca centro oeste que también comprendería al noreste cordobés) que aporta el 90% de la producción y está formada por los departamentos: Castellanos, San Martín, Las Colonias, La Capital, San Jerónimo, San Justo, San Cristóbal, 9 de Julio, Vera y General Obligado. La región o cuenca sur aporta el 9% de la producción e incluye los departamentos: Belgrano, General López, Iriondo, Caseros, Rosario y San Lorenzo (Nogueira, 2008).

Como puede observarse en la siguiente figura, la cuenca del centro oeste de la provincia concentra la mayor cantidad de tambos de la provincia. Los departamentos Castellanos, Iriondo, Las Colonias, La Capital, San Cristóbal, San Justo y San Martín reúnen 4.073 tambos (el 90%).

Figura 22: Distribución de tambos, Santa Fe

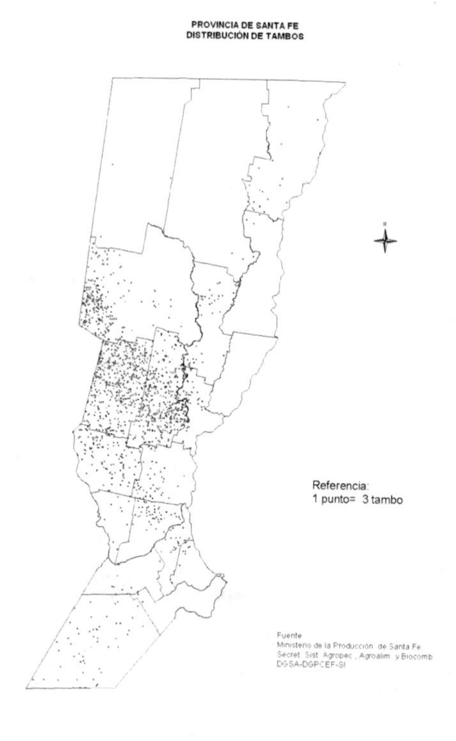

La leche producida en los tambos santafesinos se entrega a diferentes industrias procesadoras entre las cuales SanCor compra los mayores volúmenes producidos.[16] Además, la provincia constituye el área de asentamiento de otras de las principales industrias lácteas del país como Verónica, Milkaut e Ilolay (Nogueira, 2008).

La importancia de ambos eslabones redunda en la generación de importantes fuentes de trabajo y en el crecimiento de la actividad económica local y regional.

Eslabón primario

Según estimaciones del Ministerio de la Producción del gobierno provincial (2008), el eslabón primario de la cadena láctea santafesina está integrado por 4.487 tambos que reúnen a un número aproximado de 9.000 familias rurales y genera alrededor de 12.000 puestos de trabajo. Dichos establecimientos comercializan el 53% de su producción en la industria privada, el 42% en el sector cooperativo y el 5% restante en el circuito minorista.

El siguiente cuadro presenta datos de los establecimientos tamberos de la provincia, correspondientes al año 2007, con una estratificación de las explotaciones lecheras de acuerdo a la cantidad de animales por tambo. En el mismo puede observarse que el 44% de los tambos de la provincia se agrupa en el estrato de establecimientos con 121 a 160 cabezas de ganado, reuniendo el 43% de los

---

16 SanCor posee una estructura comercial de gran envergadura. Su capacidad industrial permite un procesamiento de 4.000.000 millones de litros de leche diarios. Se constituye por 16 plantas de diversos tipos: una de manteca, once para quesos (rallados, procesados, trozados, etc.), dos para leche refrigerada, una para crema, una para yogur, postres y flanes, seis para leche en polvo, una para dulce de leche, dos para leche esterilizada (U.A.T.), una para leches especiales y, finalmente, una de leche fluida. Para el año 2006, la facturación estimada de la cooperativa era de 1.800 millones de dólares, se conformaba de 70 cooperativas, 17 plantas industriales y 5.000 empleados (Lattuada *et al.*, 2011).

animales. Del mismo modo podemos afirmar que el 85% de los tambos de la provincia tiene entre 80 y 200 cabezas de ganado, reuniendo el 82% de los animales para leche (536.770 vacas). Estos integrarían el universo de los tambos capitalizados.

Cuadro 38: Estratificación de explotaciones lecheras según cantidad de animales

Estrato	Tambos		Animales	
	Cantidad	%	Cantidad	%
1 a 40	49	1,1	1.309	0,2
41 a 80	384	8,6	25.236	3,9
81 a 120	888	19,8	92.168	14,1
121 a 160	1.993	44,4	279.950	42,9
161 a 200	949	21,1	164.652	25,2
201 a 240	95	2,1	21.282	3,3
241 a 280	34	0,8	9.263	1,4
281 320	48	1,1	14.952	2,3
321 a 360	12	0,3	4.135	0,6
Más de 360	35	0,8	39.686	6,1
Total	**4.487**	**100**	**652.633**	**100**

Fuente: Ministerio de la Producción, Gobierno de Santa Fe, 2008b. La información corresponde a los registros del plan de vacunación contra la fiebre aftosa del año 2007.

Los tambos comprendidos en el rango de hasta 40 cabezas de ganado y de 41 a 80 son los que presentan mayores niveles de vulnerabilidad en la provincia. Según el Ministerio de la Producción de Santa Fe (2008b), los tambos de menos de 40 vacas comprende a 49 familias rurales y los de entre 40 y 80 cabezas de ganado a 653 familias.

De este modo, se estiman 702 familias con tambo en riesgo. Para estos tambos resulta muy difícil entrar al circuito productivo al intensificarse las demandas de calidad por parte de la agroindustria.

Eslabón industrial

El eslabón industrial reúne 174 plantas esparcidas en todo el territorio provincial y nucleado en 151 empresas que emplean a alrededor de 8.000 empleados. Estas plantas procesaron en el año 2007 un total de 10 millones de litros diarios, y la capacidad instalada total oscila los 17 millones de litros diarios. El siguiente cuadro nos permite observar que el 86% de las platas santafesinas produce hasta 100.000 litros por día y el 13% restante más 100.000 litros por día.

Cuadro 39: Estratificación de plantas procesadoras de leche de acuerdo a cantidad de litros producidos por día en Santa Fe

Estrato	Plantas
Menos de 5.000 litros x día	73
Entre 5.001 y 100.000 litro x día	76
Entre 100.001 y 500.000 litros x día	18
Más de 500.000 litros x día	4
Sin datos	3
Total	174

Fuente: Ministerio de la Producción, Gobierno de Santa Fe, 2008b.

En el año 2007 se procesaron en Santa Fe 2.819.200.000 litros de leche (78% con origen en tambos santafesino y el resto de otras provincias), de los cuales el 9% (242.200.000 litros) se destinaron a la elaboración de leche fluida para comercializar en el mercado interno y el 91% (2.577.000.000 litros) a la elaboración de productos lácteos, de los cuales, el 60% fue destinado al mercado interno y el 40% al mercado externo.

En 2007 se produjeron 309,6 millones de litros de leche fluida con un valor bruto mayorista de US$152,0 millones. El 72,2% de la leche fluida se pasteuriza, el 25,3% se esteriliza y el 2,5% para leche chocolatada. Del mismo modo, se produjeron 3.293,2 millones de litros de la leche destinada a la elaboración de productos lácteos con un valor bruto mayorista de US$1.040 millones. El 38% se utiliza para quesos, 43,9% para leche en polvo, 12,8% dulce de leche, 3,3% yogurt, 1,3% manteca y 0,7 otros productos.

Dentro del mercado interno, el 38% de la producción se comercializa en los supermercados, el 32% en el comercio mayorista, el 21% en el comercio minorista y el 5% a otras industrias. En 2007, la producción santafesina aportó el 18,4% de la leche fluida y el 23,2% de productos lácteos comercializados en el mercado interno nacional.

Figura 23: Capacidad de recepción diaria de leche, 2006

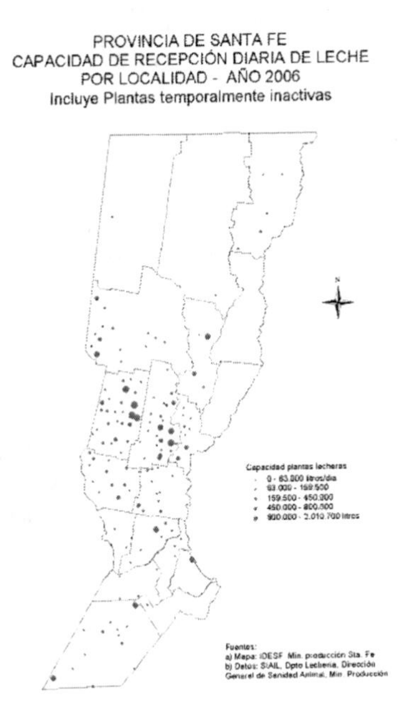

Los principales destinos de la comercialización exterior son Estados Unidos, Italia y diversos países de África y Latinoamérica. Los principales productos de exportación son la leche en polvo y los quesos duros. En el año 2007, Santa Fe exportó 183.880 toneladas de productos lácteos por un valor de US$454,9 millones (51% de la exportación láctea del país en dicho año).

1.5. Cadena porcina

La provincia de Santa Fe es la tercera productora de cerdos en nuestro país, y su infraestructura para la faena de los porcinos y el procesamiento de su carne también ocupa los primeros lugares a nivel nacional.

Según se observa en el estudio realizado por el Ministerio de la Producción de Santa Fe (2008c), la provincia posee gran potencialidad para el desarrollo del sector, destacando su impacto socioeconómico, ya que la inmensa mayoría de las granjas porcinas son pequeños y medianos emprendimientos altamente generadores de mano de obra en toda la cadena de valor. Por ello se sostiene que una política de expansión de la actividad porcina puede comenzar a revertir el proceso de concentración de tierras en explotaciones productoras de *commodities* para afianzar las economías regionales con el agregado de valor a la producción agrícola, detener el éxodo rural y aumentar la calidad de vida en las poblaciones más pequeñas.

Eslabón primario

Según el Censo Nacional Agropecuario 2002, la provincia cuenta con un total de 33.762 Establecimientos Agropecuarios (EAPs) de las cuales 1.962 (5,8%) poseen porcinos. De estas últimas 1.350 EAPs (3,99%) se consideran comerciales, ya que poseen más de diez madres. Dentro de los criaderos comerciales se contabilizaron 447.490 cabezas, de las cuales 70.694 son madres, lo que representa el 15,8%.

En 2005, según datos del SENASA, en la provincia de Santa Fe existían 576.896 cabezas, que representaban el 27.7% del total del país. En 2006 los datos del SENASA informan que la provincia de Santa Fe contaba con 519.747 cabezas, lo que representa el 22.81% del stock nacional que junto a Córdoba y Buenos Aires concentran el 76.7% de la producción del país. En 2007, la provincia de Santa Fe cuenta con un total de 598.599 cabezas de porcinos, lo que equivale al 21, 6% del total del país.

En el Cuadro 40 se consigna la existencia total de cerdos por departamento tomando la totalidad de los tenedores de porcinos (granjas comerciales, invernadores y crianza para autoconsumo). La zona sur concentra el 64,5% de los establecimientos porcinos con el 69.5% de las cabezas totales; la zona centro el 22,8% de los establecimientos con el 21,9% de las cabezas totales; y la zona norte el 12,7% de los establecimientos con el 8,6% de la cabezas totales.

Al desagregar el número de establecimientos por estrato se puede observar que el 40% de los establecimientos con producción porcina corresponde al estrato de hasta 50 hectáreas, es decir, de pequeños productores, mientras que, en el extremo opuesto, casi el 30% de los mismos tiene más de 200 hectáreas, es decir, productores medianos o grandes.

Cuadro 40: Cantidad de porcinos y número de establecimientos en Santa Fe

Departamento	Cabezas	Granjas	Zona	% Cab.	% Gra.
GARAY	362	3	Norte	8,6%	12,7%
9 DE JULIO	2.504	64			
GRAL. OBLIGADO	13.056	68			
SAN CRISTÓBAL	10.570	45			
SAN JAVIER	716	12			
SAN JUSTO	20.146	40			
VERA	4.514	64			
CASTELLANOS	41.463	151	Centro	22,8%	21,9%
LA CAPITAL	11.138	65			
LAS COLONIAS	29.866	118			
SAN JERÓNIMO	26.659	88			
SAN MARTÍN	21.642	100			
BELGRANO	33.273	126	Sur	69,5%	64,5%
CASEROS	179.039	607			
CONSTITUCIÓN	0	0			
GRAL. LÓPEZ	102.228	429			
IRIONDO	29.640	205			
ROSARIO	71.783	112			
SAN LORENZO	0	0			
TOTAL	**598.237**	**2294**		**100%**	**100%**

Fuente: SENASA, 2007; Ministerio de la Producción, Gobierno de Santa Fe, 2008c.

Cuadro 41: Cantidad total de granjas por departamento y estrato en Santa Fe

Departamento	0 a 50	51 a 100	101 a 200	Más de 200
GARAY	1	0	2	0
9 DE JULIO	49	11	2	2
GRAL. OBLIGADO	27	15	7	19
SAN CRISTÓBAL	26	1	4	14
SAN JAVIER	7	2	3	0
SAN JUSTO	17	6	8	9
VERA	47	9	4	4
CASTELLANOS	89	18	11	33
LA CAPITAL	31	9	7	18
LAS COLONIAS	61	23	16	18
SAN JERÓNIMO	41	12	12	23
SAN MARTÍN	63	10	14	13
BELGRANO	42	28	25	31
CASEROS	136	105	117	249
CONSTITUCIÓN	0	0	0	0
GRAL. LÓPEZ	152	69	79	129
IRIONDO	94	40	27	44
ROSARIO	47	14	18	33
SAN LORENZO	0	0	0	0
TOTAL	**930**	**372**	**356**	**639**
%	**40,5%**	**16,2%**	**15,5%**	**27,8%**

Fuente: SENASA, 2008. Ministerio de la Producción, Gobierno de Santa Fe, 2008c.

Al desagregar estos datos por zona, la región centro y norte muestra un mayor porcentaje de pequeños establecimientos con producción porcina, mientras que la región sur presenta una distribución más pareja de explotaciones con producción porcina en cada uno de los estratos y con mayor acento en los de más de 200 hectáreas. Los departamentos General López y Caseros son los que reúnen mayor cantidad de establecimientos de producción porcina.

Cuadro 42: Cantidad total de granjas y animales por zona y estrato en Santa Fe

Zona	0 a 50	51 a 100	101 a 200	Más de 200	TOTAL
Norte	174	44	30	48	**296**
%	**59%**	**15%**	**10%**	**16%**	**100%**
Centro	285	72	60	105	**522**
%	**54%**	**14%**	**12%**	**20%**	**100%**
Sur	471	256	266	486	**1.479**
%	**32%**	**17%**	**18%**	**33%**	**100%**
TOTAL	**931**	**372**	**356**	**640**	**2.299**

Fuente: SENASA, 2008. Ministerio de la Producción, Gobierno de Santa Fe, 2008c.

Cantidad de animales por departamento y estrato de EAP en Santa Fe

Departamento	0 a 50	51 a 100	101 a 200	Más de 200
GARAY	15	0	347	0
9 DE JULIO	862	764	273	605
GRAL. OBLIGADO	563	1.144	1.022	10.327
SAN CRISTÓBAL	449	91	490	9.540
SAN JAVIER	119	156	441	0
SAN JUSTO	425	441	1.061	18.219

VERA	859	644	559	2.452
CASTELLANOS	1.593	1.393	1.455	37.022
LA CAPITAL	681	679	970	8.871
LAS COLONIAS	1.196	1.629	2.294	24.747
SAN JERÓNIMO	696	905	1.949	23.109
SAN MARTÍN	1.324	760	1.991	17.567
BELGRANO	1.026	1.829	3.724	26.694
CASEROS	3.467	7.665	16.336	151.571
GRAL. LÓPEZ	3.842	4.564	11.250	82.572
IRIONDO	2.041	2.935	4.048	20.616
ROSARIO	1.232	1.116	2.696	66.739
TOTAL	**20.390**	**26.715**	**50.906**	**500.651**
%	**3,4%**	**4,5%**	**8,5%**	**83,6%**

Fuente: SENASA, 2008. Ministerio de la Producción, Gobierno de Santa Fe, 2008c.

Al realizar este mismo análisis tomando como referencia la cantidad total de animales por estrato de explotación agropecuaria, podemos observar con claridad que el 84% de las cabezas de ganado porcino de la provincia se encuentra en los establecimientos de más de 200 hectáreas. Esta proporción se mantiene en todas las regiones de la provincia, aunque con apenas un menor peso en el norte, donde las explotaciones de más de 200 hectáreas reúnen el 79% de los animales de la región. Los departamentos Caseros, General López y Rosario, en el sur santafesino, son los que reúnen mayor cantidad de cabezas de ganado porcino.

Cuadro 43: Cantidad total de animales por zona y estrato de EAP en Santa Fe

Zona	0 a 50	51 a 100	101 a 200	Más de 200	TOTAL
Norte	3.292	3.240	4.193	41.143	**51.868**
%	6%	6%	8%	79%	100%
Centro	5.490	5.366	8.659	111.316	**130.831**
%	4%	4%	7%	85%	100%
Sur	11.608	18.109	38.054	348.192	**415.963**
%	3%	4%	9%	84%	100%
TOTAL	**20.390**	**26.715**	**50.906**	**500.906**	**598.917**

Fuente: SENASA, 2008. Ministerio de la Producción, Gobierno de Santa Fe, 2008c.

De este modo, es posible afirmar que la producción porcina de la provincia es llevada adelante mayoritariamente por establecimientos medianos y grandes. A pesar de ello, también es importante resaltar que hay un importante número de establecimientos pequeños que realiza producción porcina en pequeña escala y que es susceptible de ser integrada (mediante incentivos y apoyo técnico y económico) al circuito productivo y comercial de la cadena.

Eslabón secundario: faenadoras y fábricas de chacinados

La faena anual en Argentina es de poco más de 2 millones de cabezas (SENASA, ONCCA, 2007-2008), participando la provincia de Buenos Aires con el 54%, Santa Fe con el 24% y Córdoba con el 21%.

En el país hay registradas 150 plantas faenadoras, de las cuales aproximadamente la mitad poseen habilitación de tráfico federal, y el 70% de la faena se concentra en diez frigoríficos. A su vez, el sector cuenta con 300 despostaderos y 330 fábricas de chacinados, las cuales se encuentran en un 36% en el Gran Buenos Aires, un 33% en Capital Federal, un 17% en Buenos Aires, un 7% en Santa Fe, el 5% en Córdoba y el 2% en el resto de las provincias. La provincia de Santa Fe cuenta con un total de 17 establecimientos faenadores de porcinos, extendidos a lo largo de su territorio y 44 fábricas de chacinados.

El sur provincial concentra la mayor cantidad de establecimientos faenadores de la provincia y el mayor porcentaje de faena (66%) durante el período 2007-2008. Le sigue en importancia la región centro con el 29% de la faena provincial. La región norte, aunque cuenta con similar cantidad de establecimientos que el centro, aporta solo el 6% de la faena.

Cuadro 44: Establecimientos faenadores y faena anual por establecimiento en Santa Fe

Estableci-miento	Localidad	Departa-mento	2006	2007	2008	Zona
TUTTO PORKY'S S.R.L.	Recon-quista	Gral. Obligado	19.439	24.057	6.332	Norte 6%
VICENTIN FAENAS S.R.L.	Villa Ocampo	Gral. Obligado	7.400	8.848	1.478	
MATADERO FRIGORÍFICO SAN JUSTO S.A.	San Justo	San Justo	1.971	2.153	154	
MAFRISAN S.R.L.	San Cristóbal	San Cristóbal	196	s/d	s/d	
FRIGORÍFICO SAN GUILLERMO SRL	San Guillermo	Sa Cristóbal	375	13.626	6.980	
RAFAELA ALIMENTOS S.A.	Rafaela	Caste-llanos	76.695	87.003	18.075	Centro 29%
SODECAR S.A.	Rafaela	Caste-llanos	27.781	30.958	6.877	
INDUSTRIAS FRIGORI-FICAS RECREO SAIC	Recreo	La Capital	16.604	8.261	1.474	
CRISTANTE ROXANA NOEMI	Pilar	Las Colonias	425	311	s/d	
FRIG. GUADALUPE S.A.	Colonia Crespo	La Capital	84.642	89.670	17.755	
COOP. DE TRABAJO DE SANTA ISABEL LTDA.	Santa Isabel	Gral. López	118.208	116.294	23.778	Sur 66%
ESTABLECI-MIENTO DON ESTEBAN S.A.	Totoras	Iriondo	74.675	78.275	20.352	

MUNI. DE CAÑADA DE GOMEZ	Cañada de Gómez	Iriondo	3.288	4.549	1.001	
LA NOBLEZA S.R.L.	Correa	Iriondo	28.525	36.149	8.154	
FRIG. CIUDAD DE PEREZ S.R.L.	Pérez	Rosario	16.736	s/d	s/d	
FRIGORIFICO PALADINI S.A.	Villa Gdor. Gálvez	Rosario	195.579	176.066	40.349	
MATTIEVICH S.A.	Carcarañá	San Lorenzo	49.981	56.447	16.945	
Total			**722.520**	**732.667**	**169.704**	**100%**

Fuente: ONCCA, Ministerio de la Producción, Gobierno de Santa Fe, 2008c. Datos hasta marzo de 2008 inclusive.

Según el Ministerio de la Producción de la provincia (2008c), en el 100% de los casos el abastecimiento de cerdos para faena es a partir de la compra directa a productores. Además, 4 establecimientos (30,7%) compran también cerdos a intermediarios, en un porcentaje que va del 2 al 70% de su abastecimiento total.

En el 92,3% de los casos, la modalidad de compra de cerdos es en pie, y el restante 7,7% compra bajo la modalidad por magro. Solo dos establecimientos compran bajo la modalidad mixta, donde además de la compra en pie realizan a rendimiento; uno de ellos lo hace en un 10%, y el otro en un 80%.

Del total de plantas faenadoras, 3 realizan exclusivamente faena para terceros; 2 realizan exclusivamente faena propia y las 8 restantes lo hacen en forma mixta, de los cuales en 3 predomina la faena a terceros, en 2 la faena propia, y en los 3 restantes se distribuyen en porcentajes similares la faena propia y la de terceros.

En 3 de los establecimientos el destino de la res es para desposte fuera del establecimiento (comercialización o faena por cuenta de terceros); 6 plantas destinan las reses a desposte en sus propias instalaciones y las 4 restantes distribuyen el destino tanto a desposte en el establecimiento como fuera del mismo (en dos de ellos predomina el desposte en el propio establecimiento, y en los otros dos el desposte fuera del establecimiento).

En cuanto al transporte, la mayor proporción del traslado de los animales en pie está a cargo de los productores, ya que la mayoría de los compradores realizan las transacciones comerciales poniendo como condición la compra de los animales puestos en planta de faena. De esta manera, los productores contratan el servicio a empresas dedicadas al transporte de hacienda en pie. Un porcentaje menor de frigoríficos realiza la compra retirando del establecimiento de producción primaria, siendo esta modalidad un vestigio del trabajo de los acopiadores, hoy prácticamente inexistentes. Los vehículos que se utilizan para el transporte de porcinos deben estar habilitados por la autoridad competente (SENASA), siendo esta condición requerida a nivel de los frigoríficos, lo cual garantiza las condiciones sanitarias exigidas.

No se citan aquí datos cuantitativos de este sector ya que no existen empresas de servicios de transporte de hacienda exclusiva para porcinos. Según el Ministerio de la Producción provincial (2008c), en términos generales se estima, como valor promedio de incidencia en el costo del kilogramo del animal en pie el 2,17%.

En términos de comercialización, la provincia cuenta en el año 2007 con un total de 2.780 locales comerciales mayoristas (77) y minoristas (2.703) de carnes rojas y aves, con un total de 4.494 personas afectadas a la actividad, siendo difícil precisar el porcentaje de comercios exclusivos de carne porcina y también realizar alguna de estratificación (Ministerio de la Producción, Gobierno de Santa Fe, 2008c).

La problemática de la denominada faena clandestina, aunque variable en los departamentos y con un promedio provincial estimado por el Ministerio de la Producción (2008c) del 30% es un aspecto que genera graves distorsiones en la comercialización de carnes.

1.6. Cadena frutihortícola

La provincia de Santa Fe fue históricamente una provincia exportadora de hortalizas hacia otras provincias, principalmente a los mercados del sur. Según datos propiciados por el Ministerio de la Producción provincial (2008d), dicha actividad participa con un 6,7% de la superficie plantada, posee una producción muy diversificada, con tres mercados concentradores que abastece a una gran área de influencia y más de 4 millones de consumidores. Hay más de 1.000 productores frutihortícolas que cultivan unas 28.740 de hectáreas (96% hortalizas y 4% defrutas) y dan mano de obra directa e indirecta a más de 70.000 personas, si tenemos en cuenta que la agroindustria demanda el 36% de la mano de obra y de ella la más importante es la cadena frutihortícola con el 20,1%.

Sin embargo, a través de los años se observa una reducción del número de productores y hectáreas, las producciones regionales son reemplazadas por producciones importadas de otras provincias, los mercados se encuentran en crisis y los minoristas no muestran cambios. A la vez los consumidores reciben productos de calidad no adecuada. Los diagnósticos son coincidentes en los siguientes puntos: a) Desánimo generalizado y baja cohesión del sector para resolver los problemas sectoriales; no se le asigna valor a la capacitación, con problemas organizacionales y tecnologías no modernas de producción, escasa publicidad del valor de la frutihorticultura. b) Dificultad en conseguir mano de obra regional, en cantidad y calidad. No existe capacitaciónde la misma, con pérdida de valores (cultura del trabajo). c) Mercados regionales y nacionales con sobre oferta en determinados momentos, con poca transparencia, no modernizados, altas pérdidas poscosecha, envases no adecuados. d) El canal de comercialización es largo e ineficiente, los vehículos son muy precarios, sin cadena de frío, principalmente el de transporte a los minoristas. e) Pocos productos exportables. f) No se aplican normas tales como las buenas prácticas agrícolas (BPA) ni las buenas prácticas (BP) en general.

Algunos de los componentes interactivos que intervienen en esta cadena son: los proveedores de insumos, servicios y bienes de capital para la producción primaria, el acondicionamiento, la transformación y la comercialización; la unidad de producción agropecuaria, con sus diversos sistemas productivos; la industria del procesamiento y de la transformación; las unidades de acondicionamiento, conservación, empaque y otras actividades de poscosecha de productos en frescos; la red de distribución, constituidas por mayorista y minoristas; el mercado consumidor, compuesto por los individuos que consumen el producto final y pagan por él.

Eslabón primario

Según el Censo Nacional Agropecuario de 2002 la superficie total hortícola de la provincia es de 27.539 ha, es decir el 6,7% de la superficie nacional (5,1% sobre las hortalizas y 7,2% de las legumbres). La superficie total frutícola es de unas 1.200 hectáreas, ello representa un 0,2% de la producción nacional, distribuida de la siguiente manera: 630 hectáreas de frutales de carozo y 525 hectáreas de cítricos.

Las diversas zonas de producción frutihortícolas de nuestra provincia se destacan por producir una gran cantidad de productos generando una elevada ocupación de mano de obra. Si bien con relación a otros rubros productivos (carne, complejo oleaginoso, leche) este resulta poco significativo, sí lo es en las zonas donde se desarrolla.

A nivel provincial el 4% de los productores se dedican a la horticultura y a la fruticultura y se estima que, aproximadamente, 70.000 personas constituyen la mano de obra ocupada en la cadena de frutas y hortalizas, representando un 20% del total de mano de obra ocupada en el sector.

Diversos cambios económicos y sociales fueron produciendo una paulatina disminución en la superficie cultivada. El número de productores involucrados en esta actividad es de 1.600, aproximadamente, y están localizados en tres grandes zonas especializadas:

a. Zona Santa Fe: departamento La Capital, Zona de la Costa (distritos sobre la costa del Paraná desde San José del Rincón hasta San Javier) y departamento San Jerónimo (Coronda).
b. Zona Rosario: departamentos de Rosario, Constitución y San Lorenzo.
c. Zona Norte: departamento de General Obligado y gran parte de los departamentos de Garay y San Javier.

Figura 24: Zonas Frutihortícolas

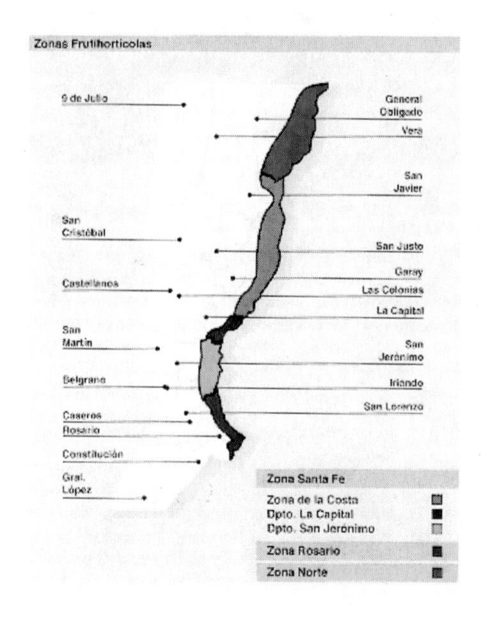

Fuente: Ministerio de la Producción, Gobierno de Santa Fe, 2008d.

Se cultivan aproximadamente veinticinco especies, observándose una mayor diversificación en las zonas de Rosario, Santa Fe y la Costa.

a) Zona Santa Fe

Las especies que se cultivan con mayor frecuencia son: lechuga, acelga, remolacha, repollo, achicoria, zapallito y tomate (los tres últimos en pequeñas superficies por explotación). Pero también se cultivan brócoli, cebolla de verdeo, puerro, coliflor, perejil, puerro, espinaca, rúcula, etc. Actualmente, el tomate —junto con apio, chaucha y zapallito—, es uno de los cultivos que más disminuyó su presencia en la superficie cultivada, siendo uno de los motivos la baja rentabilidad del mismo en los últimos años. El productor hortícola de la zona reemplazó estos cultivos de alta inversión, y exigentes en mano de obra, por otros cultivos de más bajo costo, tales como la lechuga. Los productores que continúan en actividad y que tienen mayor superficie (25% del total), reemplazaron la actividad hortícola por cultivos extensivos.

Según estimaciones del Ministerio de la Producción, el número de productores hortícolas de la provincia presenta una disminución del 42% entre los años 2001 y 2006 y una reducción de la superficie cultivada del 57% en el mismo período.

En la zona de la Costa, a campo se cultivan 15 especies, de las cuales se destacan por su superficie: choclo, lechuga y zanahoria, que representan el 80% del total anual. Otras especies son: arveja, berenjena, brócoli, chaucha, perejil, pimiento, tomate, zapallito, zapallo, etc. En los últimos años se incorporó el cultivo de frutilla con una superficie de 100 hectáreas. Bajo invernadero se cultivan 8 hectáreas, siendo las especies principales tomate y pimiento.

Coronda cuenta con una superficie de 567 ha destinadas al cultivo de frutillas, de las cuales están afectadas 267 en manos de 62 productores que realizan cultivos alternativos aprovechando la superficie de zapallitos, berenjenas, melón, sandía y pimientos.

En la zona se cuenta con 7 ingenieros agrónomos, algunos están afectados a las industrias existentes. Hay 4 empresas proveedoras de insumos (agroquímicos, nylon, bromuro, etc.), y 2 empresas productoras de plantines. Se encuentran localizadas 10 industrias dedicadas al procesado de la fruta, entre ellas elaboran pulpas, dulces, mermeladas y frutillas congeladas. Hay 2 empresas transportistas que llevan la fruta a Buenos Aires y aproximadamente 4 que transportan la fruta a Rosario. Existe la única empresa productora de máquinas para el armado de lomos que exporta a distintos países del mundo.

b) Zona Rosario

El cinturón hortícola de Rosario está comprendido por los departamentos Rosario, Constitución y San Lorenzo. El departamento Rosario concentra el 95% de la superficie hortícola cultivada de la zona. El promedio de hectáreas cultivadas por establecimiento es de 17 hectáreas en los departamentos Rosario y San Lorenzo y de 31 hectáreas en Constitución.

En este cinturón hortícola se pueden distinguir 2 subsistemas de producción:

Subsistema A: responde al típico productor hortícola, con cultivos intensivos (tomate, lechuga, apio, etc.), los predios localizados próximos a la ciudad, en general de superficie reducida, diversificado encuanto a las especies cultivadas y normalmente comercializan su propia producción en los mercados de Rosario.

Subsistema B: los predios se encuentran más alejados de la ciudad de Rosario, principalmente en las localidades de Arroyo Seco y General Lagos. Los cultivos son semiintensivos (papa, arvejas, lentejas, espárragos, melón, choclo), y se alternan con extensivos (soja, trigo, etc.). En general, la producción se vende a mayoristas o consignatarios, tanto en los mercados de Rosario como de Buenos Aires.

El cinturón hortícola de Rosario comprende un total de 213 establecimientos que ocupan una superficie total de 3.663 hectáreas. El 74% de los establecimientos corresponde al subsistema A, ocupando el 47% de la superficie cultivada (1.720 ha) de la zona, y el 26% de los establecimientos restantes corresponden al subsistema B, ocupando el 53% de la superficie (1.943 ha).

c) Zona norte

El norte provincial no se caracteriza por conformar una zona homogénea y estabilizada en la producción hortícola (a excepción de la producción de batata), sino que se compone por productores en general dispersos, que trabajan en forma individual; proveedores de insumos y técnicos no especializados en la temática y un sistema de comercialización informal, no organizado.

La zona puede dividirse en 3 sub-zonas diferenciadas: una productora de batata (1052 ha), otra central o próxima a los grandes centros urbanos (30,71 ha) y el resto, unos pocos productores cerca de otros centros más pequeños (15,36 ha).

Se realizan más de treinta cultivos hortícolas distintos utilizando una superficie cultivada total de 1.100 ha, siendo la batata, con el 82% de la superficie hortícola de la región, la producción más importante. Se encuentran también otros cultivos en forma extensiva como el zapallo, la sandía o el maíz para choclo. Existen 1,7 hectáreas bajo invernadero (el tomate es el cultivo más importante) y 0,24 hectáreas en cultivos de frutilla y zapallito tronco bajo túneles plásticos.

Eslabón industrial y comercial

El grueso de la producción pasa por los mercados regionales, otro porcentaje se hace a través de las plantas de transformación de productos, principalmente de congelado y conservas.

En la provincia de Santa Fe hay 3 mercados concentradores de frutas y hortalizas muy importantes. Ellos son: el mercado de Fisherton (Rosario), el mercado de productores de Rosario y el mercado concentrador de Santa Fe. Estos mercados concentran el grueso de la comercialización a nivel provincial y abastecen a más de 3 millones de habitantes. Han sido tradicionalmente productoras y distribuidoras de frutas y hortalizas, no solo en el área directa de influencia (un radio de 150 km), sino más extendida hacia el sur y norte de nuestro país con destino a Córdoba, norte de Buenos Aires, Entre Ríos, Chaco y La Pampa. De este modo, se estima un mercado superior a los 4 millones de consumidores.

Los distintos participantes que intervienen en el proceso de introducción de productos frutihortícolas son:

a. Productor que no concurre al mercado y vende a través de un consignatario. En este caso se puede subdividir en: un productor pequeño zonal, diversificado y con escaso volumen, que entregan a otros productores introductores, que concurren al mercado a vender sus productos y otro subgrupo es el productor de otras zonas del país, que mueven un importante volumen y entrega sus productos a mayoristas consignatarios.
b. Productor que no concurre al mercado y vende directamente a minoristas: esto está muy desarrollado últimamente, los pequeños productores realizan distribuciones diarias a las verdulerías, autoservicios, etc. En algunos casos son los minoristas quienes concurren al campo de los productores para la compra de mercaderías.
c. Productor introductor: Los zonales que utiliza la playa de quinteros; con una presencia continua en el mercado y alta diversidad de productos. En general son quintas familiares, donde uno de los socios se queda en el campo. También venden la mercadería de otros productores, llegando algunos de ellos a comercializar altos volúmenes y ocupando varias playas. También hay productores más grandes (que comercializan en

puestos fijos), con producciones en otras zonas (generalmente el norte), que también compran o consignan de otras regiones, para tener una producción constante a lo largo del año.

d. Consignatario mayorista: puede actuar recibiendo mercaderías de terceros para comercializarlas o adquiriendo mercadería en firma desde otras zonas de producción. Generalmente tienen puestos en los dos mercados y normalmente financia al productor en sus costos de producción.
e. Distribuidor: es el que adquiere productos en los mercados introductorios y luego los distribuyen a los comercios minoristas. Dentro de estos se destacan los llamados camioneros, que son los que distribuyen en el interior.
f. Transportistas: es aquel que adquiere mercadería en las zonas de producción y las traslada a centros de consumo para distribuirlas directamente a los minoristas.
g. Plantas de empaque: se ubican dentro del área suburbana; compran mercaderías a los productores, las empacan y luego las distribuyen a los minoristas. En general no disponen de maquinarias para hacer el proceso más eficiente y de mayor calidad (hidroenfriado, etc.). Estas tienen un gran desarrollo, no tardarán en instalarse plantas más grandes y organizadas, algunas de ellas generadas por los mismos productores.
h. Minoristas: se destacan los pequeños (verduleros) y grandes como los supermercados. Estos últimos han adquirido cada vez más importancia, debido a sus volúmenes de compra.

La comercialización de productos frutihortícolas se efectúa mediante canales de distribución. Estos refieren a un conjunto de organizaciones independientes que asumen las funciones necesarias para transferir las mercaderías del productor al consumidor.

En cuanto a la relación entre proveedores y compradores, se presentan dos paradigmas económicos comerciales: a) el tradicional de los mercados mayoristas, donde las tres funciones comerciales (compra, manipulación física y pagos) se realizan en forma simultánea, y b) el más reciente vinculado con la gran distribución, aquí se separan las tres funciones, ello permite una mayor especialización. Aquí los pedidos se centralizan, se informatizan, los transportes se abaratan con el sistema de carga completa y los pagos se difieren.

En cuanto a los canales de distribución: los canales de comercialización de las zonas de Rosario y Santa Fe tiene las siguientes características:

En cuanto a la longitud del canal: en general son canales largos, dado que un alto porcentaje de la comercialización se realiza a través del canal mayorista y donde tiene gran protagonismo la venta en consignación. Los productos de hojas producidos en la región tienen una tendencia a incrementar su comercialización en forma directa (reparto de los productores a los verduleros). Un porcentaje alto de la producción (más del 30%) se exporta al interior, con la participación de los camioneros en una gran proporción, lo que contribuye más aún a la longitud del canal. La zona de Santa Fe tiene un mayor porcentaje de productos que se exportan a Buenos Aires, aunque cada vez es menor, dependiendo de los mercados locales.

La comercialización regional de hortalizas tiene gran dependencia de la producción local, dado que más del 50% de la producción es de la zona, principalmente las hortalizas de hojas. Este es un punto clave, al ser la provincia una zona cálida y sin cadena de frío, es estratégica la producción cercana a los centros de consumo. A pesar de ello, es cada vez mayor la cantidad de hortalizas provenientes de otras zonas más especializadas (las producciones bajo invernadero de la zona de La Plata, la producción de verano de la zona de Mar del Plata y las producciones invernales del noroeste y noreste).

Para la comercialización mayorista: por los mercados concentradores pasa un alto porcentaje del volumen y los galpones de empaque no tienen importancia. En general no hay equipos de frío en los mercados y tampoco lo poseen los transportistas. La no tipificación y la falta de registro de precios hacen que el sistema sea poco transparente. Muchos productores tradicionales han reemplazado su actividad de producción por la de comercialización, principalmente introduciendo mercaderías de otras regiones.

Los envases en general no llevan marcas, existiendo grandes variaciones en el peso y forma de los cajones, estos no son descartables y, en su mayoría, se utilizan jaulas de madera.

La gran distribución no reviste mucha importancia en nuestra región, los supermercados e hipermercados comercializan un bajo porcentaje de la producción regional (8% en la zona de Rosario, para el 2003) e importan los productos directamente desde Buenos Aires. Los supermercados locales son los que compran en la región. Están presentes en la región la mayoría de las cadenas.

En cuanto al transporte, el único medio es el automotor (camiones o camionetas), los productores que venden en el mercado tienen su propio transporte, los verduleros con sus propios vehículos o a través de fleteros y los transportistas o camioneros que reparten hortalizas en el interior con camiones de mayores dimensiones. Los vehículos son muy precarios, la mayoría de ellos no poseen lonas para cubrir la mercadería.

Los corredores principales de uso son: *norte*, para traer las hortalizas del noroeste argentino (durante el invierno), *central*, para hortalizas de Mendoza (principalmente en el otoño) y, muy importante, *Mar del Plata*, para las hortalizas de hojas de verano. La *zona de la Plata*, trae productos a la provincia durante casi todo el año.

En cuanto a la distribución minorista: existen numerosas verdulerías (más de 2.000 solo en Rosario), que comercializan entre 50 y 2.000 bultos semanales, con una media de 400 bultos por semana. Se estima que el comercio minorista de Rosario comercializa casi el 90% de la producción de frutas y hortalizas provincial. Si bien algunas están especializadas, en general muestran un bajo nivel de capacitación, con altas pérdidas poscosecha. Son responsables de gran parte de la pérdida de calidad de la mercadería y presentan poca actitud de cambio.

1.7. Cadena algodonera

La historia del algodón en la provincia de Santa Fe está íntimamente ligada al desarrollo del norte provincial semejante a cualquiera de las actividades consideradas como producciones regionales. Se inicia en la década de 1930, dando origen a un importante complejo agroindustrial que modifica el aspecto y la dinámica de la región permitiéndole emerger de la grave crisis registrada en esa década.

Históricamente, las actividades relacionadas a la producción del textil han representado para las provincias algodoneras una de las principales fuentes de ingreso, generadora de y responsable directa del crecimiento y desarrollo de amplias zonas. La década de 1990 marcó el inicio de una serie de cambios, como resultado de mejores precios en el mercado internacional y, principalmente, por la apertura de la economía argentina. Sin embargo, a fines de esa década, la combinación de factores adversos tales como caída en los precios internacionales, incremento en la volatilidad de los mercados, posicionamiento tecnológico de cultivos competidores, sumado a la ocurrencia de adversidades climáticas en las principales provincias productoras, provocó la desaceleración y eventual parálisis y retroceso del sector.

Indudablemente, el algodón en la provincia ha sido uno de los principales ejes del crecimiento y desarrollo económico del norte provincial.

Para ilustrar la importancia económica del algodón merece destacarse que el máximo producido y desmotado fue durante la campaña 1995/96 con 90.848 toneladas de algodón en bruto/rama y 209.000 toneladas procesadas en desmotadoras de la zona obteniéndose aproximadamente 70.000 toneladas de fibra y 105.000 toneladas de semillas. A los precios promedios de esa campaña representó un valor bruto de 140 millones de dólares. A este monto debe sumársele el valor de la producción del resto de la cadena, es decir hilados, tejeduría y confección.

Gráfico 19: Superficie y producción algodonera 1993-2008

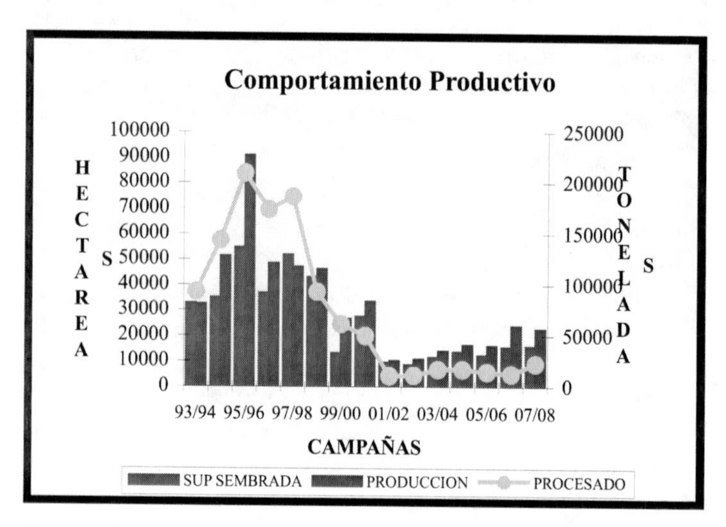

Fuente: Ministerio de la Producción, Gobierno de Santa Fe, 2008e.

La superficie sembrada ha disminuido notoriamente durante el período analizado, destacándose las campañas 2001/02/03 como las más bajas, si bien se puede observar un leve aumento en las dos últimas campañas. No obstante, de acuerdo a datos oficiales, la superficie sembrada de algodón superara las 100.000 ha en la actualidad, como se podrá comprobar en el siguiente punto.

La cadena algodonera está compuesta por tres eslabones centrales: el primario, el de desmote y el textil (hilandería y tejeduría, tintorería y confección).

Eslabón primario

Tradicionalmente, la región algodonera argentina abarcó las provincias de Chaco, Santa Fe, Formosa, Santiago del Estero, Corrientes, Catamarca, Salta, Entre Ríos y Córdoba. Actualmente también se está cultivando en algunas áreas nuevas (San Luis y La Rioja).

El total de productores algodoneros en el país, estimados por el PROINTAL en el 2001, fue de 32.059, con una superficie promedio dedicada a la actividad de 24 ha y un rendimiento medio estimado de 1.345 kg/ha. En este sentido, el 60% corresponde al sistema de producción minifundista, el 39% se identifica dentro del sistema de pequeños y medianos productores y el resto a grandes productores. Los pequeños y medianos aportan el 63% de la producción; los grandes el 27% y los minifundistas el resto. Se estima que el número total de productores con algodón puede haberse reducido al 50%.

Figura 25: Argentina. Departamentos de producción algodonera

Zonas de Producción Algodonera

Fuente: Ministerio de la Producción, Gobierno de la Provincia de Santa Fe, 2008e.

En la provincia de Santa Fe, la cuenca algodonera se divide en dos 2 zonas: la zona este, comprendida por los Departamentos General Obligado, San Javier, Garay y Vera; y la zona oeste, comprendida por el Departamento de 9 de Julio.

Tomando como fuente el Registro Nacional de Productores Algodoneros (Ley Nac. Nº 26.060- campaña 2006/07) y considerando las características particulares en las cuales se desarrolló el mencionado registro (estos datos no deben ser tomados como definitivos), Santa Fe registró un total de 384 productores de los cuales el 58% corresponden a la zona este y el 42% a la zona oeste. Exactamente lo contrario sucede con la superficie implantada, el 58,6% corresponde a la zona oeste y el 41,4% a la zona este, siendo la superficie promedio cultivada de 37 hectáreas y el rendimiento medio estimado de 1.543 kg/ha, ambos por sobre la media nacional (rendimiento estimado provincial: 1.543 Kg/ha -APPA).

Cuadro 45: Cantidad de productores y superficie implantada con algodón por departamento en Santa Fe

Departamento	Productores	%	Superficie	%
Gral. Obligado	211	54,9	5.464	38,4
Vera	2	0,5	184	1,3
San Javier	10	2,6	237	1,7
9 de Julio	161	42,0	8.332	58,6
Total	384	100,0	14.217	100,0

Fuente: Ministerio de la Producción, Gobierno de Santa Fe, 2008e.

El 32% de los productores cuentan con superficies destinadas al algodón menores a 10 hectáreas, el 61% entre 10,1-100 hectáreas y el restante 7% cultivó más de 100 hectáreas. De esta información se desprende que el 64% de la producción es aportada por el sector de los pequeños y medianos productores de entre 10,1 a 100 hectáreas con algodón (que representan el 61% de los productores), el 30% de la producción por los grandes productores de más de 100 hectáreas (7% de los productores) y los minifundistas de menos de 10 hectáreas aportan solamente el 6% (siendo el 32% de los productores algodoneras de la provincia).

Cuadro 46: Estratificación de productores y superficie de algodón por zona en Santa Fe

Estrato	Zona este		Zona oeste		Total Produc-tores	Total Superfi-cie
	Produc-tores	Superfi-cie	Produc-tores	Superfi-cie		
0,1-5	30	117,5	25	116,0	55	233,5
5,1-10	35	280,5	33	289,5	68	570,0
10,1-15	27	357,1	9	125,0	36	482,1
15,1-20	35	632,5	10	189,0	45	821,5
20,1-30	37	946,0	16	434,0	53	1.380,0
30,1-50	28	1.119,5	16	650,0	44	1.769,5
50,1-100	23	1.843,0	34	2.825,0	57	4.668,0
Más de 100	4	589,0	22	3.704,0	26	4.293,0
Total	**219**	**5.885,1**	**165**	**8.332,5**	**384**	**14.217,6**

Fuente: Ministerio de la Producción, Gobierno de Santa Fe, 2008e.

Según datos oficiales (Cuadro 47) la superficie sembrada con algodón en la provincia alcanzó las 112.000 hectáreas en la campaña 2012/13. Esto indica un incremento del 687% respecto de lo declarado por Registro Nacional de Productores Algodoneros para la campaña 2006/07. Esto posibilitó un crecimiento sustantivo de la participación provincial a nivel nacional tanto en área semabradas, como cosechada y producción, pasando de alrededor del 4% al 25% del total. No obstante, estos máximos niveles alcanzados volvieron a caer en las capañas siguientes (2013/14 y 2014/15) al estado de 2006/07 (Pujadas *et al.*, 2017: 62).

La totalidad de la producción algodonera provincial se concentra en los departamentos del norte, cuestión que contrasta con otros períodos donde el sur todavía presentaba algunos cultivos de algodón, aunque ínfimos en relación a los del norte (Ver CNA, 1960).

Dentro de los departamentos del norte provincial, el departamento 9 de Julio reúne el 77,3% de la producción algodonera de la provincia. Le siguen en importancia General Obligado (12,9%), Vera (8,3%) y San Javier (1,5%) que cuentan con menor superficie y volumen de producción, pero presentan mayor rendimiento por hectárea.

Cuadro 47: Superficie y producción total de algodón en Santa Fe por departamento y ecorregiones

Ecorregión Norte o Sur	Departamentos provincia de Santa Fe	Participación en la producción	Superficie ALGODÓN ha	Producción Total tn	Rendimiento $kg.ha^{-1}$
N	**Garay**	0,0%	-	-	-
N	**General Obligado**	12,9%	10.800	21.000	1.944
N	**Nueve de Julio**	77,3%	90.000	126.000	1.400
N	**San Cristobal**	0,0%	-	-	-
N	**San Javier**	1,5%	1.200	2.500	2.083
N	**Vera**	8,3%	10.000	13.600	1.360
S	**Belgrano**	0,0%	-	-	-
S	**Caseros**	0,0%	-	-	-
S	**Castellanos**	0,0%	-	-	-
S	**Constitución**	0,0%	-	-	-
S	**General López**	0,0%	-	-	-
S	**Iriondo**	0,0%	-	-	-
S	**La Capital**	0,0%	-	-	-
S	**Las Colonias**	0,0%	-	-	-
S	**Rosario**	0,0%	-	-	-
S	**San Jerónimo**	0,0%	-	-	-
S	**San Justo**	0,0%	-	-	-
S	**San Lorenzo**	0,0%	-	-	-
S	**San Martín**	0,0%	-	-	-
	NORTE	100,0%	112.000	163.100	1.456
	SUR	0,0%	-	-	-
	TOTAL	100%	112.000	163.100	1.456

Campaña: 2012/2013. Elaboración: Propia. Fuente: Sistema Integrado de Información Agropecuaria. Ministerio de Agricultura, Ganadería y Pesca de la Nación. Disponible en http://www.siia.gov.ar/series

Eslabón secundario: desmote y textil

En el año 1996 existían doce empresas desmotadoras con una capacidad instalada o nominal de desmote de 390.000 t/año y real de 265.200 t/año. En 2008 quedan diez empresas con una capacidad instalada total de 116.000 t/año pero, solamente se encontraban operativas cinco (1 cooperativa y 4 firmas privadas) con una capacidad de desmote de 63.000 t/año. Esto reflejaba una situación similar a lo que ocurría a nivel nacional, es decir un alto porcentaje de capacidad ociosa impactando sobre los costos fijos, los que se trasladan a su vez en forma negativa al precio pagado por la materia prima. No obstante, esta situación puede haber cambiado en la actualidad, debido al aumento significativo de la superficie y producción de algodón registrado en la campaña 2011/12 en la provincia.

En el proceso de desmotado el producto principal es la fibra y secundariamente la semilla, cuyo destino son las hilanderías y aceiteras/siembra/forraje/biocombustible respectivamente. Los insumos y servicios son considerados de carácter industrial y la red de proveedores en nacional e internacional.

La actividad textil vinculada con esta cadena comprende los procesos básicos de hilandería y tejeduría, en algunos casos integrado con los de tintorería y confección. Consume fibra de algodón de origen nacional preferentemente, además de otras fibras naturales y artificiales. Sus productos (hilados, telas y amplia gama de artículos textiles) tienen diferentes usos (vestimenta, doméstico, industrial y rural). Tiene fuerte vinculación con un importante grupo de empresas proveedoras de insumos, maquinarias y servicios industriales.

La cadena reviste gran importancia en cuanto a la generación de empleo. Según estimaciones del Ministerio de la Producción (2008e) la totalidad de la cadena algodonera santafesina puede ocupar un total de 340.180 jornales que equivalen a US$10.113.500 abonados en sueldos.

Al interior de la cadena, es el eslabón primario el que mayor cantidad de empleo genera (277.000 jornales), siguiéndole en importancia las actividades de desmote (62.500 jornales) y textil (680 jornales).

1.8. Cadena apícola

Durante la última década, la producción apícola nacional es una de las actividades que ganó mayor importancia. Tanto por los niveles de producción alcanzados como por la calidad de los productos obtenidos y por la rápida conversión de la inversión en generación de empleo.

En términos generales, la apicultura es una actividad que se basa en pequeños productores muy atomizados que generan en su conjunto divisas cercanas a los 80 millones de dólares anuales (promedio de los últimos años). Muy pocos sectores del agro superan a esta actividad, al punto que en el *ranking* de exportaciones de productos agroalimentarios, figura en el puesto 18 sobre algo más de 2.000 posiciones arancelarias.

De acuerdo con estadísticas de la FAO (en Ministerio de la Producción, 2008f) la producción mundial de miel es del orden de los 1,4 millones de toneladas en los últimos años y se ha presentado una tendencia levemente creciente. El principal continente productor es Asia seguido de América, Argentina es el tercer productor mundial después de China y EE. UU. y representa el 70% de la miel de América del Sur, el 25% de América y el 6% del total mundial. Las exportaciones mundiales de miel rondan las 360.000 toneladas, y Argentina participa con algo más del 20% siendo el primer exportador del mundo seguido por China, México, Alemania, Vietnam, Hungría y Canadá compitiendo por precio y calidad.

Eslabón primario

El Ministerio de la Producción (2008f) estima que en la provincia de Santa Fe se encuentran emplazadas aproximadamente 485.000 colmenas. Hasta el momento solo se han registrado el 90% de las mismas según estimaciones, debido a la numerosa cantidad de pequeñas explotaciones familiares que no alcanzan la unidad productiva de 5 colmenas, a partir de la cual es obligatoria la inscripción en el Registro Nacional de Productores Apícolas (RENAPA).

Según datos de RENAPA, para 2008, el número total de productores registrados en la provincia de Santa Fe es de 3.735 con un total de 435.935 colmenas. Su distribución departamental se puede apreciar en siguiente cuadro, donde el centro y norte de la provincia concentran la mayor cantidad de productores y colmenas en la provincia.

Cuadro 48: Cantidad de colmenas y productores por departamento en Santa Fe

Departamento	Colmenas	Productores	Zona	% Colm.	% Prod.
GRAL. OBLIGADO	22.918	299	Norte	36%	33%
SAN JAVIER	12.069	98			
SAN JUSTO	9.350	91			
SAN CRISTOBAL	71.035	508			
VERA	8.390	81			
GARAY	3.906	29			
9 DE JULIO	27.302	113			
LAS COLONIAS	51.276	320	Centro	40%	44%
LA CAPITAL	12.928	301			
CASTELLANOS	78.224	763			
SAN JERONIMO	18.362	129			
SAN MARTIN	13.673	133			
CONSTITUCION	7.859	70	Sur	24%	23%
ROSARIO	11.487	299			
CASEROS	10.775	87			
SAN LORENZO	8.553	70			
GRAL. LOPEZ	55.774	263			
IRIONDO	5.851	31			
BELGRANO	6.203	47			
TOTALES	**435.935**	**3.732**		100%	100%

Fuente: RENAPA, 2008. Ministerio de la Producción, Gobierno de Santa Fe, 2008f.

Eslabón agroindustrial

Con la puesta en vigencia de la legislación específica para las salas de extracción, por parte del SENASA, la Provincia estableció un convenio de delegación de funciones. Esto permite contar con salas adecuadas a las normas nacionales, en condiciones de poner en marcha el programa de trazabilidad de SENASA, funcionando como salas comunitarias o prestadoras de servicios a terceros. De esta manera se pasó de un total de 52 salas de extracción existentes a diciembre de 2002, a 250 salas inscriptas a diciembre del año 2004.

Figura 26: Salas de extracción

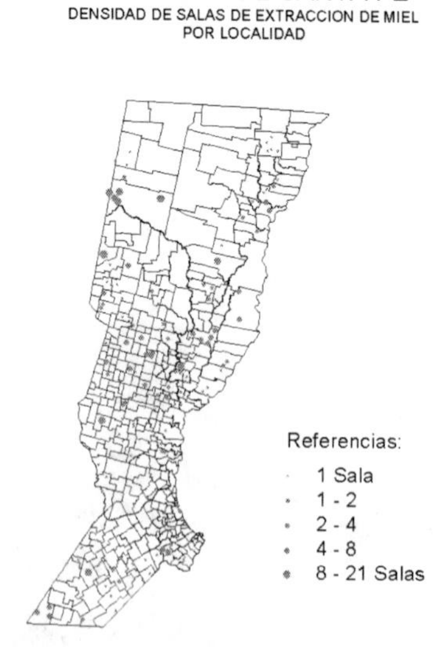

Fuente: Ministerio de la Producción, Gobierno de Santa Fe, 2008f.

De ellas, 160 reúnen las exigencias internacionales para exportar. Como puede observarse en el mapa (Figura 26), la mayor concentración de salas de extracción se encuentra en el centro y norte provincial.

En Santa Fe, 25 grupos apícolas desarrollan su modelo productivo a partir de un protocolo propio de diferenciación de calidad. A través del programa, los productores acceden a la posibilidad de realizar una serie de análisis vinculados a la calidad de las mieles en convenios con laboratorios oficiales. Conforme a los convenios establecidos con la Universidad Nacional de Rosario y la Universidad del Centro Educativo Latinoamericano se inició en la cosecha 2005/6 la tipificación sensorial y polínica de las mieles de la provincia de Santa Fe, como una estrategia complementaria de brindar competitividad sistémica al sector.

Eslabón comercial

La cadena de la miel se pude considerar poco compleja. La miel no sufre una profunda transformación física y por ese motivo son pocos los agentes que intervienen en su comercialización. Entre ellos se identifican:

- Productor (individual o asociado) - acopiador - exportador.
- Productor (individual o asociado) - exportador.
- Productor (individual o asociado) - fraccionador.
- Productor asociado que realiza todas las etapas de la cadena hasta la exportación.

El sistema de venta más común es el que se encuentra en primer lugar: el productor vende su miel al acopiador zonal, quien a su vez comercializa al exportador, que se encarga de la venta externa.

Una tendencia que se observa con mayor frecuencia es la venta directa al exportador en forma individual o mediante asociaciones.

También se observan mecanismos de acuerdo entre las empresas fraccionadoras y los productores. Estos acuerdos tienden a una obtención de materia prima de calidad y una mejora de la eficiencia tanto de la producción como del procesamiento y de la venta.

Este mecanismo es un claro ejemplo de cadena donde ambas partes se benefician y además le agregan valor a su producción. La aplicación de estos sistemas facilita el ingreso a mercados exigentes como los de la Unión Europea, Canadá o Australia.

Las exportaciones en general se realizan a granel en tambores, con lo que el valor agregado es escaso. Por ello, es necesario promocionar todas aquellas acciones que tengan como objetivo el agregado de valor y el desarrollo de nuevos mercados.

Durante el año 2007, se exportaron 80.341 toneladas por un monto superior a los 134 millones de dólares FOB, lo que representa una disminución del 19,01% en el volumen comercializado respecto del año anterior, y una baja del 8,22% en el valor comercializado. La Unión Europea, durante 2007, continuó manteniendo el liderazgo como principal destino de colocación del producto miel con un porcentaje superior al 67% del total comercializado. Los Estados Unidos fueron el segundo destino con el 22,77%. Aproximadamente el 60% de las exportaciones se concentraron en 5 grandes empresas.

Argentina exporta más del 95% de su producción, el 98% del producto es comercializado a granel y solamente el 2% fraccionado. Los principales países de destino son

Alemania, Estados Unidos, Reino Unido y España. Algunos países que aparecen como potenciales son Sudáfrica, Finlandia y países árabes.

La producción está fuertemente atomizada y concentrada en la región pampeana. Santa Fe aporta el 11% de la producción nacional de miel (Buenos Aires 41%, Entre Ríos 17%, Córdoba 10%, y La Pampa 7%).

Con respecto a otros productos de la colmena, las ventas externas fueron las siguientes.Material vivo: durante 2007 se exportó material vivo al Líbano, España, Italia, Francia, Reino Unido, Alemania y Antillas Holandesas por un monto de US$84.277. Propóleos: 8 toneladas por un valor FOB de US$140.000. Cera: 265 toneladas por un valor FOB de US$1,09 millones. Miel fraccionada: 360,09 toneladas por US$944.537. Finlandia es el principal mercado de colocación en volumen (16,86%), secundado por los Países Bajos (15,5%), y en tercer lugar Uruguay (10,46%).

En cuanto al mercado interno, el consumo en la Argentina oscila entre 100 y 300 gramos por habitante por año. El consumo per cápita es muy bajo si se lo compara con otros países consumidores de miel como por ejemplo Austria, Alemania o Suiza (1-2 kg per cápita).

En los últimos años los precios han sufrido importantes variaciones acompañando la tendencia mundial. El precio histórico pagado al productor ronda los US$0,90/kg. En 1995 tuvo un incremento muy abrupto motivando a muchos productores a volcarse a la apicultura en nuestro país. A partir de 1996 los precios comienzan descender y llegan a los valores históricos en el año 2001. Durante el 2002 nuevamente se produce un desfasaje en el precio incrementándose notablemente. Algunas de las variables que provocaron este incremento fueron las restricciones para ingreso de miel china a EE. UU., la UE y Canadá; la falta de oferta debido a la escasa producción en EE. UU., UE y Australia; y el incremento de las barreras vinculadas a la calidad de alimentos

El precio medio de venta a productor en el 2002 fue de $4,50/kg. La crisis por nitrofurano encontrado en mieles argentinas y el caso de dumping con EE. UU. golpearon fuerte en la apicultura de nuestro país provocando descensos progresivos del precio de la miel en los años 2004 y 2005 llegando a situarse en los $2/kg a mediados de este último año mencionado. Posteriormente comenzó a recuperar su valor paulatinamente llegando el precio FOB medio de venta de enero de 2008 a 1,98 US$/kg.

1.9. Cadena sucro alcoholera

Los territorios con recursos naturales menos aptos para su aprovechamiento productivo con productos agrícolas tradicionales —granos u oleaginosas— pueden constituir una importante fuente de recursos energéticos renovables (biomasa, hidratos de carbono, fibras vegetales, etc.), que tienen hoy una importancia creciente en un mundo en continuo crecimiento y necesitado de cambiar su matriz energética dependiente de combustibles fósiles.

El azúcar es uno de los cultivos alimenticios más extendidos a nivel mundial con una producción aproximada de 155 mil millones de toneladas, siendo Brasil el principal productor. La demanda de azúcar ha crecido en los últimos 25 años, siendo India, la Unión Europea y China los principales consumidores. La mayor parte de la producción de azúcar se consume en los mercados internos, mientras que el 33% restante se comercializa internacionalmente, siendo Brasil el principal exportador. Se trata también, de uno de los productos de origen agrícola con mayores distorsiones en el comercio internacional (por la existencia de regulaciones y subsidios). De los azúcares que se consumen en el mercado interno nacional el 40% se destina a consumo de hogares y el 60% restante tiene destino industrial. En Brasil, el sector azucarero es mixto, integrando en una misma industria la producción de azúcar y la producción de etanol. Como el azúcar y el alcohol se producen partiendo de la misma materia prima, y dado que el 50% de la producción de caña brasileña se destina a alcohol carburante, cualquier decisión que tome Brasil en materia de alcohol repercute en todo el mundo azucarero.

El Programa Pro-alcohol ha convertido a Brasil en el principal productor y exportador de azúcar a nivel mundial. Dicho programa permitió el desarrollo de las ventajas competitivas, aprovechando los bajos costos locales y la subvención estatal. Como consecuencia de este esquema mixto, incrementó su producción en más de 290% entre 1990 y 2006.

La Comisión de la Unión Europea emitió el comunicado 547/2001 sugiriendo el uso de biocombustibles para asegurar y diversificar la oferta de energía, y a su vez disminuir las emisiones netas de CO2 para el transporte terrestre en Europa. Propone objetivos para la inclusión de los biocombustibles para el período 2005-2010 que van desde un 2 a un 4,7% y anuncios recientes indican objetivos de hasta un 8% en el 2015. La producción mundial de etanol en el 2005 fue de 36,9 millones de toneladas, marcando un crecimiento del 13% respecto a 2004.

Todo proceso de producción de biocombustibles es generador de trabajo, no solo por el proceso de elaboración propiamente dicho, sino también por la generación de la materia prima necesaria para elaborar los mismos. Le Ley Nacional n.° 26.093, régimen de promoción para la producción y uso sustentable de los biocombustibles por el término de 15 años, establece que la nafta y el gasoil que se comercialice dentro del territorio nacional, a partir del 2010 deberá ser mezclado por la destilería o refinería de petróleo, con un 5% como mínimo de bioetanol y de biodiesel respectivamente.

De lo anterior, es posible deducir que el mercado internacional del azúcar no es ni será un impedimento, ni un objetivo de la producción nacional. La determinación del precio tiene que ver con políticas internas, mientras que el mercado nacional e internacional de los biocombustibles, sí será un objetivo de la producción nacional, ya que la demanda será importante y quien pueda generar ventajas competitivas —fundamentalmente de precios— en el complejo sucro-alcoholero, podrá compartir con Brasil y EE. UU. este interesante negocio.

La denominada cuenca cañera santafesina es un territorio que abarca una superficie aproximada a las 500.000 hectáreas totales de las cuales solo el 10% tienen aptitud de uso agrícola múltiple —caña de azúcar, algodón, soja, girasol, sorgo y maíz— y el resto es ocupado por la ganadería de carne, siendo la producción de terneros la principal orientación productiva.

En términos geográficos, se ubica en el ángulo noreste de la provincia y abarca la mitad norte del departamento General Obligado, es una zona con un clima subtropical húmedo, una temperatura media anual de 21 °C, y un régimen de lluvias de 1.250 mm anuales, que se concentran entre setiembre y marzo. Presenta un período con déficit hídrico en enero-febrero-marzo, de duración variable, que afecta la productividad de los cultivos de verano.

Históricamente, la caña de azúcar ha sido un elemento decisivo en el desarrollo de la región, generando recursos económicos en el sector primario, industrial, comercial y de servicios, formando institucionalidad (cooperativas, centros comerciales, organizaciones gremiales rurales e industriales) y, fundamentalmente, acumulando capacidades en sus recursos humanos y una infraestructura agroindustrial instalada para el desarrollo del territorio de la región.

Las políticas implementadas a nivel nacional en los años de 1990 significaron un retroceso importante a nivel de inversiones y de actualización tecnológica. En la actualidad, esta economía regional encuentra a sus actores con dificultad para gestionar exitosamente un plan que les permita salir de una coyuntura caracterizada por déficit de producción, capacidad industrial instalada ociosa, dificultades para incorporar tecnologías de producción, cosecha y transporte, e ingresar en un futuro promisorio para el complejo sucro-alcoholero derivados de la demanda de alimentos y de combustibles con origen en materias primas renovables.

En este sentido, es importante destacar la existencia de la Asociación Civil Mesa Azucarera Santafesina (ACMAS), conformada por representantes de organizaciones de productores, industriales, de servicios, instituciones de gobiernos, (locales, regionales y provincial) y tecnológicas, (Ministerio de la Producción de Santa Fe, INTA y Colegio de Ingenieros Agrónomos de Santa Fe). La misma tiene entre sus objetivos el de promover acciones de planificación y de contribuir al diseño de políticas regionales y nacionales de apoyo al sector, para que la actividad aproveche las oportunidades que brindan los mercados actuales, promoviendo el desarrollo sustentable del territorio de esta cuenca cañera a partir de un modelo productivo agroenergético.

La ubicación geográfica estratégica de la cuenca cañera santafesina constituye una ventaja en la competitividad en el mercado nacional de azúcar y alcohol, por razones de distancias y flete en relación a las zonas de producción del noroeste del país. Comprende los distritos de Arroyo

Ceibal, El Sombrerito, Villa Ocampo, Villa Ana, Tacuarendí, San Antonio de Obligado, Las Toscas, El Rabón, Villa Guillermina y Florencia, extendiéndose potencialmente hacia el sur, a los distritos de Lanteri, Las Garzas, Guadalupe Norte y Avellaneda del departamento General Obligado.

El clima de la zona puede considerarse de transición entre templado y subtropical sub húmedo-sub húmedo seco, con una distribución de las precipitaciones que concentra el 70% desde octubre a marzo. De la información suministrada por el Ministerio de la Producción (2008f) podemos destacar que la zona tiene una oferta térmica, hídrica y de radiación que la posiciona muy bien para producir volúmenes de materia seca a partir de la fotosíntesis.

En cuanto a los suelos, se encuentran distribuidos en el paisaje formando complejos, lo cual dificulta su manejo agronómico. En su mayoría tienen una textura franco-limosa en superficie (50-60% de limo, 19-25% de arcilla y 23-30% de arena) y arcillosos en profundidad, con alto grado de hidromorfismo, más del 40% de arcilla, alcanzando en algunos casos hasta el 57%.

Los suelos poseen limitantes tales como el déficit generalizado de fósforo soluble y pobre drenaje interno que responden a limitantes de tipo genético. Por lo tanto, la clase de textura superficial y los bajos valores de materia orgánica (1,3 a 1,8%) facilitan el encostramiento superficial ante precipitaciones intensas, lo cual afecta la infiltración del agua en el suelo y provoca un mayor escurrimiento superficial. Una evaluación de la aptitud agropecuaria de las tierras de la provincia, permite afirmar que sobre las 580.000 hectáreas de la zona en consideración, 51.700 hectáreas tienen aptitud agrícola: el 50% de ellas tienen una aptitud productiva media-baja y un riesgo productivo medio-alto y quedan otras 14.000 hectáreas con aptitud-productiva baja y riesgo productivo alto, que pueden ser incorporadas a la producción agrícola, las que requieren de obras (drenaje, entre otros) para mejorar su aptitud productiva y disminuir su riesgo.

De este modo, la "cuenca cañera", responde agroecológicamente a las características que definen a muchas de las regiones marginales extra pampeanas: recursos edáficos con severas restricciones y degradados, alta variabilidad climática y elevado riesgo agrícola en producciones tipo pampeanas (soja, maíz, trigo y girasol), con poblaciones de entre 1.500 y 17.000 habitantes, que tienen economías fuertemente ligadas a las actividades rurales. No es casual que en esta micro región se encuentren producciones agrícolas típicas de economías regionales, que históricamente se han desarrollado como una respuesta estratégica a las dificultades presentadas en las producciones tipo pampeanas y a la posibilidad de agregado de valor localmente.

La actividad agroindustrial azucarera, con más de 100 años de antigüedad, no resulta un hecho histórico fortuito en la zona del norte de Santa Fe, sino una de las respuestas sociales a las escasas posibilidades de desarrollo sustentable encontradas, y que aún tiene vigencia en esta región. A pesar de las crisis hoy se encuentra en un ciclo de expansión moderado, que es necesario consolidar asegurándole condiciones que la hagan sustentable económica, ambiental y socialmente.

En una visión de largo plazo, la actividad debe ser visualizada como estratégica para el desarrollo de esta micro región, ya que la estabilidad productiva y empresarial en pequeñas explotaciones agrícolas, junto al agregado de valor local la hacen muy atractiva desde el punto de vista del impacto social (creación de demanda de mano de obra rural y urbana, permanencia de pequeños productores y asalariados rurales en el campo), del desarrollo de servicios de logística -transporte, metal mecánica, proveedores de insumos, etc.— , inversiones asociadas en bienes de capital y otras numerosas externalidades que potencian las economías locales.

Eslabón primario

Esta superficie agrícola es utilizada en la actualidad por una actividad agrícola con un perfil productor de oleaginosas, soja y girasol que ocupan el 62% de la superficie cultivada anual, mientras que la caña de azúcar ocupa solo un 14% y la producción de cereales un 9% del área como cultivos de segunda, en rotación con girasol, no habiendo cultivos de sorgo ni de maíz de primera siembra.

Esta canasta de productos agroindustriales genera un valor que a precios 2007 totalizaban 96,3 millones de pesos, de los cuales la soja y el girasol generan el 55%, la caña y sus productos derivados (azúcar y melaza) un 35%. Entre estos tres productos aportan el 90% del total generado por el sector agroindustrial de la zona.

En la campaña 2007/08 se registró una sequía extraordinaria en los meses de enero, febrero, marzo y abril del 2008, afectando significativamente el rendimiento de caña, soja de primera y segunda y el maíz y sorgo de segunda no se cosecharon, en esta condición el valor económico generado por la sumatoria de estos productos sería de 34,8 millones inferiores al valor generado en años sin efecto de sequía, de los cuales 16,3 millones se perdieron por menor rendimiento en soja y 16,1 millones se perderán por menor superficie cosechada y menor rendimiento de la caña. Estos valores ponen en evidencia la gravedad del efecto de una sequía, las que se estima pueden presentarse en la zona con un promedio de dos situaciones de este tipo cada diez años.

Entre las zafras 2002 y 2007, tanto la superficie con caña, como el rendimiento unitario fueron creciendo de manera sostenida. Esto significó pasar de una molienda inferior a las 100 mil toneladas en el 2003 a una levemente superior a las 300 mil toneladas en el 2007, producto del incrementó de la superficie cultivada de 4.500 a 8.300 hectáreas, con una inversión del orden de los 6 millones de pesos por parte de los productores. La cosecha que en el 2003 fue solo de un 15% con equipos integrales, en la zafra 2007 se elevó al 60% del volumen producido, lo cual significó inversiones en equipos de cosecha y transporte del orden de los 2,5 millones de pesos y de 4 millones de pesos adicionales para adecuar las instalaciones industriales. El resultado ha sido un incremento en la generación de valor de $12.000.000 equivalente a 11.000 t de azúcar en el 2003 a $35.920.500 (32.665 t/azúcar) en el 2007.

Cuadro 49: Indicadores de superficie, producción, rendimiento e industrialización de caña de azúcar en el norte de Santa Fe, Dpto. de General Obligado

	ZAFRAS						
	2002	**2003**	**2004**	**2005**	**2006**	**2007**	**2008 (*)**
Superficie c/caña (ha)	----	4561.5	5375.1	6232	7146.3	8300	7300
Aumento anual superf/caña (en ha)	0	(valor de partida)	+813.6	+856.9	+914.3	+1154	- 1000
Prod.anual en Miles/ton/caña)	119	110	136	183	200	352	120
Rendimiento (ton/caña/ha)	-----	24.1	25.3	29.4	28.1	42.4	16,4
Sup. Plantada (ha/año)	800	2084	2100	2200	2300	600	1050
Caña Molida (en miles de ton)	111	89.2	115	161	177	311	86

(*) Efecto de la sequía. Fuente: Cadena Sucro Alcoholera Santafesina (2009). Plan Estratégico.

En este contexto, se puede destacar que la actividad cañera fue realizada por unos 270 productores, con un aumento de 70 productores y el equivalente al 50% de los establecimientos agropecuarios relevados en el Censo Nacional Agropecuario de 2002 en esta zona.

De acuerdo a estimaciones del Ministerio de la Producción (2009a), el 54,7% de los productores azucareros posee menos de 20 hectáreas con caña y trabajan menos de 50 hectáreas agrícolas en el total de su unidad productiva. El 17,5% posee entre 21 y 30 hectáreas con caña y el 10,6% entre 31 y 50 hectáreas. Esto nos indica la importancia de los pequeños productores en esta actividad. Tan solo el 1,2% de los productores cañeros disponen de más de 200 hectáreas.

Cuadro 50: Evolución porcentual de productores y superficie cañera, por estrato de productor, Santa Fe, 2003-2006

	Estrato de superficie con caña					Totales
	Menos de 15	15,5 a 25	25,5 a 50	50,5 a 100	Más de 100,5	
% productores 2003	54%	16%	20%	7%	3%	100% (227)
% productores 2006	49%	15%	24%	10%	3%	100% (265)
Diferencias % 2003/06	-5	-1	4	3	0	16,7
% sup. 2003	17,2%	14,3%	31,1%	20,2%	17,1%	100% (5208)
% sup. 2006	12,1%	11,2%	31,2%	27,6%	17,9%	100% (7146)
Diferencia % 2003/06	-5,1	-3,1	0,1	7,4	0,8	37,2

Fuente: Ministerio de la Producción, Gobierno de Santa Fe, 2009a.

En 2006 los productores que cultivan entre 25,5 y 100 hectáreas con caña aportaban el 59% de la superficie total y fueron el sector más dinámico en el crecimiento en superficie y en productores, experimentado entre los años 2003 y 2006. Mientras que los que plantaban hasta 25 hectáreas, a pesar de tener una tendencia a disminuir en cantidad de productores y en superficie aportada, representaban alrededor del 60% de los cañeros totales y aportaban una superficie que pasó del 31,5 al 23,3% del total.

La incorporación de tecnologías de punta en el estrato de productores con superficies mayores a 25 hectáreas permitiría consolidar su proceso de crecimiento, mientras que en el sector de los *pequeños productores cañeros* requieren de apoyos que les permita acceder a una mayor extensión y capital de trabajo con un programa de asistencia financiera adecuada (créditos por medios no formales). En el sector de grandes productores, (más de 100 ha c/caña), se puede facilitar el acceso a herramientas financieras adecuadas para incrementar la actividad cañera y la productividad, lo que produciría aumentos importantes en la producción de caña (Ministerio de la Producción, 2009a).

Eslabón industrial y comercial

En 2007, la capacidad agroindustrial instalada se componía de 2 ingenios azucareros y de una destilería de alcohol con capacidad de producción de 370 toneladas diarias de azúcar. El Plan Estratégico Provincial para esta cadena de valor prevé una inversión de alrededor de $10 millones que permitiría aumentar la capacidad de transformación a 500 toneladas de azúcar diarias.

Cuadro 51: Capacidad y ubicación de la industria cañera en Santa Fe

Industria	Ubicación	Capacidad instalada	
		2009	Potencial
Ingenio ARNO	Villa Ocampo	2350 Ton/caña/día	3000 Ton/caña/día
Ingenio Las Toscas	Las Toscas	1250 Ton/caña/día	2000 ton/caña/día
Alcoholera ARNO	Villa Ocampo	sin actividad	100.000 lts/día

Fuente: Ministerio de la Producción, Gobierno de Santa Fe, 2009a.

En el mismo plan se menciona que el complejo industrial ARNO tiene el proyecto de poner en funcionamiento su planta productora de etanol con una capacidad de producción de 100.000 litros día durante 200 días al año, utilizando como materias primas jugos de caña, melazas o granos y jugos de sorgo granífero y azucarado respectivamente.

El conjunto de las actividades de la matriz agroenergética propuesta generaría un incremento del valor generado a 155 millones de pesos.

El PROSAP en 2015 se encontraba elaborando el proyecto definitivo de riego para 10.000 ha de la cuenca cañera que posibilitaría el aumento de los rendimientos y, con ello, la provisión de materia prima para volver a poner en funcionamiento los ingenios radicados en Villa Ocampo y Las Toscas (Ministerio de la Producción, 2010).

En cuanto al eslabón comercial, el azúcar que se produce en el norte de Santa Fe atiende un consumo local de la región y al mercado de Resistencia (Chaco), pero no llega a mercados más desarrollados como son la ciudad de Rosario y de Santa Fe. Sobre una base poblacional aproximada de 3 millones de habitantes para la provincia de Santa Fe y el consumo medio de azúcar de Argentina (40 kg/hab/año), resulta que se necesitarían 120 mil toneladas de azúcar para satisfacer el consumo de la provincial. Sin embargo, la región produce actualmente alrededor de 25 mil toneladas.

1.10. Cadena avícola

La producción nacional avícola se desarrolla principalmente en las provincias de Entre Ríos y Buenos Aires en coincidencia con las áreas productoras de cereales y oleaginosas utilizados para la alimentación. Luego le siguen Santa Fe, Córdoba, Mendoza, Río Negro y Neuquén. En la provincia de Entre Ríos se encuentra el 47% de las granjas del país; el 35%, en Buenos Aires y el resto se distribuye en Santa Fe (7%), Córdoba (4%), Mendoza (2,8%) y otras provincias.

En la provincia de Santa Fe se contabilizan un total de 366 granjas avícolas, de las cuales el 50% se dedica a la producción de pollos parrilleros y el 36% a la crianza de gallinas de huevos para consumo. Un 12,6% se utiliza para la reproducción (incluyendo pollos y huevos) y el 0.8% restante corresponde a otras especies de aves.

Cuadro 52: Cantidad de granjas avícolas por tipo de actividad en Santa Fe

	Granjas	%
Prod. de carne	184	50,3
Prod. de huevos	133	36,3
Reproducción	46	12,6
Otros	3	0,8
Total	366	100

Fuente: MAGyP, 2010.

De acuerdo con los datos del RENAVI (Registro Nacional de Multiplicadores e Incubadoras Avícolas) se calcula que existen alrededor de 80 plantas de incubación en el país, considerando las que se dedican a incubar huevos fértiles de pollos, de ponedoras y de otras especies avícolas. Once de estas plantas se encuentran en la provincia de Santa Fe (33 en Buenos Aires, 16 en Entre Ríos y 5 en Córdoba). Durante el año 2010, 52 plantas de faena de aves operaron bajo la órbita de SENASA, de las cuales 7 operan en la provincia de Santa Fe.

Se estima que las existencias avícolas nacionales totales en 2010 fueron 142 millones de aves. De acuerdo con las estimaciones del RENAVI, las existencias totales de reproductoras pesadas al 31/12/2010 indican un aumento en la cantidad de aves de 6,7% respecto de igual fecha del año 2009. La cantidad de gallinas en recría y en postura se calcula en 2,75 millones y 4,70 millones respectivamente. En consecuencia, el total de aves asciende a 7,45 millones.

En el transcurso del año 2010, la faena nacional total de aves alcanzó más de 615 millones. El 81% de la faena de 2010 fue clasificada, en tanto el 19%, no. Sobre el total clasificado, el 97,5% corresponde a pollos, el 2,4 a gallinas (livianas, pesadas y sin definir) y el resto a gallos, pavos y pavitas. La faena de aves habilitada por SENASA se distribuyó mayoritariamente en las provincias de Entre Ríos y Buenos Aires, concentrando ambas casi el 88%. Un 12% se reparte entre Santa Fe, Córdoba y Río Negro. La faena avícola santafesina durante 2010 fue de 27.014.221 cabezas, es decir, el 4,4% de la faena nacional (MAGyP, 2010) y en 2013 de 36.987.441 cabezas, el 5% de la faena nacional. Según Ceconi *et al.* (2000), la faena de pollos en el norte santafesino representa el 39% del total provincial.

Se estima que la producción nacional de huevo en cáscara para consumo alcanzó los 9.328 millones en 2010, 4% más de lo producido el año anterior. La cantidad de huevos ingresados en plantas industrializadoras con habilitación de SENASA durante el año 2010 aumentó 14% en comparación con el año 2009, totalizando 930 millones de huevos. En 2010, 13 empresas industrializadoras operaron bajo la órbita de SENASA, tres más que en 2009: Ovobrand (Brandsen, Buenos Aires), Granja San Miguel (Bahía Blanca, Buenos Aires) y Comarce (Rosario, Santa Fe).

Las exportaciones de productos avícolas del año 2010 superaron a las del año anterior, alcanzando las 284.000 toneladas por un valor de 445 millones de US$ FOB. Los destinos de las exportaciones avícolas estuvieron repartidos entre: 24% Venezuela, 17% Chile, 14% China, 10% Sudáfrica, 1% Alemania y 30% en otros países como Gran Bretaña, Holanda, Rusia, Polinesia francesa, España, Congo, Bélgica, Arabia Saudita, etcétera.

1.11. Cadena arrocera

El arroz es uno de los cuatro pilares de la alimentación mundial, junto al trigo, el maíz y la papa. De hecho, más de la mitad de la población del planeta lo tiene como su alimento básico. La Argentina no se encuentra entre los principales países productores. Representa el 0,4% de la producción mundial, el 2,6% del comercio internacional y el 0,2% del consumo mundial de arroz. No obstante, este es un cultivo agrícola es altamente rentable por su demanda mundial, ya que es considerado un alimento básico en muchas culturas culinarias (en especial en la cocina asiática), así como en algunas partes de América Latina.

Durante la campaña 2010/11, Argentina contó con una superficie total de 256.000 hectáreas de arroz bajo cultivo. Fue el segundo registro más alto de la historia, solo por debajo de las 290.850 hectáreas sembradas en la temporada 1998/99. La cosecha nacional se ubicó en 1,7 millón de toneladas y marcó un récord para el cultivo, con un alza de 40,3% respecto de la campaña anterior. De acuerdo a las estimaciones del Ministerio de Agricultura, Ganadería y Pesca, el rinde promedio fue de 69,20 quintales/hectárea, superando la media de 57,68 quintales observada en el ciclo 2009/10 (INTA-PROSOP, 2011).

Las ventas externas de arroz en grano generaron ingresos por US$240,2 millones en 2010, con un alza de 3,4% respecto a las colocaciones del año anterior. Brasil fue el principal mercado, con 50,4% de los envíos. También se exportaron afrechillo (US$420.000) y cáscara de arroz (US$360.000), entre otros subproductos (INTA-PROSOP, 2011).

La provincia de Santa Fe es la tercera en importancia para la producción de arroz a nivel nacional.

Cuadro 53: Producción arrocera Argentina por provincia

Provincia	Cosecha 2009/10	%	Área sembrada 2009/10	%	Molienda 2010	%
Entre Ríos	750631	43	94750	43	668365	88
Corrientes	740555	42	79804	36	68262	9
Santa Fe	163426	9	31100	14	-	-
Chaco	42597	3	6500	3	-	-
Formosa	42186	3	7600	4	-	-
Buenos Aires	-		-		20825	3
Total	**1739395**	**100**	**219754**	**100**	**757452**	**100**

Fuente: INTA-PROSOP, 2011.

De acuerdo a un estudio reciente de Pujadas *et al.* (2017: 69-70), la superficie sembrada en la provincia se incrementó entre 2009 y 2012 de 31.000 a 45.000 ha, y con ello la participación a nivel nacional tanto en superficie sembrada, hectáreas cosechadas y volúmen de producción.

Entre Ríos concentra 88% de la molienda de arroz en la Argentina. La provincia mesopotámica generó 43% de la producción nacional en la última década, levemente por encima de su vecina Corrientes (42%). Santa Fe concentra apenas el 9% de la molienda y la producción nacional de arroz.

De este modo, Santa Fe es la tercera provincia argentina productora de arroz y la segunda en actividades de molienda. Esta producción provincial se distribuye en los departamentos de San Javier (70%) y en Garay (30%). Según Castignani (2011), en la zona que corresponde al "albardón costero" del departamento San Javier se desarrolla el cultivo de arroz como actividad agrícola más importante y está en manos de aproximadamente 25 empresas integradas que cultivan aproximadamente 20.000 hectáreas.

Figura 27: Zona arrocera

Fuente: INTA, 2011.

Un informe del INTA-PROSOP (2011) sostiene que el problema de los productores de arroz del norte de Santa Fe es la pérdida de competitividad por producir materia prima (grano) sin agregarle valor en origen.

La provincia de Santa Fe cuenta con un potencial inmenso en cuanto a sus posibilidades de expansión, posee tierras aptas para el cultivo, en donde hoy la única actividad que se puede realizar es ganadería de cría. Cuenta, además, con agua superficial del río Paraná, que no se utiliza en lo más mínimo para producir alimento. Además, en las explotaciones de este territorio se utiliza la energía eléctrica en los bombeos, haciéndola más competitiva frente al uso de gasoil. Estas características transforman a Santa Fe en la provincia más competitiva y con mayor potencial para el desarrollo arrocero.

Los limitantes de la provincia de Santa Fe pasan por el déficit estructural de inversiones en infraestructura. La lista de restricciones comienza con la falta de capacidad de transformación de energía, la que el gobierno provincial ha prometido resolver con la obra de la planta transformadora de la EPE San Javier.

La costa santafesina continúa con la histórica falta de inversión en infraestructura vial y la falta de plantas de acondicionamiento y acopio de arroz. Esto hace que los pequeños productores arroceros, al no contar con posibilidades en la zona de acondicionar su mercadería, deban enviar su producción a Entre Ríos, a más de 300 km de distancia, pagando fletes falsos (se transporta agua y materias extrañas) cuyo valor alcanza al 20%. Es decir, que en un camión que transporta 30 toneladas, el 20% (6 toneladas) es agua y materias extrañas. Un flete de $140/t se traduce a $840/ camión de flete falso; además el gasto en vano de transportar agua y materias extrañas. Esto genera un fuerte impacto en la rentabilidad de los pequeños productores arroceros santafesinos.

El arroz, por su bajo volumen de producción en Argentina no cotiza en bolsa, por lo que el precio se pacta entre las partes: molinería y productor. Para el productor, el agravante es que al entregar su mercadería en plena cosecha, los diferenciales negativos en precios que percibe son muy importantes, sacándole aún más rentabilidad. En Santa Fe, a todo esto hay que sumarle el cierre definitivo de la planta de acopio de Romang (Sussarelli) que era la única planta cercana para los productores de la zona.

Además, el hecho de que en la provincia no haya capacidad de acondicionamiento y acopio para toda la producción hace que al enviar la producción a otras provincias se pierda mano de obra local, y también la posibilidad de que esa mercadería se procese dentro de la provincia.

Según un informe del Instituto de Investigación y Desarrollo para la Pequeña Agricultura Familiar del INTA (IPAF, 2010), en el norte de la provincia de Santa Fe se viene dando un proceso de búsqueda de alternativas productivas para los agricultores familiares de la zona, que les permita diversificar sus producciones, mejorar sus ingresos, ofrecer productos de calidad y preservar los recursos naturales. Existen en el lugar diferentes asociaciones y grupos de productores que siguiendo estas ideas y nucleados en mesa de la Agricultura Familiar del Norte de la provincia se propusieron investigar sobre una alternativa productiva: el arroz producido en forma agroecológica.

Las organizaciones de la agricultura familiar de la región han realizado durante el período 2008-2009 una serie de ensayos en distintos lugares con el fin de probar algunas variedades y de profundizar y afianzar sus conocimientos sobre técnicas agroecológicas para esta producción. Esta experiencia fue apoyada por distintas instituciones (Ministerio de la Producción de la prov. de Santa Fe, la Subsecretaria de la AF de Santa Fe, el Ministerio de Desarrollo Social de La Nación y el INTA). La experiencia de trabajo conjunto dio como resultado general la conformación de un espacio de diálogo entre organizaciones de productores e instituciones en el cual se van analizando las fortalezas y debilidades de este proceso.

Una de las necesidades manifestadas fue la falta de maquinaria específica que permita hacer más eficiente y humanizar el trabajo de los agricultores durante el desarrollo de las labores culturales del arroz. Esta necesidad se transformó en demanda al ser analizada en el seno del espacio de trabajo mencionado y fue tomada por el IPAF región pampeana con el fin de proponer posibles soluciones.

Según la consultora Agro Puerto (2007), para el desarrollo de un Plan Estratégico Arrocero 2008-2012, en la provincia deberían realizarse las siguientes inversiones:

a) Oferta de agua para riego. La principal fuente de agua para riego la conforma el río San Javier, cuyo caudal promedio, medido en Helvecia es de 595 m3/*s*, con valores promedio para los meses considerados críticos para el riego, esto es, noviembre, diciembre, enero y febrero, de 410, 426, 499, y 689 m3/*s* respectivamente. Sin embargo, estudiando la recurrencia de bajos caudales y definiendo tres niveles de necesidades de riego —95,120 y 170 m3/s— puede concluirse lo siguiente: 1) el primer nivel contempla la posibilidad de regar completamente el área de mayor aptitud 38.035 ha con un 50% arroz en rotación con pasturas naturales y/o artificiales, con el valor piso del caudal ecológico adoptado para los meses críticos que es de 60m3/s ; 2) el segundo nivel de caudal incorpora parte del área marginalmente apta, 36.977 ha con similar rotación y caudal ecológico. En este segundo nivel, 1 de cada 8 años pueden presentar caudales inferiores a los requeridos. A partir de lo precedente puede considerarse que el segundo nivel es adecuado para ser utilizado y tomarse como punto de referencia para la extracción de agua del río. Si por alguna circunstancia, por ejemplo, precios favorables para el arroz, se cultivaran ambas áreas simultáneamente de totalidad de superficie, sin la rotación propuesta, el sistema entraría en colapso por falta de agua de riego.

Este aspecto deberá ser contemplado adecuadamente en una futura organización del riego a instrumentarse en la cuenca. Para implementar la ampliación propuesta del área regada se deben desarrollar inversiones que incluyan: 1. Tomas de agua sobre los cursos superficiales. 2. Elevación por bombeo hasta los canales de conducción primarios. 3. Canales de conducción primarios y secundarios. 4. Defensas para protección de inundaciones. 5. Sistematización del suelo a nivel predial para regar por inundación.

b) Ampliación de la actual infraestructura de secado, acondicionamiento y almacenaje del grano de arroz. La capacidad de secado y almacenaje actual de arroz en la provincia de Santa Fe es insuficiente, teniendo en cuenta la tasa de crecimiento anual del área arrocera que oscila en los últimos años entre el 10 y 30%. Las empresas arroceras con áreas de siembras superiores a 1.000 ha son integraciones de producción primaria e industrial, que tienen capacidad de secado y almacenaje acorde a sus necesidades. El estrato inferior de menos de 1.000 ha agrupa el 75% de productores, careciendo de infraestructura o no cubriendo las necesidades para tales fines.

c) Ampliación de la frontera arrocera. La provincia de Santa Fe es una de las pioneras en el cultivo de este cereal y pese a las distintas crisis atravesadas por esta actividad, cuenta con un capital humano dotado de una importante formación empresarial y técnica que ha sabido adaptarse a los importantes cambios en la faz productiva en la última década. Para alcanzar una superficie de 37.000 ha de arroz en la provincia de Santa Fe es necesario contar además de las obras básicas de infraestructura, de nuevos mecanismos de financiamiento para la instalación en la región de plantas de acondicionamiento y almacenaje del grano de arroz.

d) Capacidad de acondicionamiento y almacenaje. Para cubrir la producción de 220.000 toneladas de una potencial expansión del área a 37.000 ha es necesario contar con una capacidad de 100.000 toneladas. La misma se distribuirá en 20 plantas de 5.000 toneladas cada una. Valor de la inversión considerando máquinas de secado, accesorios elevadores, pre-limpieza y acondicionamiento del grano: $15.250.000

e) Sustentabilidad del suministro de energía eléctrica para las estaciones de bombeo. El suministro de agua de riego debe ser estable y sin cortes, debido a la interrupción del suministro de energía eléctrica. El aumento de la demanda de energía por parte de los bombeos por una potencial expansión del área arrocera deberá ser contemplado por el estado provincial, a través de la Empresa de la Energía. Las metas del sector arrocero referentes a demandas de energía eléctrica serán: programar el tendido de líneas de alta tensión a lo largo de la Ruta Provincial n.° 1; obtener mayor eficiencia en la prestación de servicios de las existentes; mejorar la bonificación por tarifas de alto consumo; y ampliar el período de pago mensual de tarifas, considerando facilidades de financiación, pagos a plazos más extensos cosecha.

2. Sistema Hídrico y Forestal

2.1. Cadena del río

La producción mundial de la pesca y la acuicultura suministraron alrededor de 142 millones de toneladas de productos pesqueros para el consumo humano en 2005, lo que equivale a un consumo per cápita de 17,7 kg (equivalente peso vivo), el valor más alto en toda la historia. La acuicultura tiene el potencial de contribuir a garantizar la seguridad alimentaria, al punto que es la industria alimentaria con mayor tasa de crecimiento en los últimos 10 años, (el *ratio* de crecimiento de la actividad desde 1970 a la fecha fue de 8,8%, el de la pesca 1,2% y el de la carne en tierra un 2,8%).

En Santa Fe, el área de influencia de la cadena comprende aproximadamente 700 kilómetros de riberas, 800.000 de hectáreas en el sistema insular (incluye albardones y lagunas interiores) y 300.000 hectáreas ocupadas por el cauce principal, río y arroyos interiores.

El registro de pescadores, como resultado de la aplicación de los criterios establecidos para que accedan a los subsidios previstos por la legislación vigente es de 3.500 (aproximadamente). Según el Ministerio de la Producción, (2008 g), esta información es como mínimo incorrecta y solo podrá tener un ajuste a la realidad con la realización de un nuevo padrón, relevamiento y la puesta en funcionamiento de los puertos de fiscalización.

Según registros de la Secretaría de Medio Ambiente de la Provincia, en 2008 hay 13 empresas frigoríficas habilitadas para exportación y tráfico federal. Las mismas procesan y comercializan pescado fresco eviscerado y congelado (sábalo, bogas, carpas, surubí y patí). No se registran empresas dedicadas al procesamiento de conservas, hamburguesas y empanadas.

Del análisis de la información existente sobre dichas empresas se puede afirmar que operan con aproximadamente un 25% del personal que reúne las condiciones laborales exigidas por la legislación vigente.

Las exportaciones de pescado provincial tienen como destino Colombia (90%), Nigeria, Congo y Brasil. El mercado interno se circunscribe a Santa Fe y Córdoba a través de cadenas de pescaderías que comercializan por pieza o media pieza. Hay poca presencia de productos en las góndolas de los supermercados.

2.2. Cadena foresto-industrial

La cadena foresto industrial en la provincia de Santa Fe está constituida por tres subsistemas. El *sector forestal primario* que se divide en bosques nativos y cultivados, dependiendo el bosque de donde provenga la materia prima. El sector de *industrialización primaria y secundaria* que implica procesos de trituración, aserrado, laminado, faqueado y compensado de la madera, fabricación de pasta y papel, envases de madera, aberturas y muebles, entre otros productos elaborados. Y el sector de la *dendroenergía,* dedicado a la producción de material leñoso para la producción de energía industrial y domiciliaria.

El bosque nativo de la región del parque chaqueño en el norte provincial está caracterizada por la presencia de bosques de quebracho colorado y blanco, algarrobales, palmares, sabanas de gramíneas, espartillares y cañadas y esteros que se alternan con ejemplares de guayacán, tala, chañar, palo cruz, entre otras. Estos bosques pertenecen, dentro de la división del parque chaqueño, a la denominada cuña boscosa. En el centro de la provincia los bosques están constituidos por espinillo, algarrobo, ñandubay, chañar, quebracho blanco y tala. La provincia cuenta con una superficie total de 928.278 hectáreas de bosques, de los cuales 659.896 hectáreas son de uso forestal y 165.395 hectáreas de bosques rurales (102.986 hectáreas otros) (Piattoni, 2010).

Los bosques cultivados de la provincia cuentan con aproximadamente 27.420 hectáreas forestadas distribuidas en cuatro zonas bien diferenciadas: la zona centro oeste, con predominio de Eucalyptus dunnii y tereticornis, la zona centro este, con E. grandis, Grevillea robusta y P. elliottiy taeda, la zona sur con E. camaldulensis, Populus sp. y Fraxinus sp. y la zona este, concordante con las riberas del río Paraná, con predominio de *salicáceas* (sauce y álamos). Se estima que hay 20.462 hectáreas con eucaliptos, 3.890 hectáreas con salicáceas, 2.178 hectáreas con coníferas y 800 hectáreas con otras especies (Piattoni, 2010).

En la industrialización primaria y secundaria la elaboración de envases de madera, aberturas, muebles y demás productos elaborados, Santa Fe se ubica como segunda provincia productora, detrás de Buenos Aires. En la provincia funcionan dos fábricas de tableros de fibras (Villa Guillermina, Fighiera), dos plantas de impregnación de postes (San Justo, Sauce Viejo), dos fábricas de celulosa y papel (Capitán Bermúdez, San José de la Esquina) y una fábrica de celulosa moldeada (Santa Fe capital). Se estima que para 2007, se produjo 39.637 m^3 de tableros de fibra, 24.002 m^3 de tableros de partículas, 138.133 toneladas de celulosa y 164.574 toneladas de papel.

En cuanto al consumo de madera para generación de energía, el sector industrial (curtiembres, papeleras, ingenios, etc.) establecido en el norte de la provincia utiliza 240.000 t/ año proveniente de los bosques nativos, además de la producción de leña y carbón que se destina a consumo familiar e industrial en otras regiones.

De un total de trece empresas distribuidas en las localidades de Las Toscas, Villa Ocampo, Villa Guillermina, Avellaneda y Reconquista, las que corresponden a los rubros curtiembre (3), desmotadora (1), aceitera (2), papel (2), azúcar (2), frigorífico (2) y tableros (1) dan origen a un total de 5.610 personas empleadas.

En relación a las principales empresas norteñas que utilizan leña como combustible, (a las que deben agregase las correspondientes al rubro alimenticio como panaderías y el consumo para calderas de calentamiento de agua en los hoteles y hogares), la cantidad de empleados pone en evidencia el fuerte impacto en la economía regional que se origina en torno a esta fuente de energía.

Santa Fe ocupa el segundo lugar alcanzando el 15% a nivel nacional en cuanto a cantidad de empresas y producción y el 15% de la mano de obra empleada en el segmento nacional de muebles. Además, el 35% de las exportaciones nacionales de muebles son fabricados en la provincia (Piattoni, 2010).

En el centro-sur de Santa Fe se ubica uno de los polos del mueble y la madera más dinámicos y representativos del sector en la Argentina, conformado por pymes localizadas fundamentalmente en las ciudades de Esperanza, Cañada de Gómez, Rafaela, San Jerónimo Norte y Avellaneda. Están agrupadas en cámaras y otras instituciones tales como la CIMAE, "Cámara de Industriales Madereros y Afines de Esperanza", Centro Comercial e Industrial de San Jerónimo Norte, CAPIR,"Cámara de Pequeñas Industrias de Rafaela", y AFAMA,"Asociación de Fabricantes de Muebles y Aberturas de Avellaneda". Se estima que las empresas del mueble son más 400 en la provincia.

Además, se destaca desde 2006 la creación de la Mesa Foresto Industrial del Norte Santafesino, integrada por 17 industrias que constituyen el principal actor de la economía regional, generando gran cantidad de puestos de trabajo y divisas a la provincia. La constitución de esta mesa fue consecuencia de una necesidad en común: el abastecimiento de leña para la generación de energía térmica (MAGyP, 2013).

Según informes de Ministerio de la Producción, más del 50% del consumo de madera provincial corresponde al algarrobo, que es una especie nativa. La mayor parte de esa madera proviene del norte de la provincia y de las provincias de Chaco y Formosa. El 21% al eucaliptus, el 11% al guatambú, el 6% al pino, el 4% cedro y el 3% al roble.

Debido a lo que ocurre, en general, con toda la madera que proviene de bosques nativos; lenta y paulatinamente, las empresas, no solo muebleras, van buscando y experimentando con especies de bosques cultivados. Algunas industrias han comenzado a realizar plantaciones bioenergéticas de bosques cultivados forestales con *Eucalyptus camandulensis* para lograr su autoabastecimiento.

En relación a la promoción de sistemas mixtos de producción (silvopastoriles), varios trabajos realizados en la Estación Experimental Agropecuaria de INTA Rafaela demostraron el efecto negativo de las altas temperaturas en ganadería: la lactancia de vacas llegó a disminuir hasta un 40% en los meses de verano y, en cuanto a la producción de carne, disminuyó un 25% el porcentaje de preñez en vacas de cría. En cuanto a la agricultura, en la zona rural de Malabrigo, existieron incrementos en los rendimientos de soja entre 4 a 6 qq/ha, debido a la presencia de cortinas forestales que disminuyeron la evapotranspiración del cultivo, atenuando los efectos del viento sobre los cultivos (MAGyP, 2013). En base a estos datos, uno de los ejes centrales de la extensión en la región consiste en la promoción de los sistemas silvopastoriles, con la finalidad de complementar la actividad ganadera (carne y leche) con la forestal, aprovechando los beneficios de la forestación sobre el ganado.

Para difundir y demostrar los beneficios de los sistemas silvopastoriles se realizaron lotes demostradores, con el fin de generar datos e información para los productores y darlos a conocer en jornadas a campo. Estos lotes demostradores se realizaron en campos experimentales de la Estación Experimental Agropecuaria de INTA Reconquista, del Centro Operativo Experimental de Tacuarendí, dependiente del Ministerio de la Producción de Santa Fe, de la Escuela de Familia Agrícola (EFA) de Moussy y en campos de productores. Su implementación consiste en la plantación de bosques cultivados —utilizando especies forestales exóticas y nativas o en el enriquecimiento de bosque nativo— con un manejo ambientalmente sustentable. Los ensayos de plantaciones se hacen con varias especies forestales evaluándose el comportamiento y la producción de madera (MAGyP, 2013).

3. Sistema metalmecánico, químico y otras manufacturas

3.1. Cadena de maquinaria agrícola

Historia y trayectoria

Ya iniciada la segunda mitad del siglo XIX, más precisamente en el año 1856, un grupo de inmigrantes europeos se radica en la ciudad de Esperanza, Santa Fe, para formar la primera colonia agrícolo-ganadera del país, iniciando así la actividad agropecuaria en los campos argentinos. Dentro de esta colonia se encontraba un productor italiano de nombre Nicolás Schneider, que en el año 1878 fabricaba en la Argentina el primer arado de industria nacional, marcando así, el nacimiento de un sector que lleva más de 120 años produciendo maquinarias para los campos del país.

Muchos pioneros siguieron los pasos de Schneider y por aquella época, en Colonia Gessler, un agricultor de nombre Bartolomé Long fabricaba la primera cosechadora argentina. En San Vicente, Juan y Emilio Senor, que habían comenzado en 1900 a producir carros para el campo, lograron la fabricación de laprimera cosechadora argentina de remolque para tiro animal, todo un avance para los tiempos que corrían. Otro pionero fue el italiano Alfredo Rotania que, instalado en Sunchales, abría sus puertas en 1916, llegando en 1929 a producir un hito en la fabricación de máquinas agrícolas argentinas y mundiales, creando la primera cosechadora automotriz del mundo, todo un orgullo para nuestro país.

En 1939 comienza la Segunda Guerra Mundial y, como en casi todos los sectores industriales de los países que no participaban de ella, se produce una gran expansión en algunos rubros. La industria de la máquina agrícola no fue la excepción, y creció constantemente durante los 6 años que duró la guerra, abasteciendo a la demanda mundial. Las grandes extensiones de tierras fértiles en nuestro país y las ganas de trabajarlas siguieron alimentando las necesidades de nuevas herramientas para el campo, provocando de esta manera el nacimiento de nuevos industriales de la máquina agrícola en la Argentina, y así aparece en 1941 Santiago Puzzi, que primero en Clusellas, Santa Fe y luego en su nueva planta de San Francisco, Córdoba, creaba la primera cosechadora argentina con orugas para la cosecha del arroz.

En la segunda mitad del siglo XX, fábricas locales dieron comienzo a la transformación de máquinas cosechadoras de arrastre en automotrices entre los que se encontraba Don Roque Vassalli, hijo de inmigrantes italiano que por aquellos tiempos en su planta de Firmat, provincia de Santa Fe, fabricaba el primer cabezal maicero para trilla directa del mundo y es hasta la actualidad el mayor productor de cosechadoras nacionales con más de 25.000 de ellas fabricadas en nuestro país.

La gran diversidad productiva y geográfica de la demanda de máquinas para el campo argentino provocó la construcción y la adaptación de herramientas específicas que muchas veces orientó a un desarrollo industrial en forma artesanal, siendo esta la principal característica del sector, aún en la actualidad, emergiendo en muchos casos pequeñas industrias familiares que partiendo de un tallerllegaron a desarrollarse como pymes de buen nivel industrial con alcance local, nacional e incluso en algunos casos, de alcance internacional.

En 1951, un decreto ley declaró de interés nacional la industria de maquinaria agrícola existente, perfeccionando la vigencia de un decreto más genérico, para toda la actividad mecánica, en el año 1944. En el año 1960, las fábricas argentinas de máquinas agrícolas exponen en una feria industrial de Italia cosechadoras y cabezales maiceros. Diez años más tarde, la industria argentina del sector intenta acuerdos integracionistas en la región, vendiendo tecnología al exterior e incluso radicando empresas en otros países como es el caso de Vassalli, que se instaló por aquellos años en Brasil.

El mayor crecimiento del sector se produjo entre 1950 y 1980, año a partir del cual la política económica argentina se abre al ingreso de empresas multinacionales. Hasta este momento, la industria de máquinas agrícolas producía para el mercado interno con sello argentino. Fue esta la época donde nacieron la mayor cantidad de empresas del sector, claro que a cambio de quedar desconectadas del resto del mundo, con ausencia de principios generales de diseño, sin normas de fabricación y falta de elementos de seguridad para el operario.

A partir de los primeros años de la década de 1980, se produce una apertura económica que posibilitó el ingreso indiscriminado de maquinarias importadas, con lo que la industria nacional enfrenta una agresiva competencia internacional bajo condiciones adversas y junto al productor desarrolla la tecnología elegible en ese momento

Luego, en la segunda apertura de la economía (década de 1990), coincidente con la convertibilidad en la Argentina, se ordenó mucho más la importación ya que fue a través de algún convenio con fabricantes nacionales, provocando una pérdida de competitividad terrible con las máquinas provenientes del exterior, lo que hizo que muchas de nuestras industrias tuvieran que cerrar sus puertas pasando el peor de los momentos del sector desde que en 1878 Don Nicolás Schneider producía el primer arado nacional.

La evolución económica argentina impone una fuerte reconversión de la industria que hoy se observa en numerosas exposiciones del país, con productos nacionales de primera calidad mundial.

Articulación con el sector primario en el mercado interno y externo

Globalmente, se reconoce a la Argentina como el país de mayor competitividad en el mundo para producir soja, eso se debe a varios factores aditivos: las buenas genéticas aplicadas más el gen RR aportado por la biotecnología, la buena implantación del cultivo (sin labranza y con cobertura de rastrojo en superficie), el ajuste en la fecha de siembra y fertilidad con el espaciamiento y la densidad de implantación, el buen control de malezas, plagas y enfermedades, la alta eficiencia de cosecha y post cosecha en todos sus aspectos como así también la evolución en el manejo para utilizar la tecnología de captura y análisis de datos que ofrece la agricultura de precisión. Todos estos factores tecnológicos se complementan y potencian en manos de productores informados y capacitados como son los productores argentinos.

Argentina, en la campaña 2006/2007, obtuvo 3.000 kg/ha de rendimiento promedio de soja, valores similares a los obtenidos por EE. UU. y Brasil pero a diferencia de esos países, en Argentina el 30% del área de soja se siembra en doble cultivo (trigo/soja), lo cual aumenta la productividad por hectáreas destinadas a soja, colocando a la Argentina como el país de mayor rendimiento promedio de soja de primera y el de menor costo de producción del mundo.

En todo este proceso es pertinente mencionar que el 98% de la siembra se realizó con máquinas argentinas, el 90% de los agroquímicos y fertilizantes se aplicaron con máquinas de producción nacional, teniendo un protagonismo cada vez más relevante la industria nacional de cosechadoras. En el almacenamiento de granos, tanto en silo bolsa como en sistemas tradicionales (silos, celdas y secadoras), la industria nacional no solo ocupa más del 95% del mercado, sino que también es líder en almacenamiento de granos en bolsas plásticas a nivel mundial, con 35 M/t embolsadas en la última campaña 2006/2007, exportando bolsas, embolsadoras y extractoras a más de 10 países del mundo.

Argentina, desde el año 2001 (pico de la crisis económica), inició un crecimiento sostenido, esto en gran parte sustentado por el crecimiento productivo y cualitativo de la agricultura que en 5 años aumentó su producción de granos en un 43,9%, pasando de 66 M/t en el 2002/2003 a 95 M/t en la pasada campaña 2006/2007 (récord histórico en producción), estimándose una producción de 148 M/t para el 2015. Cabe destacar que el éxito productivo logrado de manera sustentable en la agricultura argentina se consiguió con un 65% de máquinas nacionales, constituyendo un *know how* del conocimiento de alta tecnología en maquinaria agrícola, teniendo un valor agregado muy valioso.

Este récord productivo histórico fue conseguido con un paralelismo perfecto con el aumento de las ventas de maquinaria agrícola de producción nacional dentro y fuera del país, donde la industria nacional marca un aumento en la facturación en dólares en el año 2006 del orden del 164%, respecto al año 2002. Todo esto influyó significativamente en el nivel de ocupación laboral en los pueblos del interior, contribuyendo al desarrollo territorial del país.

A pesar de la importancia de estas empresas en el mercado interno a nivel nacional, hay que advertir que en 2008 dos empresas de capital extranjero como John Deere Argentina y AGCO representaban más del 56% del mercado, en tanto que las primeras cinco de capital nacional explicaban el 23% de las ventas restantes (Metaflor 6%, Vassalli 6%, Grupo Pla 5%, Agrometal 3% y Pauny 3%) (MECON, 2011).

Los países más demandantes de maquinaria argentina (2006) son: Venezuela (58%), Uruguay (14%), Brasil (4%), Rusia (3%) y Sudáfrica (3%), y el resto, 18% (allí seencuentra Bolivia, Italia, Australia, España, Alemania, Chile, Ucrania, Paraguay, Perúy Francia, en ese orden).

El fuerte crecimiento de las exportaciones de maquinaria agrícola comenzó en el período 2005/2006 donde tuvieron un brusco aumento equivalente al 81%, esto se dio por la firma del convenio de exportación entre los gobiernos de Venezuela y Argentina por 500 M/US$ a ejecutar en 5 años.

Según informe del INTA (2012), en 2009, el sector agro metalmecánico argentino exportó el 29% a Venezuela, el 19% a Uruguay, el 12% a Brasil, el 4,7% a Bolivia, el 3,6 a Chile, el 3,1 a Paraguay, el 2,9 a Estados Unidos, el 2,6% a Australia, el 1,9% a Perú, el 1,9% a Colombia, el 1,9% a México, el 1,8% a Bélgica, 1,7 a Sudáfrica, el 1,4% a Kazajstán, 1,1% a Cuba, 1,1% a Canadá, 1,1% a Alemania, 0,9% a Francia, el 0,8% a España, 0,8% a Rusia, el 0,8% a Ucrania y el 8,5% restante a otros países.

Industria de maquinaria agrícola y agropartes

La industria nacional de maquinaria agrícola y agrocomponentes relacionada directa e indirectamentecon el sector, está constituida por 730 empresas, donde las más grandes superan levemente las 500 personas ocupadas en forma directa y las más chicas más de 5 empleados, y de ellas más del 80% se encuentran radicadas en pequeñas localidades del interior productivo del país, constituyendo un objetivo estratégico su crecimiento competitivo como herramienta de desarrollo local con enfoque territorial.

Según Demarco (2005), el sistema productivo de la maquinaria agrícola argentina está caracterizado por empresas con un promedio de más de 20 años de antigüedad en el rubro. Muchas de ellas nacieron como empresas familiares que fueron creciendo y hoy poseen entre 80 y 120 personas ocupadas con facturaciones de más de 20 millones de dólares; este rango de empresas puede facturar el 40% de las ventas de la fabricación nacional. Luego existen otro grupo de empresas con un número mayor de personas empleadas, más de 150 personas, como por ejemplo Mainero, Agrometal, Giorgi, John Deere Argentina, Zanello, Don Roque, que facturan más de 15 millones de dólares anuales y poseen una representatividad del 30% de la facturación y el otro 30% de la facturación está representado por empresas pymes con menos de 50 personas empleadas, con facturación de 1 a 4 millones de dólares anuales.

La distribución geográfica de las empresas concuerda con la localización de los principales cultivos del país. Más del 80% de la producción de trigo, maíz y soja se concentra en Buenos Aires, Santa Fe y Córdoba, al tiempo que estas provincias agrupan casi el 90% de los fabricantes de maquinaria agrícola. En Santa Fe, las empresas se localizan mayormente en los departamentos de Belgrano, Caseros,

Castellanos y Las Colonias. En el departamento de Belgrano se ubica el denominado "Triángulo productivo de maquinaria agrícola", que agrupa a las localidades de Las Parejas, Las Rosas y Armstrong (MECON, 2011).

De este modo, de un total de 730 empresas, el 44% están radicadas en Santa Fe, el 24% en Córdoba, el 21% en Buenos Aires y el 11% restantes están distribuidas en Entre Ríos, Mendoza, Misiones, Tucumán, Río Negro, La Pampa, Salta, San Juan, San Luis, Santiago del Estero, Chaco, Corrientes y Jujuy. Desde el punto de vista del valor agregado, se puede señalar que la tonelada promedio exportada por Argentina es de un valor de 470 US$/t, mientras que la tonelada promedio de maquinaria agrícola exportada está entre 5.000 y 10.000 US$/t.

El Ministerio de la Producción provincial (2008h) estima un total de 300 empresas fabricantes de maquinarias agrícolas y agropartes en la provincia, con un valor de ventas (año 2007) de 600 millones de pesos y 42 millones de dólares en exportaciones (Ministerio de la Producción, Gobierno de Santa Fe, 2008h).

Según informe del INTA (2012), el nodo central de la fabricación de maquinaria agrícola reúne el 32% (233 empresas) del total nacional (722 empresas), ubicadas en los departamentos Belgrano y Marcos Juárez de las provincias de Santa Fe y Córdoba, respectivamente. En esta región existen localidades cuya participación en el número de empresas representan del 15% al 4% del total nacional (Las Parejas, Armstrong y Marcos Juárez, respectivamente). Algunas localidades crecieron un 60% aproximadamente en número de empresas en el periodo 2000 y 2008/9, como por ejemplo Armstrong (sur santafesino) que pasó de 46 a 73 empresas en los últimos años. Un dato importante también es que estas localidades crecieron a un ritmo de entre un 35 a 40% en números de habitantes para el mismo periodo.

La cantidad del personal ocupado de la maquinaria agrícola y agropartes en los últimos 7 años creció en más de un 150% a un ritmo de 21,4% de promedio anual. Este significativo aumento del personal ocupado se ve acompañado con la calidad de los puestos de trabajo demandados, un ejemplo concreto de esto se dio en Armstrong en donde en el año 2002 existían 3 ingenieros para toda la industria de la maquinaria y solo una empresa con un profesional en planta permanente y los otros dos técnicos part time para varias empresas. En cambio, en el 2008, 10 industrias ya cuentan con su profesional en planta permanente y otros 20 profesionales trabajan con dedicación parcial para el resto de las industrias. Estos cambios no solo se dan en la mano de obra profesional sino también en su especialización y equipamiento. Por otra parte, en el 2002, en Armstrong, ninguna industria contaba con operario para el manejo de centro mecanizado ni especialista para el manejo de cabina de pintura, y solo dos industrias contaban con personal para el manejo de robot.

En la actualidad, el total de las industrias de esta localidad cuentan con 8 centros mecanizados, 5 cabinas de pintura, 25 industrias robotizadas y 20 tornos con control numérico que son atendidos por personal especializado.

A partir del año 2000, se consolida el *Clúster Empresarial Cideter de la Maquinaria Agrícola* (CECMA) cuyo objetivo es reconvertir la empresa pyme tratando de elevar los niveles de calidad, competitividad y rentabilidad de dichas empresas. Este organismo junto a gobiernos provinciales (Santa Fe y Córdoba) representados por el Ministerio de la Producción, el Ministerio de Trabajo de la Nación y gobiernos municipales se da inicio, no solo a la capacitación formal, sino a satisfacer las nuevas demandas de capacitación generada por la industria de la maquinaria agrícola y agropartes. Ejemplo de esto es la creación de una Tecnicatura Universitaria en Agro mecánica o la adaptación de escuelas técnicas a las nuevas demandas (capacitación en la interpretación planos, manejo de tornos CNC, normalización y certificación de la producción (protocolo de estandarización de piezas, reducción de costos, programa de certificación de calidad, etc.), que se da en la localidad de Armstrong o las escuelas técnicas y los centros de formación profesional como la Extensión Universitaria de Meca trónica de la Universidad Nacional de Villa María creada en ese periodo (2006) en Marcos Juárez.

Otra área que demandó el proceso de industrialización de maquinaria agrícola fue la de servicios. Los de mayor relevancia que se detectaron son el de trasporte (3 empresas), textil (3 empresas) de ropa y equipamiento para trabajo industrial. Otro sector que indirectamente se benefició del aumento de la mano de obra ocupada (250%) es el sector de la construcción (también generador de mano de obra) que según información suministrada por la Municipalidad de M. Juárez, es la 2º actividad económica que en los últimos 5 años ha crecido luego de la de maquinaria y agropartes. Esto se ve reflejado cuando se compara la variación del número de habilitaciones anuales para la construcción de viviendas, de las localidades de Armstrong, Las Parejas y Marcos Juárez, que en los últimos 5 años pasó aproximadamente de 150 a 260 vs. 80 a 120 con respecto a localidades vecinas con un número de habitantes semejante.

A su vez, Moltoni y Gorenstein (2010) sostienen que la aglomeración de Las Parejas, en el sur santafesino, concentra el 22% de los establecimientos de la industria de maquinaria agrícola de la provincia (casi la mitad de la industria y el 10% del agregado nacional). El 14% de las mismas exportan parte de su producción. Por ello, señalan a esta ciudad como la zona núcleo de la industria de la maquinaria agrícola nacional.

En Las Parejas se concentran las firmas más representativas del país con estructuras fabriles de diverso tamaño (mediano-grande y pequeño-micro empresas). Si bien parte de los insumos utilizados para la fabricación de maquinarias son provistos por mercados locales cercanos, el 50% son adquiridos fuera de la zona, cuestión que coloca a la localidad muy lejos de la autosuficiencia productiva. Asimismo, se observa gran integración vertical al interior de las firmas de este conglomerado santafesino. En términos generales, cada productor trabaja con su propio circuito de subcontratistas, proveedores e incluso clientes.

La producción industrial en Las Parejas, dedicada mayormente a la producción de maquinaria agrícola se ha diversificado y cuenta con cerca de 170 establecimientos pyme, que ocupan cerca de 2.600 empleados, ubicados de manera muy concentrada en el parque industrial de la ciudad.

Según datos del Observatorio PyME de la Provincia de Santa Fe, las empresas pertenecientes a esta cadena de valor representan el 16% del total de las PyMEs industriales de la provincia, concentrándose casi dos tercios de ellas en el *cluster* analizado.

Por estos motivos, en las últimas décadas la ciudad se ha convertido en un caso especial de aglomeración empresarial vinculada a la producción de maquinaria agrícola de marcada raigambre asociativa para el desarrollo local e incorporado en el espectro de acción y análisis por parte de organismos internacionales, instituciones académicas, hacedores de políticas provinciales y nacionales y medios de comunicación. Desde 2006 Las Parejas se ha constituido en el epicentro de un programa del BID denominado "cluster de la maquinaria agrícola", con el objetivo de fortalecer la competitividad basada en la cooperación y la interacción de los actores económicos e institucionales (ConectaDEL-FOMIN-BID, 2013).

3.2. Cadena de maquinaria para la industria alimenticia

La significativa producción de alimentos en Argentina, y en la Provincia de Santa Fe en particular; y el entorno industrial forjado por numerosas y dinámicas unidades empresariales, le permiten a la provincia posicionarse como el polo de producción más importante del país en cuanto a fabricación de maquinarias y equipos para la industria alimenticia. El importante rol del país como productor mundial de alimentos favorece una adecuada complementación productiva.

En Santa Fe, el núcleo industrial de la cadena de valor posee aproximadamente unas cien empresas fabricantes de maquinaria para la industria alimenticia y sus partes. Dicho agrupamiento alcanza una fundamental importancia en el contexto nacional. Su producción está dirigida a cubrir los requerimientos de bienes de capital necesarios en la elaboración de distintos alimentos y bebidas; destacándose los utilizados en la industria frigorífica, láctea, aceitera, panificación y otros alimentos y bebidas.[17]

---

[17] Artículos para gastronomía, balanzas y básculas electrónicas, cámaras frigoríficas, centrales de frío, compresores de amoníaco para sistemas frigoríficos, conservadoras, enfriadores de dulce y dosificadores. Enfriadores de líquido, enfriadores en acero inoxidable, equipos aglomeradores para alimento; equipos de frío para la industria, la agroindustria, y para leche en acero inoxidable. Ordeñadoras y bombas de vacío, equipos de tratamiento térmico de productos alimenticios y químicos, equipos granuladores (café, leche, cacao, etc.), estufas de cultivo, etiquetadora rotativa envolvente, extractores de aire para uso industrial, hornos y máquinas de panadería. Máquinas para chacinados, fabricación de cocinas, freidores, hornos convectores, instalaciones frigoríficas, intercambiadores de calor, partes y accesorios para la industria aceitera. Bombas de acero

El sistema productivo es demandante de una gran cantidad de insumos, partes y componentes de alta tecnología, e impulsa tanto desarrollos tecnológicos como nuevos y mejores productos y procesos. Resulta extenso el plazo de producción promedio de las maquinarias y equipos, y se evalúa positivamente la adaptabilidad de los equipamientos a los requerimientos de los usuarios. Es elevada la presencia de pequeñas y medianas industrias localizadas en el interior del territorio provincial, e importante el nivel de requerimientos de recursos humanos de alta calificación. Las localidades del centro y sur de la provincia son las que concentran mayormente esta actividad. Entre ellas puede mencionarse: Rafaela, Esperanza, Santa Fe, Sauce Viejo, San Carlos Centro, San Carlos Sud, El Trébol, Armstrong, Carcarañá, Roldán, Rosario y Villa Gobernador Gálvez.

Características de la industria del sector en la provincia

Una encuesta de la Secretaría del Sector Metalmecánico y Otras Manufacturas de la provincia (2010) señala que la cadena de valor de la Maquinaria para la Industria Alimenticia está

---

inoxidable, centrales de limpieza, dosificadores y distribuidores, lavadoras de depósitos. Maquinaria y equipo para la industria láctea, máquinas y equipos agrícolas, secadoras de granos; fabricación y reparación de maquinaria para la industria frigorífica y para la industria panificadora. Hornos a combustibles para la industria panificadora, hornos a gas para gastronomía, hornos convectores eléctricos para la industria de la panificación, hornos rotativos eléctricos continuos para la industria de la panificación, maquinaria para la industria avícola, maquinaria y equipo para la gastronomía, maquinarias para elaborar sodas. Máquinas de congelamiento ultrarápido, envasadoras automáticas verticales para envases flexibles termosoldables, máquinas productoras de hielo, pailas para reelaboración de quesos, pasteurizadores a placas para leche de consumo y quesería, vinos, jugos. Plantas llave en mano para la elaboración de huevo en polvo, productos metálicos para la industria avícola, puertas para cámaras frigoríficas, tanques enfriadores de leche en acero inoxidable, termoselladora para film de PVC, calderas generadoras de vapor y agua caliente, equipos para tratamiento y aprovechamiento de desperdicios de origen animal, tanques para la industria aceitera.

integrada por aquellas empresas pertenecientes a las siguientes ramas de actividad: fabricación de tanques, depósitos y recipientes de metal; fabricación de generadores de vapor, excepto calderas de agua caliente para calefacción central; fabricación de bombas, compresores, grifos y válvulas; fabricación de maquinaria para la elaboración de alimentos, bebidas y tabaco. Asimismo, se consideraron aquellas empresas que según el listado Censo Nacional Económico 2004/5 manifestaron tener entre 5 y 230 ocupados (PyME).

Figura 28: Radicación de empresas de maquinaria para la industria alimenticia

Los resultados de dicha encuesta permiten establecer algunas características centrales de las empresas que integran la cadena maquinarias e implementos para industria alimenticia.

El 47% de las empresas pymes relevadas iniciaron sus actividades con razón social antes de 1993, el 25% entre 1993 y 2001 y el 28% después de 2001. La mayor parte de las empresas pertenecientes al sector se organizan formalmente como Sociedad Anónima (37%) y/o Sociedad de Responsabilidad Limitada (39%). La menor proporción de las mismas se organizan como Sociedad de Hecho (8%) y/o Unipersonal (15%). El relevamiento muestra que poco más del 74% de las pymes del sector son empresas familiares.

Con respecto a la asociatividad, el 31% de las empresas manifestó que desarrolla habitualmente proyectos comerciales o productivos en forma asociativa con clientes y/o proveedores. Adicionalmente, poco más del 76% de las pymes del sector manifestó estar afiliadas a cámaras empresariales, denotando un fuerte vínculo institucional.

El principal cliente de las pymes del sector son las empresas industriales (46%). Le siguen en importancia el comercio mayorista (16%) y las empresas agropecuarias (12%). Casi el 40% de las pymes manifiesta que el principal cliente representa más del 30% de sus ventas. El 48% de las firmas del sector expresa que su principal cliente se encuentra a una distancia entre los 80 y 500 kilómetros, el 10% expresó que su principal cliente se localiza en un radio de entre 20 y 80 kilómetros y el 23% en un radio menor a los 20 kilómetros. En el 4% de los casos, su principal cliente es extranjero.

Con respecto a las compras, el estudio reveló que el 48% de las pymes tiene como principal proveedor a empresas industriales. En segundo lugar, comercio minorista con el 39% de las firmas. El 45% de las firmas manifiesta que el principal proveedor representa más del 50% de sus compras. La mayoría de las empresas del sector tienen su principal proveedor a una distancia de entre 80 a 500 kilómetros (57%). El 13% se localiza en un radio de entre 20 y 80 kilómetros y el 25% a menos de 20 kilómetros.

El estudio releva que la mayoría de las firmas tiene un número de competidores directos mayor a cinco y que su principal competidor es de origen extranjero, seguido en partes iguales por aquellos cuyo origen provienen del resto de la provincia y del resto del país. En último lugar, surgen aquellos competidores de la misma localidad.

El estudio indaga a los empresarios acerca de las innovaciones que lograron en 2009. El 66% de las pymes manifiesta que mejoraron significativamente un producto existente. Asimismo, el 53% de ellas expresa que lograron la elaboración de un nuevo producto.

En cuanto a la evolución de las pymes del sector, el 48% de ellas expresa que durante el último año pasaron por una fase de estancamiento, el 35% por crecimiento normal, el 14% de achicamiento y el 3% restante de crecimiento acelerado.

La apertura exportadora de la actividad de maquinaria e implementos para la industria alimenticia, es decir, la participación porcentual de las exportaciones en el total de las ventas de las pymes santafesinas exportadoras, fue del 23% en el primer semestre de 2008, del 27% en el segundo semestre de 2008 y del 16% en el primer semestre de 2009.

En relación con las exportaciones, el principal destino lo constituye Uruguay y Paraguay (37%). Le siguen en importancia Chile (15%), Brasil (8%), México (2%) y resto de América Latina y el Caribe (26%). El estudio relevó que el estado de la maquinaria que utilizan las firmas del sector es moderno en el 71% de los casos, antiguo en el 26%, muy antiguo en el 2% y de punta el 1%.

La demanda de personal más buscado y que no ha podido ser cubierto o que ha sido cubierto con mayor dificultad por las empresas del sector fue en el 21% de los casos el de mecánicos, maquinistas, operarios. Le siguen en importancia muy de cerca los puestos de torneros, con el 20% de las firmas, el de jefe de planta y producción con el 19% y el de cortadores, plegadores, soldadores con el 17%.

En relación con las principales preocupaciones de los empresarios del sector cabe destacar: a) el aumento de los costos directos de producción (mano de obra, materias primas, insumos, etc.) b) disminución de la rentabilidad, c) alta participación de los impuestos en el costo final de los productos, y d) la caída de las ventas.

Por otro lado, casi la mitad de las empresas invirtieron en 2008 y 2009, destinando, en promedio, cerca del 8% de sus ventas y, específicamente, el 5% a la inversión en maquinarias y equipos. Asimismo, la principal fuente de financiamiento de dichas inversiones fueron los recursos propios (80%). En este contexto, cabe destacar que la mayoría de las firmas manifiesta que el grado de utilización de su capacidad instalada ronda entre el 70 y 100%.

Adicionalmente, la proporción de pymes del sector que posee certificaciones de calidad (ISO o alguna otra) es muy baja (21 y 12%, respectivamente). Finalmente, el estudio indagó a los empresarios acerca de los principales motivos por los cuales no solicitaron crédito bancario en el último año. Con respecto a esto, las principales causas fueron la incertidumbre sobre la evolución de la economía nacional y el costo elevado o plazos cortos para la cancelación de los mismos.

Participación de la provincia en el mercado externo de maquinaria para la industria alimenticia

Según información de la Secretaría del Sector Metalmecánico y Otras Manufacturas (2010), los principales rubros de productos exportados por el sector son: partes de calderas, (75,6%); máquinas para industria de la lechera (75,5%); máquinas para el tratamiento de semillas (60,8%); aparatos de *licuif.* de gases (60,8%); máquinas para avicultura (60,1%); máquinas para la Industria cárnica (55,3%); intercambiadores de calor (51,9%) y básculas y balanzas (50,6%).

En el año 2009, a nivel nacional, se exportó casi un 19% menos que en 2008, mientras que para la provincia ese guarismo estuvo casi en el 22%, guardando relación, la baja provincial con el resto del país.

En cuanto a los destinos de las exportaciones de la provincia de Santa Fe, durante los años 2008 y 2009, se puede destacar que el 90% del total exportado tiene como destino países latinoamericanos, concentrando casi el 65% en Chile, Brasil, Venezuela, Paraguay y Uruguay. Si bien los montos no son representativos, cabe destacar que en el 2009 hubo nuevos destinos de exportaciones e importantes crecimientos porcentuales a lugares no tradicionales para estos rubros, tales como Mozambique, Reino Unido, Kenia, Nigeria, Irlanda (Eire), Polonia, Turquía, Irán, Kuwait, Tailandia, Emiratos Árabes Unidos, Rumania, Indonesia, Malasia, Angola, España y Estados Unidos.

En cuanto a las importaciones argentinas, en el año 2009 se registra un incremento de las importaciones superior al 37%, con importantes alzas en valores y porcentajes en los rubros relacionados con calderas, aparatos auxiliares de calderas, partes de calderas y las maquinas para lavar. En lo que al origen de las importaciones respecta, el mayor crecimiento en valores se concentra básicamente en dos países, México y Corea; mientras que en crecimiento porcentual, se suman Luxemburgo, Chile, Nueva Zelanda entre otros. Del análisis de los incrementos más importantes se observaron importaciones con origen en México, por más de US$30 millones en diez calderas acuotubulares con una producción de vapor de capacidad superior a 45 t.

La información presentada por la Secretaría del Sector Metalmecánico y Otras Manufacturas (2010) concluye que la variedad de productos importados es inferior a la que se exporta, siendo la importación para el periodo 2008/2009 solo un 15% superior a las exportaciones.

3.3. Cadena carrocera, remolques y semirremolques

La cadena de valor carrocera, remolques y semirremolques constituye un extenso sistema productivo que nace en la producción de insumos siderúrgicos, plásticos, caucho, textiles, vidrio, madera, entre otros;continúa en la transformación de partes, piezas y componentes y se extiende hasta la producción de carrocerías, remolques y semirremolques.

Según la Secretaría del Sector Metalmecánico, Químico, Automoción y Otras Manufacturas (2009) de la provincia, su segmento industrial se encuentra integrado por más de setenta pequeñas y medianas empresas que generan aproximadamente 2.500 puestos de trabajo en forma directa.

Empresas de transporte de pasajeros de corta, media y larga distancia de todo el país contratan en la región la fabricación de carrozados sobre chasis adquiridos por ellas mismas. Un importante grupo de diez empresas, varias de ellas líderes a nivel nacional, asentadas en las localidades de Rosario, Villa Gobernador Gálvez y Alvear (sur provincial), origina desde hace varias décadas una porción mayoritaria de la producción nacional de carrocerías. La capacidad de carrozado de la provincia de Santa Fe se estima cercana a las 400 unidades, destacándose las destinadas al transporte de media y larga distancia. También se destaca la producción de casas rodantes y motor home y partes y piezas para la industria carrocera.

La participación nacional en la producción de remolques y semirremolques de Santa Fe supera el 25%, gracias a la actividad de más de veinte empresas. La trascendental actividad agropecuaria y de fabricación de maquinaria agrícola santafesina potencia y favorece el desarrollo de esta actividad industrial en toda la geografía provincial. A ello se adiciona otro muy importante segmento de establecimientos dedicados a la provisión de insumos, partes, piezas y servicios. Desde el año 2003 y hasta mediados de 2008, la producción nacional de remolques y semirremolques atravesó un sostenido período de recuperación y crecimiento. Sin embargo, desde entonces la actividad sufre una importante disminución de sus niveles de producción.

Figura 29: Radicación de la industria carrocera, remolques, semirremolques

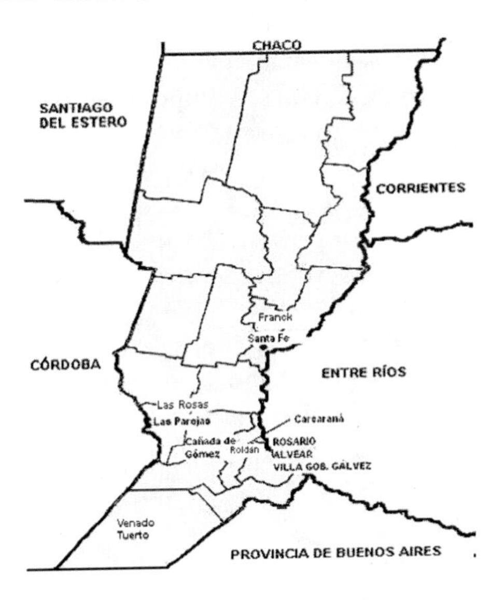

El segmento industrial en cuestión se concentra territorialmente en localidades del centro y, fundamentalmente, sur provincial. Entre ellas podemos mencionar: Santa Fe, Franck, Las Rosas, Las Parejas, Cañada de Gómez, Carcarañá, Roldán, Rosario, Alvear, Villa Gobernador Gálvez y Venado Tuerto.

Características de la industria carrocera, remolques y semirremolques

La Asociación Comercio e Industria de Villa Gobernador Gálvez durante los meses de mayo y junio de 2009 (en Secretaría del Sector Metalmecánico, Químico, Automoción y Otras Manufacturas, 2009), ha realizado entrevistas y encuestas a un amplio y representativo número de 45 unidades empresariales. El relevamiento de empresas abarcó a un grupo importante de pequeñas y medianas unidades económicas pertenecientes a la cadena de valor carrocera, remolques y semirremolques. Para un mejor estudio de las características y particularidades de las empresas se implementó una clasificación en tres segmentos de acuerdo a su actividad principal. Los grupos identificados son: 1) Fabricación de remolques, semirremolques y acoplados;[18] 2) Fabricación de carrocerías;[19] 3) Fabricación de partes, piezas y servicios.[20]

El 31% de las empresas relevadas se inauguró en la década de 1970, otro 31% en la década de 1990 y el 17% en la década de 2000.

El monto global de ventas declaradas por las empresas para el año 2008 fue de 366 millones de pesos, un 124% superior al registrado durante el año 2005. Este comportamiento se corresponde con el desempeño macroeconómico de la Argentina, y con la fuerte recuperación de la producción industrial nacional durante ese período. Todas las firmas relevadas pertenecen a la categoría de micro, pequeñas y medianas empresas, siendo 10 millones de pesos el promedio de facturación anual. De las empresas relevadas, 12 facturan entre 3 y 10 millones de pesos (2%), 9 más de 10 millones (20%), otras 9 de 1 a 3 millones (20%) y 5 hasta 1 millón (11%).

---

[18] Andreita (Montblanc); Astivia S.A.; Aumec SA (Acoplar); Barrera José; Roberto (Bocar); Dawi S.R.L.; Dima Metal S.RL.; Dimar S.H. (Dimatra Remolques); E. Montenegro S.R.L. (Montebras); Establecimiento MIC S.R.L.; Guerra S.A.; Helvética S.A.; Hermanos KH; Iocco S.R.L.; José Angel Vitteritti (Incarvitt); Mendez Hermanos S.R.L. (Ultrans); Metalúrgica del Sur; MG Metalúrgica; Nuevo Montenegro S.R.L.; Remolques Ombu S.A.; Sola y; Brusa S.A.; Vulcano S.A.

[19] Armar Carrocerías S.A.; Carrocerías Lucero S.R.L.; José Troyano y Cía S.A.I.C.; María Carmen Murabito (Carrocerías Saldivia); Metalsur; Carrocerías S.R.L.; Rossi S.R.L.; San Antonio Bus S.R.L.

[20] Aeme Plásticos SRL; BMR SRL; Bustinza Goma S.A.; Carlos Boero S.R.L.; Cesar Guarneri; Corsal S.R.L.; Faros Ausili S.R.L.; Fullbus S.R.L.; Fundición Plazzolo S.R.L.; Matripar S.R.L.; Mecanizados San Miguel S.A.; MIPP (Sociedad Unipersonal); Pierandrei Hugo Pedro; Piotto Pedro - Piotto Sergio S.H.; Plástico Moyano; Rubén Enrique Tarling (Moreno S.C.); Tafor.

En cuanto a nivel de empleo durante el año 2008, se contabilizó un total de 1.553 puestos de trabajo. El personal ocupado registra incrementos consecutivos desde el año 2005, acumulando un alza del 33% durante este período, siendo ello un fenómeno también observado en gran parte del espectro industrial nacional. El 36% de las empresas relevadas cuenta con más de 100 personas empleadas, el 35 entre 51 y 100 personas, el 17% entre 21 y 50 personas, el 9% entre 11 y 20 personas y el 4% menos de 10.

Entre 2005 y 2008 el superior incremento porcentual de la facturación respecto del personal ocupado refleja posibles aumentos de precios de los productos fabricados, pero además, mejoras en los niveles de productividad de la mano de obra ocupada. El tamaño promedio del establecimiento industrial de aquellas empresas vinculadas a la cadena de valor asciende a 41 personas ocupadas, siendo aproximadamente 270 mil pesos la facturación anual media por empleado.

El grupo de fabricantes de partes, piezas y servicios está integrado por empresas de un tamaño relativo inferior al promedio, observado en la cadena de valor (27 personas ocupadas por empresa, 3,1 millones de pesos promedio de facturación anual por empresa y 115 mil pesos de facturación anual por empleado).

En cuanto a las actividades principales de las empresas, las de fabricación de remolques, acoplados y semirremolques incluyen la producción de remolques, semirremolques, acoplados, tanques, furgones térmicos, furgones para carga refrigerada y seca, carrocerías para camiones, implementos para el transporte de cargas, chasis, tanques estacionarios y acopladobarandas volcables.

Las de fabricación de carrocerías incluyen la producción de carrocerías para minibuses (transporte de pasajeros y turismo), carrocería para ómnibus de media y larga distancia de un piso y de una altura máxima de 3,65 metros, carrocerías metálicas para ómnibus de larga distancia, imperial OGGI 3.5 y coche de larga distancia sobre chasis motor trasero.

Las de fabricación de partes, piezas y servicios incluyen la fabricación de broches para paredes (ómnibus), bujes en nylon 6, bujes de balancín, para los balancines de los acoplados, burlete salida p/acondicionado, chasis, cintas transportadoras y elevadores de cereal a cinta, construcción de *motor homes*, cortinas automáticas y de enrollar (ómnibus), ejes y puntas de ejes convencionales y confrenos eléctricos, elaboración y manufactura del caucho, espejo p/ camiones/colectivos, fabricación de ejes y suspensiones p/acoplados y semirremolques, fabricación de faros traseros y laterales, fabricación de repuestos plásticos p/acoplados y semirremolques, fabricación de tanque para transporte, instalación audio y video en ómnibus, lavadores químicos, acrílicos, matricería, muelles a ballestas (elásticos) y sus hojas, reforma de chasis, retenes rueda camión/acoplados, acoplados y semiremolques, resina especial para ómnibus, semirremolques porta contenedor, suspensiones neumáticas para camiones y remolques, transportadores de bolsas, máquinas recolectoras de tabaco,cítricos y uvas.

En relación con las exportaciones, nueve empresas realizan operaciones de exportación de sus productos con una incidencia menor al 10% del total de su facturación, lo que implica un bajo nivel promedio de inserción internacional de toda la cadena de valor. El grupo de fabricantes de remolques, semirremolques y acoplados tiene como destinos de sus exportaciones Bolivia, Chile, Venezuela y Paraguay. Los productos exportados a estos países son: remolques varios, semirremolques, carros, embolsadoras y mezclador de granos, acoplados. El grupo de fabricantes de carrocerías tiene como destino Paraguay, Bolivia, México, Brasil, Canadá, Chile y Uruguay. Los productos exportados son: elásticos, planchuelas, luces, indicadores de maniobras, ejes.

Se observa una fuerte aglomeración industrial de las empresas relevadas en las localidades del sur de la Provincia de Santa Fe, especialmente en Villa Gobernador Gálvez (36%) y Rosario (20%). Entre otras localidades con presencia de empresas pertenecientes a la cadena de valor se menciona a Las Parejas, Arequito, Las Rosas, Roldán y Franck. El 60% de las empresas tienen un único propietario y el restante 40% más de un propietario.

3.4. Cadena del calzado y sus manufacturas

La industria argentina del calzado está conformada principalmente por pequeñas y medianas empresas. Estas firmas se localizan en su mayoría en el Gran Buenos Aires, en la Ciudad de Buenos Aires y en las provincias de Córdoba y Santa Fe, generando más de 54.500 empleos en forma directa e indirecta. Tras cinco años de crecimiento del nivel de actividad, el consumo interno alcanzó prácticamente los tres pares de calzado por persona durante el año 2007. En cuanto a exportaciones, los principales destinos son Chile, Uruguay, Paraguay, Bolivia y Brasil.

La cadena de valor del calzado y manufacturas afines constituye un extenso sistema productivo que nace en la producción del ganado generador del cuero, pasando por la fase industrial de frigoríficos, mataderos y curtiembres, hasta llegar a la manufactura que se vincula con la producción de una importante cantidad de insumos, partes y accesorios.

Una importante porción de la producción nacional de cueros industrializados se origina en la provincia de Santa Fe, generando potencialidades a lo largo de la cadena de valor, como por ejemplo en las actividades de marroquinería y talabartería. En el caso de la fabricación de calzado que no es enteramente de cuero, esas actividades se relacionan también con la cadena de producción del caucho y plástico, tanto por la fabricación de suelas como de capelladas.

Según el Ministerio de la Producción (2008i), en la provincia de Santa Fe, alrededor de 200 empresas conforman un polo productivo agrupado principalmente en las localidades de Rosario, Arroyo Seco y Acebal.

La proximidad geográfica de numerosas empresas fabricantes de calzado y partes en el Departamento Rosario favorece el desarrollo de eslabonamientos productivos, potencia la creación de ventajas competitivas y posibilita la generación de un *cluster*. A ello se adiciona un mercado consumidor próximo en constante crecimiento.

Las empresas regionales que componen el tejido productivo de la cadena de valor del calzado y manufacturas afines se caracterizan por su reducido tamaño promedio y por constituir actividades de alta intensidad en mano de obra.

Una característica a señalar es la diversidad de productos elaborados, que van desde calzado formal de fabricación artesanal hasta calzado de seguridad, pasando por calzado de niños, mujeres y hombres, y calzado deportivo. También se destaca un segmento productor de una importante variedad de artículos de marroquinería y talabartería.

La Cámara de la Industria del Calzado y Afines de la Provincia de Santa Fe, de extensa trayectoria, agrupa actualmente a un importante segmento de empresas y brinda un marco institucional adecuado para el desarrollo de las actividades.

Según datos del año 2007 ofrecidos por la Cámara de la Industria del Calzado de la provincia, las exportaciones de cuero fueron de aproximadamente 45.000 toneladas y US$350 millones (35% del total nacional). La producción de calzado fue de aproximadamente 12 millones de pares y las exportaciones de los mismos de aproximadamente 50 toneladas y US$0,5 millones. Las exportaciones de otras manufacturas de cuero fueron de alrededor de 30 toneladas y US$0,4 millones.

Los principales productos elaborados por la cadena en la provincia son: cueros (crudos, semi terminados, terminados); suelas y tacos de cuero, caucho y plástico; insumos (textiles, sintéticos, espumas de poliester y poliuretano, madera, cordones, papel); calzados con suela y parte superior de caucho o plástico; calzado impermeable con suela y parte superior de caucho o plástico; calzado deportivo con suela de caucho o plástico y parte superior de cuero o textil; calzados de cuero para seguridad industrial; calzados de cuero para hombre, mujer, niños y colegiales; packaging (cajas de cartón corrugado y micro corrugado); herramientas y maquinaria para la industria del calzado; artículos de talabartería; indumentaria de cuero; bolsos, carteras y valijas de cuero; tapizados (sillones e interiores de autos).

4. Sistemas de base tecnológica

4.1. Cadena de software y servicios informáticos

La utilización de las Tecnologías de la Información y la Comunicación (TICs), y la consecuente actividad económica relacionada con ellas, crecen en el mundo en forma ininterrumpida y notable, pronosticando todos los analistas el mantenimiento de esta tendencia para los próximos años.

En la provincia de Santa Fe, en el área de TICs y software y servicios informáticos (SSI) se destaca la existencia de carreras universitarias, algunas de ellas de gran trayectoria, que cubren todos los niveles, pregrado (Analisistas de Sistemas, Analistas en Informáticas y diversas tecnicaturas universitarias), grado (Ingeniería en Sistemas, en Informática, en Electrónica, Licenciatura en Informática y Sistemas), y posgrado, con distintas carreras de especialización, maestrías y doctorados. Las universidades nacionales y privadas localizadas en Rosario, Santa Fe y las principales ciudades de la provincia atraen estudiantes de todo el país como así también de Sudamérica, estimándose la población universitaria provincial en aproximadamente 100.000 alumnos.

La evolución del sistema de TICs en general, y del de SSI en particular es notoria en los últimos 20 años, presentando la provincia un panorama similar al del conjunto del país, en lo que respecta a la cantidad de empresas creadas, el número de personas que el sector emplea, el nivel de calificación promedio de las mismas y la cantidad de empresas certificadas en calidad de software, entre otros rasgos positivos. El 90% de dichas empresas se nuclean en las inmediaciones de las ciudades de Rafaela, Santa Fe y Rosario.

Específicamente sobre este último aspecto, por ejemplo, cabe destacar que de acuerdo a un ranking del "Software Engineering Institute", de la Carnegie Mellon University, Argentina se encuentra en la posición 12 a nivel mundial, de acuerdo al número de empresas certificadas que posee, habiendo ascendido 3 posiciones en el último año.

En el ámbito provincial se han constituido instituciones representativas del sector que agrupan a empresas, universidades y sector gubernamental. Así, por ejemplo, el polo tecnológico de Rosario se ha consolidado y aumentado el número de empresas asociadas de 10 en su origen a 70 hacia fines de 2008.

La Cámara de Empresas Informáticas del Litoral, que agrupa a pymes de software, servicios informáticos, comunicaciones y electrónica, tanto industriales como comerciales, ha reunido en sus 15 años de trayectoria a más de 100 empresas socias.

En los dos últimos años se constituyeron dos nuevas cámaras del sistema de SSI, la Cámara de Empresas de Desarrollo Informático, CEDI, en Rafaela y la Cámara de la Industria del Software CIS-UISF, en Santa Fe, en el Seno de la Unión Industrial de Santa Fe, totalizando así tres entidades gremial-empresarias en la provincia y un cluster de empresas tic's en rosario, originado en el programa de eslabonamientos productivos de ssepyme y dr.

El conjunto de entidades citado tiene además una activa participación en foros y debates que se realizan en distintos niveles. Merecen citarse en los últimos años los Foros Nacionales de Competitividad, el Foro de Prospectiva organizado por el MINCyT, y los debates que condujeron al reconocimiento del sistema de SSI como industria y a la aprobación de la Ley de Promoción de la Industria del Software.

Cabe destacar, a nivel gubernamental provincial y a partir de 2008, la creación de la Secretaría de Estado de Ciencia, Tecnología e Innovación, la Secretaría del Sistema de Empresas de Base Tecnológica en el ámbito del Ministerio de la Producción, y la Secretaría de Tecnologías para la Gestión en el ámbito del Ministerio de Gobierno y Reforma del Estado.

Existe un fuerte impulso a nivel del estado provincial, materializado a través de acciones específicas en favor de empresas del sistema TICs / SSI e instituciones que las nuclean, pudiendo citarse como ejemplos el Programa de Internacionalización de Empresas, llevado adelante por el polo tecnológico de Rosario, con el apoyo del Ministerio de la Producción y la Secretaría de Estado de Ciencia, Tecnología e Innovación, y el programa asociativo para Certificación de Gestión de Calidad entre empresas de la Cámara de Empresas de Desarrollo Informático de Rafaela y el *cluster* TICs de Rosario, con el apoyo del Ministerio de la Producción.

Según un informe realizado en marzo de 2005 (Ministerio de la Producción, 2008i), referido a las Empresas de Base Tecnológica (EBT) de la provincia, se detectaron en Santa Fe 121 empresas relacionadas con la producción y/o distribución de productos y servicios tecnológicos TIC. De 25 empresas relevadas (entre las cuales se incluyó a la mayoría de las pymes de base tecnológica más importantes de la provincia vinculadas al sector TIC), se obtuvo que dichas empresas facturaban unos 35 millones de pesos y empleaban casi 600 personas, de las cuales más de un 67% eran profesionales o estudiantes universitarios avanzados. Durante el 2005 este grupo de empresas generó 141 nuevos empleos calificados. El conjunto mostraba un crecimiento interanual del 33% en ventas y empleo, y del 109% en el nivel de exportaciones. El perfil de las empresas era típicamente pyme, con una facturación promedio de 1,4 millones de $/año y 23 empleados. Un 37% de dichas empresas declaraba una actividad principal distinta del desarrollo y comercialización de software, entre las cuales se destacaban Hardware, Telecomunicaciones, Consultoría y Contenidos. Tales empresas proveían a las demás Cadenas de Valor de la región, dada la transversalidad respecto a las mismas, y entre sus clientes se contaban a muchas de las más destacadas empresas de la provincia de Santa Fe, así como a multinacionales y empresas de primera línea de Argentina y el exterior. Un 52% de las empresas exportaba, aunque la relación exportaciones/ ventas del conjunto aún resultaba bajo, del orden del 5%. Los mercados objetivos eran claramente Latinoamérica (Chile, México, Venezuela), España y Estados Unidos. Se observaba que las empresas más pequeñas (ventas < 500 mil $/año, menos de 10 empleados) mostraban las mayores tasas de crecimiento y un mayor valor de la relación exportaciones/ ventas.

Las empresas que realizaban actividades de investigación y desarrollo, lo hacían en su gran mayoría con fondos propios, vinculándose con otras EBTs y centros de investigación de la región. Existía una definida conciencia sobre la importancia de la calidad, con un 65% de las empresas interesadas en certificar o aumentar el nivel de evaluación en alguna norma de calidad reconocida. Entre los Factores de Competitividad mencionados por las empresas, se destacaban como ventajas: (1) ubicación en el núcleo agroindustrial de Argentina, (2) costo competitivo, (3) recursos humanos calificados, (4) masa crítica de EBTs y trabajo asociativo. Entre las desventajas se mencionaban como prioritarias: (1) dificultades de financiación, (2) limitaciones en el acceso a fuentes de información comercial. Un 40% de las empresas tenía interés preliminar en radicarse en un parque tecnológico, si se dieran las condiciones adecuadas de costo e infraestructura, citando como principal motivación la vinculación con centros de I+D, con otras EBT's y con empresas de otros sectores.

Según se advierte en el informe del Ministerio de la Producción provincial (2008i), una de las debilidades del Sistema de SSI es que se carece de la *información cuantitativa* necesaria para definir con precisión su magnitud en términos de número de empresas, monto de facturación, nivel de empleo, exportaciones y otros indicadores numéricos relevantes. En general, la información disponible corresponde a entidades gremial-empresarias u ONGs de las ciudades de Rosario, Santa Fe y Rafaela, que son precisamente donde se encuentra el mayoritario porcentaje de las empresas. En el resto del territorio provincial las empresas se encuentran nucleadas en general en organizaciones tales como centros comerciales e Industriales, pero no existen entidades específicas vinculadas al sector que hayan relevado información cuantitativa particular sobre este.

En términos de caracterización general, las empresas del sector, excluyendo las de menos de 5 empleados, representan aproximadamente el 10% del sistema a nivel nacional, según información del Observatorio Permanente de la Industria del Software y Servicios Informáticos (OPSSI). A diferencia de la estructura de esta cadena en Buenos Aires y Córdoba, la cadena santafesina se caracteriza por una alta participación de pymes, pese a lo cual el porcentaje de empresas que exportan es similar al observado a nivel nacional. Diversos estudios referenciados por el Ministerio de la Producción (2008i) sitúan al sistema de SSI en la provincia en torno a las 60 empresas con más de cinco empleados, un total de aproximadamente $80.000.000 de facturación anual y exportando con regularidad los tres últimos años el 50% de las mismas a más de 14 destinos internacionales.

5. Síntesis

El mapa de las cadenas productivas en la provincia de Santa Fe muestra una desigual distribución geográfica de sus principales eslabones, con claro privilegio sobre las zonas sur y centro. Estas zonas de la provincia concentran la mayoría de las actividades de elaboración industrial de productos, incluso de algunos cuyo origen primario es propio del norte provincial (como la ganadería bovina o la madera para muebles).

La producción primaria y secundaria de las cadenas agroindustriales con mayor peso económico (soja, carne vacuna, leche, trigo y maíz) en cuanto a agregado de valor (según Anlló *et al.*, 2010), se encuentran en el sur y centro de la provincia, con excepción de la producción ganadera.

La producción primaria y secundaria de oleaginosas (soja fundamentalmente) y cereales (trigo y maíz) se encuentran fuertemente desarrolladas en el sur provincial en torno al polo ubicado en la zona del Gran Rosario. La producción primaria láctea (tambera) se encuentra en el centro de la provincia en torno al polo Rafaela y la secundaria (usinas) en el centro-sur de la provincia. El stock ganadero provincial se encuentra mayoritariamente en el norte, pero la actividad frigorífica se radica mayoritariamente en el centro y sur santafesino.

Las actividades vinculadas con la actividad metalmecánica y otras manufacturas o de base tecnológica, que brindan mayor agregado de valor, están especialmente radicadas en polos productivos del centro y sur de la provincia con escasa o nula relación con el norte provincial.

Las actividades más propiamente norteñas se relacionan con la cadena del algodón, el azúcar y, parcialmente, la foresto-industrial y apícola. Sin tener el peso económico de las cadenas oleaginosas y de cereales o láctea, las mismas se desarrollan integralmente (en su eslabón primario y secundario) en dicha región. Hay que señalar que, así como el complejo oleaginoso toma el polo Gran Rosario como eje de sus actividades, el polo de concentración de la actividad algodonera típica del norte santafesino está fuera de la provincia —en torno a la ciudad de Resistencia, en Chaco— y la del arroz en la provincia de Entre Ríos.

En términos generales, se puede decir que la economía de la zona menos desarrollada de la provincia, el norte santafesino y el este (departamentos Garay y San Javier), es predominantemente agrícola-ganadera. Se destaca en la producción de caña de azúcar, algodón, girasol, frutas y hortalizas, miel, bosques nativos y cultivados, el arroz y en el stock ganadero —como su principal producción primaria—. Tiene un polo agroindustrial localizado en Reconquista-Avellaneda que concentra la actividad aceitera, maderera, algodonera (desmotadoras y textiles), molinera, láctea y frigorífica de la región, pero sin llegar a compararse en su peso económico con los polos productivos del centro y sur de la provincia.

En cierto modo, como afirman Pujadas *et al.* (2017:78), estas economías no pampeanas o regionales en una provincia pampeana que caracterizan los territorios de menor desarrollo relativo

> ... se constituyen en el sostén para una gran cantidad de personas, cuyos pueblos tienen tradición en dichas producciones y son fuente de empleo para pequeños productores y sus familias, sustento de minifundios y pequeñas explotaciones agropecuarias. Son generadoras de valor agregado en origen, promueven el desarrollo y tienen efecto multiplicador para actividades relacionadas. De su andar depende el camino de algunas localidades que históricamente han dependido de estas producciones para subsistir. Cuando se indaga sobre sus problemáticas comunes, se puede mencionar las deficiencias en infraestructura, las restricciones de logística y transporte, los mercados poco transparentes

y con precios muy volátiles en que se desarrollan. Los altos costos de los combustibles, la presión fiscal y la continua competencia por el suelo con otras producciones del tipo pampeanas. Asimismo, el empleo en estos sectores es informal, generalmente familiar y temporal, sujeto a épocas de cosecha y siembra e, incluso, a oportunidades de trabajo en otras producciones y regiones. Existe una fuerte dependencia de estas actividades a las condiciones climáticas y de los suelos. La producción no siempre se ajusta a estándares internacionales, pudiendo existir problemas fitosanitarios, bajos rendimientos de los cultivos, lenta o nula incorporación de innovaciones, obsolescencia tecnológica. Su pequeña escala implica dificultades para acceder a insumos críticos, a tecnologías de punta, a créditos; pero, por sobre todo, la enfrenta a condiciones de desigualdad —y hasta de subordinación— con los siguientes eslabones de la cadena. A pesar de las múltiples posibilidades de agregar valor en origen, estas economías generalmente no lo hacen, o no en la medida de sus posibilidades.